SYLVIA PLATH

STIKLO GAUBTAS

SYLVIA PLATH

STIKLO GAUBTAS

ROMANAS

Iš anglų kalbos vertė
Rasa Akstinienė

VILNIUS

UDK 820(73)-3
Pl-24

Sylvia PLATH
THE BELL JAR
Faber and Faber, 1988

ISBN 9986-16-332-3

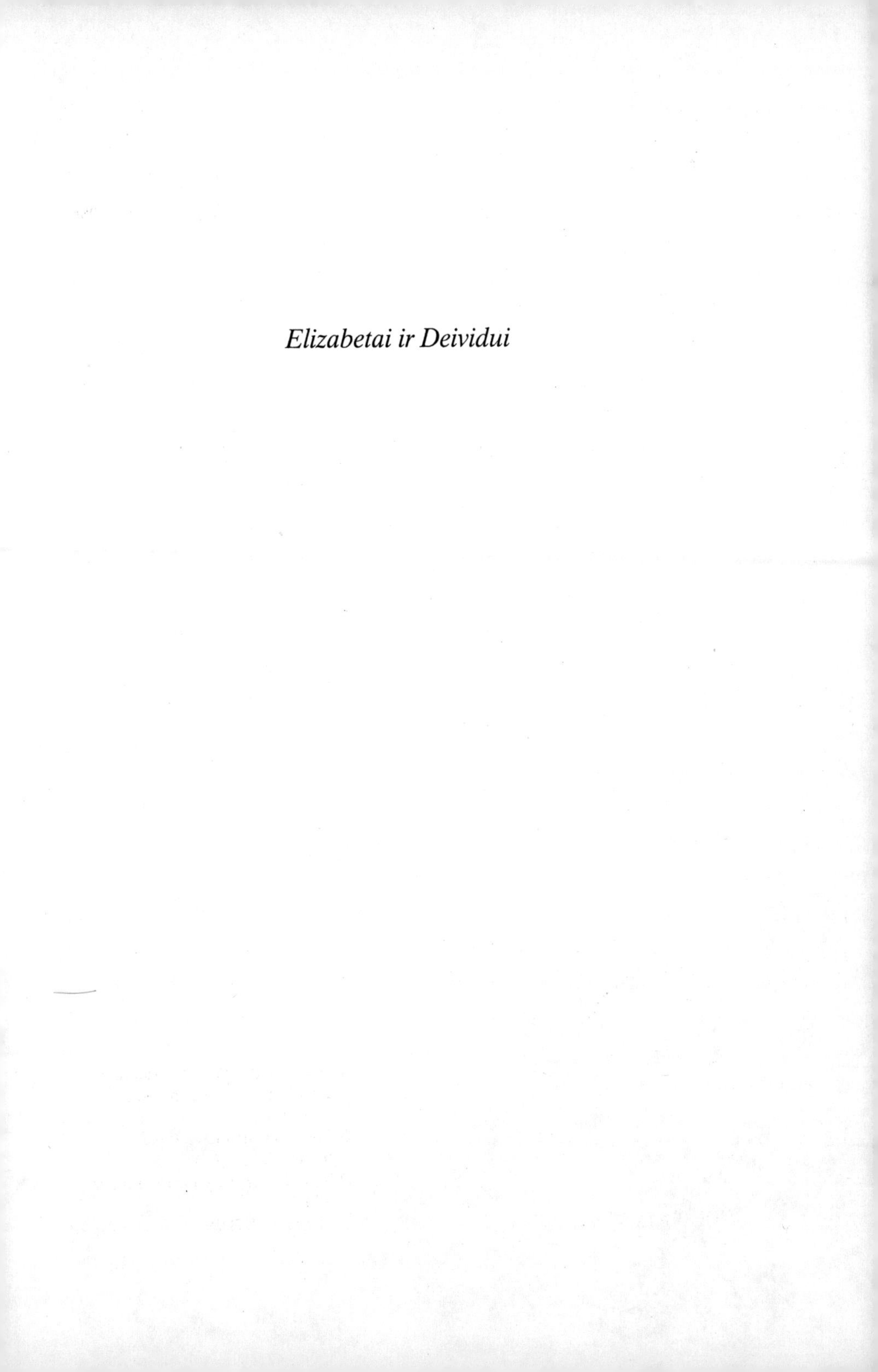

Elizabetai ir Deividui

Pirmas skyrius

Buvo keista, tvanki vasara; vasara, kai į elektros kėdę pasodino Rozenbergus, o aš net nežinojau, ką veikiu Niujorke. Mane glumina egzekucijos. Pagalvojus, kad į elektros kėdę galėčiau sėsti aš, man pasidaro silpna, o juk dabar tik apie tai ir rašo laikraščiai – didžiulės antraštės spokso į mane iš kiekvienos gatvės kertės ir iš priplėkusių, žemės riešutais atsiduodančių kiekvieno metro žiočių. Su manim šis įvykis neturėjo nieko bendra, bet niekaip negalėjau atsikratyt minčių, kas būtų, jei man gyvai sudegtų visi nervai.

Manau, tai būtų baisiausias dalykas pasaulyje.

Niujorke nėra gera. Tarsi saldus sapnas devintą ryto išgaruoja gaivus tarsi kaime oras, pernakt kažkaip prasismelkęs į miestą. Pilki miražai granito kanjonų dugne, karštos gatvės mirga saulėje, žvilga ir spirga automobilių stogai, o sausos, sprangios dulkės lekia man į akis ir nuslysta gerkle žemyn.

Vis girdžiu apie Rozenbergus per radiją ir biure, galiausiai nebegaliu apie juos negalvoti. Prisimenu, kaip pirmą kartą pamačiau lavoną. Praėjus daugybei savaičių, lavono galva – ar tai, kas iš jos liko, – plaukiojo virš mano kiaušinienės ir kumpio per pusryčius ir už Badžio Vilardo, kuris ir buvo kaltas, kad pamačiau lavoną, veido. Netrukus pasijutau, lyg tą lavono galvą tampyčiau visur su savimi ant virvutės, tarsi juodą benosį balioną, dvokiantį actu.

Nutuokiau, kad tą vasarą aš nebuvau visai sveika, nes galėjau galvoti tik apie Rozenbergus, ir kvailinau save už tai, kad nusipirkau visus tuos nepatogius brangius drabužius, kurie, suglebę it žuvys, kadaruoja dabar mano spintoje. Mąsčiau ir apie visus tuos menkus džiugius laimėjimus koledže, kurie išgaravo, vos susidūrę su lygiu marmuru ir stikliniais Medisono aveniu fasadais.

Dabar turėjo būti gražiausi mano gyvenimo metai.

Man turėjo pavydėti tūkstančiai kitų į mane panašių koledžo mergyčių iš visos Amerikos, kurios tik ir troško stypčioti su tokiais pat septinto dydžio natūralios odos batais, kuriuos drauge su juodu natūralios odos diržu ir juoda natūralios odos pinigine nusipirkau Blumingdeile per priešpiečius. Ir kai mano nuotrauka pasirodė žurnale, kuriame mūsų dirbo dvylika, – aš, apsitempusi sidabrinio brokato imitacijos liemenę, įsisupusi į didelį, tirštą balto tiulio debesį, gėriau martinį ant žvaigždžių nušviesto stogo drauge su keletu nepažįstamų jaunuolių, kurie ta proga išsinuomojo ar pasiskolino amerikietiškus smokingus, – visi turėjo manyti, jog esu tikra šaunuolė.

Tik pažvelk, kas gali nutikti šioje šalyje, sakys jie. Mergaitė devyniolika metų gyvena kažkokiame atokiame miesteliūkštyje taip skurdžiai, kad net žurnalo neišgali nusipirkti, o paskui ji baigia koledžą, šen bei ten laimi prizą ir galiausiai ima vairuoti Niujorką kaip nuosavą mašiną.

Bet aš nevairavau nieko, išskyrus save. Tiesiog išriedėdavau iš savo viešbučio į darbą ir vakarėlius, o iš jų į viešbutį ir atgal į darbą tarsi sustingęs troleibusas. Kaip ir dauguma merginų, tikriausiai turėjau žavėtis viskuo, tačiau niekaip negalėjau prisiversti. Jaučiausi labai rami ir tuščia – taip turbūt yra triukšmo supamame pačiame uragano centre, niūriai slenkančiame tolyn.

Viešbutyje mūsų buvo dvylika.

Mes visos rašėme esė, istorijas, poemas ir madų anotacijas ir laimėjome madų žurnalo konkursą, kurio prizas ir buvo mėnesio darbas Niujorke. Mums apmokėdavo visas išlaidas ir gavome daugybę bilietų į baletą ir kvietimų į madų šou, kirpomės įžymiajame brangiame salone, nuolat sutikdavome daug madų pasaulyje pasiekusių žmonių, be to, buvome mokomos, kaip pasidaryti prie gymio derantį makiažą.

Vis dar turiu dovanotus makiažo reikmenis, tinkančius žmogui rudomis akimis ir rudais plaukais; į mažą paauksuotą dėžutę su veidrodėliu viename šone įdėta pailgas rudo tušo buteliukas su šepetuku, apvalus šešėlių indelis mėlynoms akims, į kurį galima įkišti pirštą, ir trys lūpdažiai – nuo raudono iki violetinio. Dar turiu baltą plastikinį saulės akinių dėklą spalvotais rėmeliais ir žvyno pavidalo blizgučiais bei ant jo užlipdyta žalia plastikine jūrų žvaigžde.

Žinojau, jog kaupiame šias dovanas dėl to, jog firmoms tai nemokama reklama, bet nenorėjau būti ciniška. Man buvo baisiai malonu jausti ant mūsų besipilantį dovanų lietų. Po kurio laiko suslapsčiau dovanas, bet vėliau, kai vėl gerai pasijutau, ištraukiau ir iki šiol laikau jas namie. Kartais pasidažau lūpų dažais, o praėjusią savaitę nupjoviau plastikinę jūrų žvaigždę nuo saulės akinių dėklo, kad su ja pažaistų kūdikis.

Taigi viešbutyje mūsų buvo dvylika, tame pačiame sparne, tame pačiame aukšte, vienviečiuose kambariuose, vienas greta kito. Man tai priminė bendrabutį koledže. Tai nebuvo tikras viešbutis – turiu galvoje viešbutį, kur tame pačiame aukšte gyvena ir vyrai, ir moterys.

Šis viešbutis, „Amazonė“, skirtas tik moterims, ir daugiausia čia buvo mano bendraamžių, turtingų tėvų dukrelių; šie norėjo būti tikri, kad dukros gyvens ten, kur jų nepasieks ir neapgaus vyriškiai; visos jos lankė snobiškas sekretorių mokyklas, tokias kaip Keitės Gibs, kur eidamos į klasę turėjo mūvėti skrybėles, kojines ir pirštinaites, ar ką tik baigė tokias mokyklas ir dirbo administratorių ar jaunesniųjų administratorių padėjėjomis ar tiesiog šlaistėsi Niujorke, tikėdamosi ištekėti už kokio verslininko.

Man šios merginos atrodė baisiai nuobodžios. Stebėjau, kaip jos žiovauja, lakuoja nagus ar stengiasi ant stogo įdegti kaip Bermuduose. Atrodė, kad joms klaikiai nuobodu. Pasikalbėjau su viena jų – jai nusibodo jachtos, nusibodo skraidyti lėktuvu, nusibodo slidinėti Šveicarijoje per Kalėdas ir nusibodo vyrai Brazilijoje.

Nuo tokių merginų man darosi bloga. Aš joms taip pavydžiu, kad man net žadą atima. Aš, devyniolikmetė, dar nebuvau išvykusi iš Naujosios Anglijos, išskyrus šią kelionę į Niujorką. Tai mano pirma didžioji proga, bet aš dykinėju, o ji teka man pro pirštus tarsi vanduo.

Manau, dėl kai kurių mano bėdų kalta ji – Dorina.

Anksčiau nepažinojau tokių merginų kaip Dorina. Ji atvyko iš valstybinio merginų koledžo Pietuose. Šviesūs balti plaukai tarsi medvilnės pūkai styrojo jai ant galvos, mėlynos akys priminė perregimus agato rutuliukus, tvirtus, nublizgintus ir tikriausiai nesudaužomus, o lūpos nuolat būdavo pašaipiai papūstos. Nesakau, kad ta pašaipa būdavo pikta, greičiau linksma, paslaptinga pašaipa, tarsi visi ją supantys žmonės būtų paikšiai, ir ji, jei tik norėtų, galėtų papasakoti apie juos keletą linksmiausių istorijų.

Dorina tučtuojau išskyrė mane iš kitų. Šalia jos jaučiausi, it būčiau kur kas sąmojingesnė už kitus. Iš tiesų ji buvo nuostabi ir šauni. Ji sėdėdavo šalia manęs prie posėdžių stalo, o kai kalbėdavo kviestinės įžymybės, nuolat šnibždėdavo man į ausį sąmojingas sarkastiškas pastabėles.

Ji sakė, kad jos koledže merginos neatsiliko nuo mados: visos turėjo rankines iš tos pačios medžiagos kaip ir jų suknelės, tad kiekvieną kartą, persirengusios drabužius, jos pasikeisdavo rankines. Aš susižavėjau. Rodės, visas jų gyvenimas – nuostabus, įmantrus dekadansas, kuris traukė mane it magnetas.

Dorina mane išbarė tik už tai, kad pernelyg nerimauju, ar atliksiu savo užduotį laiku.

– Ko tu suki sau galvą? – Dorina, apsivilkusi persiko spalvos chalatu, išsidrėbė ant mano lovos ir ėmė dildyti ilgus nuo nikotino pageltusius nagus, kol aš spausdinau interviu su bestselerių rašytoju planą.

Ir štai dar kas: kitos mūsų merginos vilkėdavo krakmolytus medvilninius plonus naktinius ir dygsniuotus chalatus, na, gal frotinius maudymosi chalatus, – juos apsisiausdavo ir paplūdimy, – o Dorina puošdavosi nailoniniais nėriniuotais perregimais naktiniais iki žemės bei nuodėmės vertais chalatėliais, kurie įsielektrinę lipdavo jai prie kūno. Ji įdomiai kvepėdavo, lyg ir prakaitu, ir aš prisimindavau geldutės formos papar̃čio lapus, kuriuos gali plėšyti ir trinti tarp pirštų – tada pasklinda muskuso kvapas.

– Juk žinai, kad senei Džei Si nusispjaut, ar istoriją duosi rytoj, ar pirmadienį, – Dorina užsidegė cigaretę ir ėmė lėtai pūsti dūmus pro šnerves, ir jos akis uždengė šydas. – Džei Si

bjauri kaip nuodėmė, – ramiai tęsė Dorina. – Lažinuosi, kad senis jos vyras, prieš prieidamas prie jos, užgesina visas šviesas, nes kitaip apsivemtų.

Džei Si buvo mano viršininkė, ir, nepaisant Dorinos šnekų, man ji labai patiko. Ji nebuvo madų žurnalo isterikė dirbtinėmis blakstienomis ir paikais papuošalais. Džei Si buvo protinga, taigi buvo galima nekreipt dėmesio į gana įžūlią jos išvaizdą. Ji mokėjo porą užsienio kalbų ir pažinojo visus geriausius šio verslo žurnalistus.

Mėginau įsivaizduoti, kaip Džei Si nusivelka griežtą dalykinį kostiumėlį, nusiima skrybėlaitę ir gula į lovą su savo storuliu vyru, bet tiesiog negalėjau. Man visada baisiai sunku įsivaizduoti žmones, drauge gulinčius lovoje.

Džei Si norėjo mane šio bei to išmokyti, – visos senos damos, kurias kada nors pažinojau, norėjo mane šio bei to išmokyti, – bet staiga supratau, kad jos nieko negali manęs išmokyti. Aš uždėjau dangtį ant savo rašomosios mašinėlės ir spustelėjau, kad užsitrenktų.

Dorina nusišypsojo.

– Gudruolė.

Kažkas pabeldė į duris.

– Kas ten? – aš neskubėjau atsistoti.

– Tai aš, Betsė. Ar eisi į vakarėlį?

– Tikriausiai, – vis dar nėjau prie durų.

Betsė atkako tiesiai iš Kanzaso su stora geltona arklio uodega ir nuoširdžia Sigmos seserijos šypsena. Pamenu, kaip kartą dvi iš mūsų kažkoks mėlynsmakris TV prodiuseris dryžuotu kostiumu pasikvietė į biurą norėdamas pažiūrėti, ar išmanome ką nors, ką jis paskui galėtų pritaikyti programai, ir Betsė pradėjo pasakoti apie ūkininkus, kurie Kanzase augina kukurūzus. Ji taip įsijautė taukšt apie tuos prakeiktus kukurūzus, kad prodiuseriui net ašarėlė nuriedėjo, tik, deja, jis pasakė, kad negalėsiąs to panaudoti.

Vėliau grožio skilties redaktorė įtikino Betsę nusikirpti plaukus ir padarė ją viršelio mergina, ir aš vis dar šen bei ten matau jos veidą, besišypsantį tuose „P. K. žmona vilki B. H. Wragge" rašinėliuose.

Betsė visada norėjo su manim ir kitomis mergaitėmis šį tą nuveikti, tarsi būtų mėginusi mane apsaugoti. Gal todėl niekada nesikvietė Dorinos. Dorina slapta pravardžiavo ją kauboje Poliana*.

– Ar nori važiuoti su mumis taksi? – paklausė Betsė už durų.

Dorina papurtė galvą.

– Viskas okei, Betse! – šūktelėjau. – Važiuosiu su Dorina.

– Okei, – išgirdau, kaip Betsė nutapsi koridoriumi.

– Mes pabūsim, kol nusibos, – Dorina užgesino cigaretę į mano naktinės lemputės gaubtą, – o paskui palėbausim. Tie čia rengiami vakarėliai primena man senus šokius mokyklos sporto salėj. Kodėl visada susirenka jeiliečiai? Ogi todėl, kad jie – baisūs bukagalviai!

Badis Vilardas lankė Jeilį, bet kai dabar geriau pagalvoju, kuo jis man neįtiko... Jis tikrai buvo kvailas. Na taip, jis sugebėdavo gaut gerus pažymius ir net užmezgė romaniūkštį su kažkokia baisia padavėja iš Kyšulio, vardu Gledė, bet neturėjo nė per nago juodymą intuicijos. O Dorina jos turėjo. Viskas, ką ji sakė, buvo tarsi slaptas balsas, sklindantis tiesiai iš mano kūno.

Mes įstrigome pavakario kamštyje. Mūsų taksi įsispraudė tarp Betsės ir kitų keturių merginų taksi, ir niekas negalėjo nė pajudėt.

* Pagal E. H. Porter apsakymo pagrindinį veikėją (*čia ir toliau vertėjos pastabos*).

Dorina atrodė šauniai. Ji vilkėjo baltą nėriniuotą suknutę be petnešėlių, po ja buvo aptemptas korsetas, kuris suveržė jos liemenį ir vaizdingai išpūtė krūtinę bei klubus, o jos oda žvilgėjo bronza po blyškia pudra. Ji kvepėjo aitriai tarsi visa kvepalų parduotuvė.

Aš vilkėjau siaurą juodą šantungo* suknelę, kainavusią man keturiasdešimt dolerių. Tai buvo dalis mano stipendijos pinigų, kuriuos ėmiau leist, kai sužinojau, jog esu viena iš laimingųjų, vykstančių į Niujorką. Suknelė buvo kirpta taip keistai, kad po ja negalėjau vilkėti jokių apatinių, bet tai nebuvo labai svarbu, nes esu kaulėta kaip berniūkštis ir tik šiek tiek garbanota, be to, man patinka jaustis beveik nuogai karštomis vasaros naktimis.

Tačiau miestas išblukino mano nudegimą. Atrodžiau geltona kaip kinė. Įprastai susinervinčiau dėl savo suknelės ir keistos veido spalvos, bet, būdama su Dorina, pamiršau savo nerimą. Jaučiausi išmintinga ir ciniška kaip velnias.

Kai vyras mėlynais vilnoniais marškiniais, juodomis medvilninėmis kelnėmis ir išdirbtos odos kaubojaus batais nuo baro po dryžuotu tentu, prie kurio stovėdamas dėbsojo į mūsų taksi, ėmė žingsniuoti prie mūsų, man nekilo jokių abejonių. Puikiai žinojau, kad jis eina link Dorinos. Jis vinguriavo tarp sustojusių mašinų ir energingai pasilenkęs atsirėmė į atidarytą mūsų mašinos langą.

– Ir ką gi, klausiu, šios dvi gražios mergytės veikia vienos taksi tokią gražią naktį?

Jis nusišypsojo: dantys buvo dideli, platūs ir balti, kaip iš dantų pastos reklamos.

* Medžiaga, austa iš laukinių šilkaverpių šilko, su tam tikrais paviršiaus tekstūros nelygumais.

– Keliaujam į vakarėlį, – išpyškinau, nes Dorina staiga tapo kurčia kaip kelmas ir ėmė abejingai knibinėti baltais nėriniais apsiūtą rankinę.

– Tai nuobodu, – supeikė vyriškis. – Gal judvi prisidėtumėt prie manęs ir išlenktumėt porą taurelių štai ten, bare? Manęs laukia keli dauguižiai.

Jis smakru parodė keletą kasdieniškai apsirengusių vyrų, sliūkinėjančių aplink tentą. Jie sekė jį žvilgsniu, o kai jis atsisuko, jie ėmė kvatotis.

Šis juokas turėjo mane įspėti. Tai buvo grėslus, visažinis prunkštimas, tačiau pasirodė, kad automobiliai netrukus vėl pajudės, ir žinojau, kad jei užsispirsiu, jau po dviejų sekundžių imsiu gailėtis, jog atsisakiau likimo dovanotos progos pamatyti daugiau Niujorko, nei to, ką žurnalo žmonės taip kruopščiai mums buvo suplanavę.

– Kaip, Dorina? – pasiteiravau.

– Kaip, Dorina? – pakartojo vyras ir plačiai nusišypsojo.

Šiandien negaliu prisiminti, kaip jis atrodė, kai nesišypsodavo. Manau, kad jis visą laiką šypsodavosi. Tikriausiai jam tai buvo įprasta.

– Ką gi, gerai, – pasakė man Dorina.

Aš atidariau duris, išlipau iš taksi kaip tik laiku, nes jis vėl trūktelėjo priekin, ir ėmiau eiti prie baro.

Klaikiai sužviegė stabdžiai, pasigirdo dunkstelėjimas.

– Ei, tu! – iš įtūžio net violetinis mūsų taksisto veidas pasirodė lange. – Ką čia išdarinėji?

Jis sustabdė taksi taip staigiai, kad kitas, važiavęs iš paskos, bedės jam į užpakalį, ir mes pamatėme, kaip keturios viduje sėdinčios merginos tik mojuoja rankomis ir mėgina atsikelti nuo grindų.

Vyras nusijuokė, paliko mus ant šaligatvio krašto, grįžo,

padavė čekį vairuotojui, visiems garsiai signalizuojant ir kai kam rėkiant. Paskui pamatėme, kaip merginos iš žurnalo tolsta ir dingsta mašinų eilėje – vienas taksi važiavo paskui kitą ir tai buvo taip panašu į vestuvių vakarėlį vien su pamergėmis.

– Eikš čia, Frenki, – pasakė vyras vienam savo sėbrui, ir žemaūgis susiraukęs vaikinukas, atsiskyręs nuo grupelės, priėjo prie baro, kur stovėjome mes.

Tokių vaikinų aš tiesiog negaliu pakęsti. Su kojinėmis mano ūgis yra penkios pėdos ir dešimt colių, o kai būnu su žemu vyru, šiek tiek susikūprinu ir suglembu, tad atrodau žemesnė ir jaučiuosi nerangi – it klipata, it klounas cirko vaidinime.

Akimirką vyliausi, kad gal susiporuosim pagal ūgį, tada atitekčiau vyrui, kuris pirmas mus užkalbino, o jo ūgis – kokios šešios pėdos, bet jis nuėjo tiesiai prie Dorinos ir antrą kartą į mane nebepažvelgė. Mėginau apsimesti, kad nematau Frenkio, risnojančio man prie alkūnės, ir atsisėdau prie staliuko arčiau Dorinos.

Bare buvo taip tamsu, kad nemačiau beveik nieko, tik Doriną. Baltais plaukais ir balta suknele ji buvo dar baltesnė – atrodė kaip sidabrinė. Tikriausiai ji atspindėjo neono lempas virš baro. Pasijutau tirpstanti šešėliuose – tarsi žmogaus, kurio niekada anksčiau nebuvau mačiusi, negatyvas.

– Na, ko pageidausim? – plačiai nusišypsojęs paklausė vyras.

– Aš gal gersiu kokteilį su degtine, – pasakė man Dorina.

Visada suglumdavau, kai reikėdavo užsisakyti gėrimų. Neskyriau viskio nuo džino, niekada nepavykdavo išsirinkti gėrimo, kurio skonis man tikrai patiktų. Badis Vilardas ir kiti mano pažįstami koledžo berniukai paprastai arba neturėdavo tiek pinigų, kad galėtų pirkti alkoholinių gėrimų, arba niekino geriančius. Nuostabu, bet daug koledžo vaikinų negėrė ir nerūkė. Atrodė, kad visus juos pažįstu. O Badis Vilardas kažkada nuėjo ir nupirko mums butelį „Dubbonet", bet pasielgė taip tik todėl, jog mėgino įrodyti galįs būti estetas nepaisant to, kad jis – medicinos studentas.

– O aš išgersiu vodkos, – pasakiau.

Vyras įdėmiai pažvelgė į mane:

– Skiestos kuo nors?

– Grynos, – atsakiau. – Visada geriu neskiestą.

Galvojau, kad apsikvailinsiu, jei pasakysiu, jog gersiu ją su ledu, soda, džinu ar dar kuo. Kartą mačiau tokią vodkos reklamą: tiesiog vidury pusnies stovi mėlynai apšviesta pilna vodkos stiklinė. Ta vodka atrodė tyra ir švari it vanduo, tad pamaniau, kad labai tiks išgerti grynos vodkos. Svajojau kurią dieną užsisakyti to gėrimo ir pajusti, kokio jis puikaus skonio.

Priėjus padavėjui, vyras užsakė visiems keturiems gėrimų. Šiame miesto bare, apsirengęs kaubojiškais drabužiais, jis jautėsi kaip namie, tad pamaniau, kad gal jis – kokia žymenybė.

Dorina tylėjo, ji tik žaidė su padėkliuku ir galiausiai užsidegė cigaretę, bet atrodė, kad tam vyrui tai nerūpi. Jis vis dar žiūrėjo į ją taip, kaip žmonės spokso į didžiulę baltą arą zoologijos sode, laukdami, kol ji prabils žmogaus balsu.

Atnešė gėrimus, ir maniškis buvo tyras ir švarus, visai toks, kaip toje vodkos reklamoje.

– Kuo verties? – paklausiau vyro, norėdama sutrikdyti tylą, kylančią aplink mane, tankią it džiunglių žolė. – Na, tiksliau, ką veiki čia, Niujorke?

Lėtai, rodos, milžiniškomis pastangomis, jis atplėšė žvilgsnį nuo Dorinos peties.

– Aš – diskžokėjas, – atsakė. – Tikriausiai esi apie mane girdėjusi. Esu Lenis Šeperdas.

– Aš tave pažįstu, – staiga prabilo Dorina.

– Džiaugiuosi, meilute, – atsiliepė vyras ir nusikvatojo. – Tai praverčia. Esu įžymus kaip velnias.

Paskui Lenis Šeperdas įbedė akis į Frenkį.

– Sakyk, iš kur atvykai? – paklausė Frenkis ir staigiai atsitiesė. – Kuo tu vardu?

– Ši – Dorina, – Lenio delnas nuslydo per nuogą Dorinos ranką ir spustelėjo ją.

Aš nustebau, kad Dorina nekreipia dėmesio į tai, ką jis daro. Ji tiesiog sėdėjo, tamsiaveidė tarsi išbalinta blondinė negrė balta suknele, ir lėtai siurbčiojo gėrimą.

– O aš – Elė Higinbotom, – pasakiau. – Atvažiavau iš Čikagos, – ištarusi tai, pasijutau tvirtesnė. Nenorėjau, kad tai, ką sakysiu ar darysiu šįvakar, turėtų bent kokį ryšį su manimi, tikruoju mano vardu ir tuo, kad atvykau iš Bostono.

– Ką gi, Ele, gal šiek tiek pašoktume, kaip manai?

Pagalvojusi, kad šoksiu su šiuo neūžauga, avinčiu oranžiniais zomšiniais batais su platformomis, vilkinčiu trumpais marškinėliais ir nutįsusiu žydru sportiniu švarku, ėmiau juoktis. Jau ką niekinu, tai vyrus žydrais drabužiais. Jie gali būti kokie nori – juodi, pilki ar net rudi. Bet tik ne žydri.

– Neturiu nuotaikos, – šiurkščiai atrėžiau, atsukdama jam nugarą ir prislinkdama kėdę arčiau Dorinos ir Lenio.

Dabar atrodė, kad tiedu pažįstami jau daugelį metų. Dorina graibė ilgu sidabriniu šaukšteliu vaisių gabalėlius iš taurės dugno, o Lenis kriuksėjo kas kartą, kai tik ji pakeldavo šaukštelį prie lūpų, ir, apsimesdamas šunimi ar kitu gyvūnu, mėgindavo išgriebti vaisių iš šaukštelio. Dorina kikeno ir toliau graibė vaisius.

Ėmiau galvoti, kad vodka – kaip tik tas gėrimas, kokio ieškojau. Skoniu ji nebuvo panaši į nieką, bet slyste slydo tiesiai į mano skrandį kaip koks kardų rijiko kardas, o aš jaučiausi galinga tarsi dievas.

– Geriau jau eisiu, – Frenkis atsistojo.

Nelabai aiškiai jį mačiau, – bare tvyrojo prieblanda, – bet pirmą kartą išgirdau, koks aukštas ir kvailas jo balsas. Niekas nekreipė į jį jokio dėmesio.

– Ei, Leni, tu man šį tą skolingas. Prisimeni, Leni, tu man šį tą skolingas. Ar ne, Leni?

Man pasirodė keista, kad Frenkis mūsų akivaizdoje primena Leniui, jog šis jam šį tą skolingas, juk mes pašalinės, bet Frenkis tol stovėjo, kartodamas tą patį, kol Lenis įgrūdo ranką kišenėn ir iš ten ištraukė didelį ritinį žalių banknotų, atskyrė vieną ir atidavė Frenkiui. Manau, ten buvo kokių dešimt dolerių.

– Užsikimšk ir mauk iš čia.

Akimirką pamaniau, kad Lenis kreipiasi ir į mane, bet paskui išgirdau Doriną sakant:

– Eisiu, jei kartu eis ir Elė. – Reikia pripažint, ji šauniai tarė mano netikrą vardą.

– Bet Elė eis. Ar ne, Ele? – Lenis man mirktelėjo.

– Aišku, eisiu, – pasakiau. Frenkis išgaravo tamsoje, taigi pamaniau, jog turiu laikytis prie Dorinos. Norėjau pamatyti kuo daugiau.

Man patinka stebėti kitus žmones kritiškose situacijose. Jei kelionėje įvyksta avarija ar gatvės muštynės, arba turiu žiūrėti į žmogaus vaisių, užmarinuotą laboratoriniame stiklainyje, sustingstu ir žiūriu taip atidžiai, jog amžiams įsimenu tuos vaizdus.

Iš tiesų sužinau daug dalykų, kurių kitaip niekada nesužinočiau, ir net kai nustembu ar pasidaro bloga, niekada to nepasakau, tik apsimetu, jog viską žinojau ir anksčiau.

Antras skyrius

Nė už ką nebūčiau atsisakiusi apžiūrėti Lenio namų.

Jie buvo pastatyti visai kaip ranča, tik stovėjo tarp Niujorko daugiabučių namų. Lenis sakė, kad išgriovė keletą pertvarų erdvei praplėsti, tada pušų lentutėm iškalė sienas ir priderino tą nepaprastą pušų lentutėm apkaltą pasagos formos barą. Grindys berods irgi buvo pušinių lentų.

Po kojomis gulėjo dideli baltojo lokio kailiai, o vieninteliai baldai – žemos lovos, užtiestos indėniškais kilimėliais. Užuot kabinęs ant sienų paveikslus, jis ten prikalė elnio, bizonų ragų ir kiškio galvos iškamšą. Lenis perbraukė nykščiu per švelnų pilką snukutį ir stačias didžiojo kiškio ausis.

– Suvažinėjau jį Las Vegase.

Jis ėjo per kambarį, o jo kaubojiški batai trinksėjo į grindis, it šaudant pistoletu.

– Akustika, – suburbėjo jis, vis toldamas ir mažėdamas, kol pranyko tolimame tarpduryje.

Akimirksniu mus apsupo iš visų pusių sklindanti muzika. Paskui ji nutilo, ir išgirdome Lenio balsą sakant: „Tai jūsų dvylikos valandų diskžokėjas, Lenis Šeperdas, su pop muzikos geriausių kūrinių apžvalga. Dešimtoje vietoje šią savaitę yra ne kas kitas, o geltonplaukė mergužėlė, apie kurią jau daug turbūt esate girdėję... Vienintelė ir nepakartojama Saulėgrąža!“

Aš gimiau Kanzase, aš augau Kanzase,
Ir mano nuotaka bus iš Kanzaso...

– Koks keistuolis! – sučiulbo Dorina. – Argi jis ne keistuolis?

– Tai jau taip, – pritariau.

– Klausyk, Ele, padaryk man paslaugą, – atrodė, ji mano, kad aš dabar iš tiesų esu Elė.

– Aišku, – atsakiau.

– Būk šalia, gerai? Jei jis mėgins ką iškrėsti, negalėsiu pasipriešinti. Ar matei jo raumenis? – sukikeno Dorina.

Lenis išniro iš galinio kambario.

– Čia turiu dvidešimties gabalų vertą įrašų įrangą, – jis palengva priėjo prie baro, pastatė tris stiklus ir sidabrinį kibirėlį ledui bei didelį ąsotį ir ėmė maišyti gėrimus iš keleto skirtingų butelių.

...vesiu ištikimą mergužėlę,
kad palauks, ji pažadėjo.
Ji – saulėgrąža iš Saulėgrąžų valstijos.*

– Nuostabu, a? – Lenis priėjo, nešdamas tris stiklus.

Dideli lašai kybojo ant jų tarsi prakaitas, o ledo kubeliai barškėjo, kol Lenis dalijo gėrimus. Muzikai nutilus, mes išgirdome, kaip Lenio balsas praneša kito kūrinio vietą.

* Kitaip – Kanzaso valstija.

– Keista klausytis, kaip pats kalbu. Ei, – Lenis įbedė į mane akis, – Frenkis išmovė, o tau reikia ką nors turėt, todėl pasikviesiu vieną draugelį.

– Viskas okei, – atsiliepiau. – Nereikia, – nenorėjau būti tiesmuka ir paprašyti ko nors, keliais dydžiais didesnio už Frenkį.

Atrodė, kad Leniui palengvėjo.

– Na, jei jau tau nesvarbu. Nenorėčiau negražiai elgtis su Dorinos drauge, – jis plačiai nusišypsojo Dorinai, blykstelėjo balti dantys. – Juk taip, mieloji?

Ir ištiesė ranką Dorinai. Netarę nė žodžio, jie abu pradėjo šokti, vis dar laikydami savo stiklus.

Atsisėdau ant vienos lovos, sukryžiavau kojas ir mėginau atrodyti pamaldi ir beaistrė kaip vienas verslininkas, kurį kartą mačiau stebintį Alžyro pilvo šokėją, bet, vos atsilošusi, atsirėmiau į sieną po triušio iškamša, ir lova ėmė riedėti į kambarį, tad persėdau ant lokio kailio, patiesto ant grindų, ir atsirėmiau į lovą.

Mano gėrimas buvo verksmingas ir liūdnas. Kuo daugiau jo gėriau, tuo labiau jis man darėsi panašus į negyvą vandenį. Ant taurės vidurio buvo nutapytas violetinis lasas su geltonais taškučiais. Nugėriau maždaug per colį žemiau laso ir luktelėjau, o kai panorau dar gurkštelėti, gėrimas vėl pasiekė lasą ir net aukščiau.

Ore sugriaudė pamėkliškas Lenio balsas:

– Kodėl, o, kodėl aš palikau Vajomingą?

Tiedu nesiliovė šokę net per pertraukėles. Pajutau, kad virstu juodu taškučiu tarp visų tų raudonų ir baltų kilimėlių bei pušų lentučių. Pasijutau, tarsi būčiau grindų skylė.

Sakyčiau, amoralu stebėti, kaip du žmonės vis labiau kraustosi iš proto vienas dėl kito, ypač, kai esi vienintelis kitas žmogus kambaryje.

Tarsi stebėtum Paryžių iš tarnybinio ekspreso vagono, važiuojančio priešinga kryptimi – kiekvieną sekundę miestas ima vis mažėti ir mažėti, o tu jauti, kad mažėja ne jis, o tu ir daraisi vis vienišesnė, skubėdama šalin nuo visų šviesų ir to jaudulio maždaug milijono mylių per valandą greičiu.

Lenis su Dorina vis susiglausdavo, bučiuodavosi, atsitraukdavo ir, muktelėję po gerą gurkšnį iš savo stiklų, vėl susiglausdavo. Pagalvojau, kad galiu tiesiog atsigulti ant lokio kailio ir pamiegoti, kol Dorina bus pasiruošusi grįžti į viešbutį.

Staiga Lenis baisiai suriaumojo. Atsisėdau. Dorina buvo įsikandusi kairįjį Lenio ausies spenelį.

– Paleisk, kale!

Lenis pasilenkė, Dorina slystelėjo ir užgriuvo jam ant peties, jos stiklas išslydo iš rankos, nuskrido ilgu plačiu lanku ir, atsitrenkęs į pušies lentutę, kvailai skimbtelėjo. Lenis vis dar riaumojo ir sukosi apie savo ašį taip greitai, kad negalėjau matyti Dorinos veido.

Taip paprastai, kaip kad jūs pastebite žmogaus akių spalvą, pastebėjau, kad Dorinos krūtys išsprūdo iš suknelės ir lėtai susiūbavo tarsi prinokę rudi melionai, kai ji ėmė suktis, persisvėrusi per Lenio petį, mataruodama kojomis ore ir žviegdama, paskui jie abu ėmė kvatotis ir sulėtino greitį, o kai Lenis pamėgino įkąsti Dorinai į šlaunį per sijoną, aš išpuoliau pro duris, kol dar neatsitiko nieko daugiau. Man pavyko nulipti apačion, laikantis abiem rankom už turėklų – visą kelią aš pusiau slydau žemyn.

Nesuvokiau, jog Lenio namuose yra oro kondicionierius, kol neišsvirduliavau į lauką ant šaligatvio. Tvankus pietų karštis, kurį šaligatviai gėrė visą dieną, smogė man į veidą tarsi paskutinis iššūkis. Nesuvokiau, kurioje pasaulio vietoje esu. Kurį laiką puoselėjau mintį pasigauti taksi ir pagaliau nuvažiuoti į vakarėlį, bet jos atsisakiau, nes šokiai gal jau baigėsi, o man pačiai vargu ar būtų patikę baigti vakarą tuščioje šokių salėje, kur primėtyta konfeti, nuorūkų ir suglamžytų kokteilio servetėlių.

Atsargiai nuėjau prie artimiausios sankryžos, braukdama per pastatų sienas kairės rankos pirštu, kad lengviau būtų išlaikyti pusiausvyrą. Pažvelgiau į gatvės lentelę. Paskui iš rankinės išsitraukiau Niujorko gatvių žemėlapį. Aš buvau tiksliai už keturiasdešimt trijų namų, už penkių kvartalų nuo savo viešbučio.

Niekada nebijojau paėjėti. Tad ėmiau kulniuoti tiesiu taikymu, šnibždomis skaičiuodama kvartalus, ir kai įėjau į viešbučio fojė, buvau visiškai blaivi, tik kojos truputį ištinusios, bet čia aš jau pati kalta, nes nepasivarginau apsimauti kojinių.

Vestibiulyje buvo tuščia, tik naktinis budėtojas snaudė apšviestoje kabinoje tarp raktų pakabukų ir tylinčių telefonų.

Aš įslinkau į savitarnos liftą ir paspaudžiau savo aukšto mygtuką. Durys užsivėrė tarsi begarsis akordeonas. Paskui man ėmė svilti ausys, kai pastebėjau stambią siauraakę kinę, kaip idiotė spoksančią man į veidą. Žinoma, čia buvau tik aš. Išsigandau, pamačiusi, jog atrodau susiraukšlėjusi ir nusivalkiojusi.

Koridoriuje nebuvo nė gyvos dvasios. Įėjau į savo kambarį. Jis buvo pilnas dūmų. Pirmiausia pamaniau, jog dūmai sklinda tiesiai iš oro kaip nuosprendis man, bet paskui prisiminiau, jog čia rūkė Dorina, ir paspaudžiau mygtuką orlaidei atidaryti. Langai buvo taip įtvirtinti, kad negalėjai jų atidaryti ir persisverti per juos. Tai supratusi, kažkodėl įtūžau.

Stovėdama kairėje nuo lango ir prigludusi skruostu prie medinių plokščių, mačiau miesto centrą, kur tamsoje mirgėjo JT tarsi paslaptingas žalias marsiečių medaus korys. Mačiau kelyje mirgančias raudonas ir baltas šviesas bei šviesas tiltų, kurių pavadinimų nė nežinojau.

Nuo tylos man darėsi liūdna. Tai nebuvo ta įprasta tyla. Tai buvo mano pačios tyla.

Puikiai žinojau, kad mašinos ūžia, o žmonės jose ir pastatuose už šviečiančių langų triukšmauja, net ir upė teškena, bet aš – aš nieko negirdėjau. Miestas kybojo mano lange – toks plokščias it plakatas, žibantis ir mirkčiojantis, bet jo čia visai galėjo ir nebūti, kad ir kiek gero jis man būtų padaręs.

Porceliano baltumo telefonas prie lovos galėjo mane sujungti su žmonėmis, bet jis tik gulėjo bežadis it lavono galva. Bandžiau galvoti apie tuos, kuriems buvau davusi savo telefono numerį, norėdama sudaryti visų galimų skambučių sąrašą, bet prisiminiau, kad kitados daviau jį tik Badžio Vilardo motinai, kad ši galėtų perduoti jį JT sinchroninio vertimo specialistui, kurį pažinojo.

Niūriai sukrizenau.

Galėjau įsivaizduoti, kokiam sinchroninio vertimo specialistui mane pristatys ponia Vilard, mat ji visą laiką norėjo, jog ištekėčiau už Badžio, besigydančio nuo tuberkuliozės kažkur šiaurinėje Niujorko valstijos dalyje. Jo motina net surado man padavėjos darbą džiovininkų sanatorijoje tą vasarą, kad tik Badis nesijaustų vienišas. Ji su Badžiu niekaip negalėjo suprasti, kodėl vis dėlto nusprendžiau vykti į Niujorką.

Veidrodis virš mano tualetinio staliuko buvo kiek perkrypęs ir per daug amalgamuotas. Tad veidas jame atrodė kaip atspindys dantisto gyvsidabrio rutuliuke. Norėjau susirangyti tarp lovos paklodžių ir pamėginti užmigti, bet jaučiausi taip, tarsi kiščiau murziną, prikeverzotą laiškutį į naują švarų voką. Tada nutariau bent išsimaudyti karštoje vonioje.

Karšta vonia nepadeda nuo kai kurių bėdų, bet tokių žinau vos kelias. Kai man liūdna, jog mirsiu, ar būnu taip susinervinusi, jog negaliu užmigti, ar įsimylėjusi ką nors, ko nematysiu ištisą savaitę, suglembu, o paskui sakau: „Gana. Išsimaudysiu karštoje vonioje".

Čia aš medituoju. Vanduo turi būti labai karštas, toks karštas, kad vos gali ištverti, įkišęs į jį koją. Paskui colis po colio lendi gilyn, kol vanduo suraibuliuoja tau aplink kaklą.

Prisimenu visų vonių, kuriose išsitiesdavau, lubas. Prisimenu net jų paviršių: įskilimus, spalvas, drėgnas dėmes ir lemputes. Prisimenu ir pačias vonias: senovines su grifų kojomis, šiuolaikiškas karsto formos, stebuklingas violetinio marmuro vonias, stūksančias virš lelijų spalvos grindų. Prisimenu ir vandentiekio čiaupų formas bei dydžius, skirtingas muilinių rūšis.

Karštoje vonioje jaučiuosi pati savimi.

Beveik valandą gulėjau toje vonioje septynioliktame viešbučio, skirto tik moterims, aukšte, pakilusi virš Niujorko melo ir spūsčių, ir jaučiau, kaip vėl tampu tyra. Netikiu baptistais nė Jordano upės vandenimis ir kitokiais panašiais dalykais, bet spėju, kad ir karštoje vonioje aš jaučiuosi taip, kaip tie religingi žmonės jaučiasi, apsišlakstę šventu vandeniu.

Pagalvojau: „Dorina nyksta, Lenis Šeperdas nyksta, Frenkis nyksta, Niujorkas nyksta, viskas nyksta, niekas nebesvarbu. Aš jų nepažįstu, niekada nepažinojau ir esu visiškai tyra. Visas tas alkoholis, visi lipnūs bučiniai, kuriuos mačiau, ir purvas, nusėdęs man ant odos pakeliui į namus, virsta kažkuo tyru".

Kuo ilgiau gulėjau tame skaidriame karštame vandenyje, tuo tyresnė jaučiausi, ir kai galiausiai išlipau ir susisupau į vieną iš tų didelių minkštų baltų viešbučio vonios rankšluosčių, pasijutau tyra ir meili kaip naujagimis.

Nežinau, kiek laiko buvau išmiegojusi, kai išgirdau beldžiant. Iš pradžių nekreipiau jokio dėmesio, nes besibeldžiantis žmogus vis kartojo: „Ele, Ele, Ele, įleisk mane“, o aš nepažįstu jokios Elės. Paskui pasigirdo kitoks beldimas po pirmojo duslaus tuksenimo – šaižus beldimas, ir išgirdau kitą, kur kas ryžtingesnį balsą, sakantį: „Panele Grynvud, jūsų draugė nori įeiti“, – ir aš suvokiau, jog tai Dorina.

Nukoriau kojas per lovos kraštą ir apsnūdusi akimirką svirduliavau tamsaus kambario vidury. Supykau, kad Dorina mane prižadino. Viskas, kas man buvo likę šią liūdną naktį – tai gerai išsimiegoti, o ji būtinai turėjo mane prižadinti ir viską sugadinti. Pamaniau, kad jei apsimesiu mieganti, gal ji nebesibels ir paliks mane ramybėje, tad aš laukiau, o ji nesiliovė.

– Ele, Ele, Ele, – murmėjo pirmas balsas, o antrasis šnypštavo: „Panele Grynvud, panele Grynvud, panele Grynvud“, tarsi būčiau susidvejinusi.

Atidariau duris ir sumirkčiojau, pamačiusi šviesų koridorių. Man pasirodė, kad dabar nei naktis, nei diena, o kažkoks šiurpus trečias protarpis, kuris staiga įslydo tarp jų ir niekada nesibaigs.

Dorina ramstėsi į durų staktą. Kai išėjau, ji puolė man į glėbį. Negalėjau matyti jos veido, nes jos galva buvo nukarusi ant krūtinės, o šiurkštūs gelsvi plaukai tamsiomis šaknimis karojo kaip hulos karčiai.

Atpažinau žemą drūtą, ūsuotą moteriškę juoda uniforma – ji buvo naktinė kambarinė, lyginanti dienines sukneles ir vakarėlių kostiumus baldų prigrūstame vienviečiame mūsų aukšto kambarėlyje.

Matydama, kad Dorina remiasi į mano rankas ir nieko nesako, tik kelis kartus sužagsi, moteris nuėjo tolyn koridoriumi į savo kambarėlį su senovine *Singer* siuvamąja mašina ir balta lyginimo lenta. Norėjau bėgti jai iš paskos ir pasakyti, kad su Dorina manęs niekas nesieja, mat ji atrodė rūsti, ta juodadarbė, ir morali kaip tie senieji imigrantai iš Europos ir priminė man mano močiutę austrę.

– Leismangult, leismangult, – murmėjo Dorina. – Leismangult, leismangult.

Pajutau, kad jei pervilksiu Doriną per slenkstį į savo kambarį ir paguldysiu į savo lovą, niekada jos nebeatsikratysiu.

Jos kūnas buvo šiltas ir minkštas tarsi krūva pagalvių ant mano rankų, į kurias ji rėmėsi visu svoriu, o jos kojos batais aukštais smailais kulniukais kvailai vilkosi iš paskos. Ji buvo per sunki, kad nutempčiau ją ilgu koridoriumi.

Nusprendžiau, kad protingiausia – palikti ją ant kilimo, uždaryti duris, užsirakinti ir grįžti į lovą. Kai Dorina pabus, ji neprisimins, kas nutiko, manys, kad ėjo pro mano duris, o aš miegojau, ji atsikels savo noru ir prablaivėjusi grįš į savo kambarį.

Ėmiau švelniai guldyti Doriną ant žalio koridoriaus kilimo, bet ji dusliai sudejavo ir išsprūdo man iš rankų. Iš jos burnos pasipylė rudi vėmalai ir veikiai susitvenkė į didelę balą prie mano kojų.

Staiga Dorina tapo dar sunkesnė. Jos galva nulinko ties bala, gelsvų plaukų sruogos išsimurzino vėmalais tarsi medžių šaknys pelkėje, ir aš supratau, kad ji užmigo. Atsitraukiau. Pajutau, kad pati beveik miegu.

Tą naktį apsisprendžiau dėl Dorinos. Nutariau, kad stebėsiu ją ir klausysiu, ką ji kalba, bet nesusidėsiu su ja. Verčiau būsiu ištikima Betsei ir jos skaisčiosioms draugėms. Širdimi aš juk išties labiau panaši į Betsę.

Lėtai atsitraukiau į savo kambarį ir uždariau duris. Šiek tiek pamąsčiusi, neužrakinau jų. Neprisiverčiau to padaryti.

Kai kitą rytą atsibudau troškiame karštyje be saulės, apsirengiau, apsišlaksčiau veidą šaltu vandeniu, truputį pasidažiau lūpas ir lėtai atvėriau duris. Vis dar tikėjausi pamatyti Doriną, gulinčią vėmalų baloje, tarsi bjaurią tikrąją mano pačios purvinos prigimties liudytoją.

Koridoriuje nieko nebuvo. Kilimas driekėsi iš vieno galo į kitą, švarus ir visas žalias, išskyrus tą blyškią tamsią dėmę nelygiais kraštais šalia mano durų, tarsi kas netyčia būtų papylęs čia stiklą vandens, bet paskui iššluostęs balą.

Trečias skyrius

Damų dienos stalas banketo proga buvo papuoštas gelsvai žaliomis avokadų puselėmis, kimštomis krabų mėsa ir apipiltomis majonezu, čia stovėjo pusdubeniai su pusžale jautiena ir šaltais viščiukais bei krištoliniai dubenėliai su juodųjų ikrų kupetomis. Tą rytą neturėjau laiko papusryčiauti viešbučio kavinėje, tik išgėriau per daug stiprios kavos puodelį, tokios karčios, kad man net pasidarė šleikštu. Taigi buvau išbadėjusi.

Prieš atvykdama į Niujorką, dar nebuvau valgiusi padoriame restorane. Hovardo Džonsono valgyklėlė nesiskaito, nes ten galėjai suvalgyti tik keptų bulvyčių, sūrainių bei išgerti tirštų vanilinių pieno kokteilių su tokiais žmonėmis kaip Badis Vilardas. Nežinau kodėl, bet maistą vertinu labiau už viską. Kad ir kiek valgau, svorio nepriaugu. Per dešimt metų mano svoris pakito tik kartą.

Mano mėgstami patiekalai su daug sviesto, sūrio ir grietinės. Niujorke mes taip dažnai už dyką priešpiečiaudavome su žurnalo darbuotojais ir įvairiomis įžymybėmis, kad įpratau lakstyti žvilgsniu po tuos milžiniškus ranka rašytus valgiaraščius, kur mažytė žirnelių salotų porcija kainuoja penkiasdešimt–šešiasdešimt centų, kol išsirinkdavau didžiausius, brangiausius patiekalus ir užsisakydavau keletą iš jų.

Mus visada kviesdavo į brangius restoranus, taigi kalta nesijaučiau. Įpratau valgyti taip greitai, kad manęs niekada netekdavo laukti žmonėms, kurie, norėdami sulieseti, paprastai užsisakydavo tik salotų ir greipfrutų sulčių. Beveik visi žmonės, kuriuos sutikau Niujorke, troško sulieseti.

– Noriu pasveikinti gražiausias, protingiausias jaunas damas, kokias tik yra kada sutikę mūsų darbuotojai, – sugargė putnus plikas ceremonmeisteris į savo mikrofoną atlape. – Šis banketas – tai mūsų Maisto degustavimo virtuvių svetingumo, kurį norime parodyti *Damų dienai* padedant, ženklas.

Nuaidėjo skysti moteriški plojimai, ir mes susėdome prie milžiniško stalo, užtiesto medvilnine staltiese.

Čia buvo vienuolika mūsų, mergyčių iš žurnalo, ir visi mums vadovaujantys redaktoriai bei visos *Damų dienos* Maisto degustavimo virtuvių darbuotojos higieniškais baltais chalatais, tvarkingais plaukų tinkleliais, nepriekaištingai pasidažiusios rausvai oranžinėmis spalvomis.

Mūsų buvo tik vienuolika, nes trūko Dorinos. Jos tuščia kėdė stovėjo kaip tik šalia maniškės. Aš jai išsaugojau jos kortelę, nurodančią vietą prie stalo – kišeninį veidrodėlį, kurio viršuje buvo išvingiuotas vardas „Dorina“, o ant kraštų pripaišyta apšerkšnijusių saulučių, įrėminančių sidabrinę kiaurymę, kur turėtų atsispindėti jos veidas.

Dorina leido dieną su Leniu Šeperdu. Dabar ji dažniausiai leisdavo laisvalaikį su juo.

Likus valandai iki mūsų *Damų dienos*, – didelio žurnalo moterims, per du puslapius reklamuojančio spalvingą maistą ir kiekvieną mėnesį turinčio vis kitą temą ir vietą, – priešpiečių, mus pavedžiojo po beribes blizgančias virtuves ir parodė, kaip sunku nufotografuoti obuolių pyragą *à la mode* ryškioje šviesoje, nes ledai tirpsta, juos reikia ramstyti iš šonų dantų krapštukais ir keisti, vos jie ima atrodyti pernelyg ištižę.

Apžiūrėjusi visą maistą, sukrautą tose virtuvėse, apsvaigau. Ne dėl to, kad nebūčiau turėjusi ko valgyti namie, tiesiog mano senelė visada virdavo pigią skerdieną, pigius mėsos gabalėlius ir, kai tik pakeldavau šakutę prie burnos, vis sakydavo:

– Tikiuosi, tau patiks, o kainavo vos keturiasdešimt vieną centą už svarą.

Aš visada jausdavausi taip, it būčiau valgiusi pensus, o ne sekmadieninį kepsnį.

Kol stovėjome už kėdžių ir klausėmės sveikinimo kalbos, palenkiau galvą ir slapčia apžiūrėjau, kur išdėlioti dubenėliai su ikrais. Vienas dubenėlis buvo patogioj vietoj – tarp manęs ir Dorinos tuščios kėdės.

Nusprendžiau, kad merginos, sėdinčios priešais mane, negalės pasiekti ikrų dėl kalno marcipanų vidury stalo, o Betsė, sėdinti man iš dešinės, bus per daug mandagi ir nepaprašys pasidalyti, jei aš tiesiog užtversiu jai kelią iki dubenėlio alkūne, padėjusi ją prie sviesto lėkštės. Be to, kitas dubenėlis su ikrais stovėjo kiek į dešinę nuo merginos, sėdinčios šalia Betsės, ji galės valgyti iš jo.

Mes su seneliu turėjome seną paslaptį, kaip iškrėsti gerą pokštą. Senelis buvo pagrindinis padavėjas kaimo klube šalia mano gimtojo miesto, ir kas sekmadienį senelė važiuodavo jo parsivežti į namus pirmadieniui, poilsio dienai. Tai brolis, tai aš važiuodavome su senele, o senelis visada patiekdavo sekmadienio vakarienę jai ir kuriam nors iš mūsų, tarsi būtume nuolatiniai klubo svečiai. Jam patikdavo patiekti man ypatingų skanėstų, ir jau devynerių metų aš aistringai mėgau šaltą sriubą su bulvėmis, porais ir grietinėle, ikrus ir ančiuvių pastą.

O tas pokštas buvo toks: girdi, per mano vestuves senelis pasistengs, kad man tektų tiek ikrų, kiek tik galėsiu suvalgyti. Tai buvo pokštas, nes aš neketinau kada nors tekėti, o jei ir tekėčiau, mano senelis negalėtų patiekti tiek ikrų, na, nebent apiplėštų kaimo klubo virtuvę ir išsineštų juos lagamine.

Prisidengdama skimbčiojančiomis vandens taurėmis, stalo sidabru ir porcelianu, dėjau savo lėkštėn vieną po kito vištienos griežinėlius. Paskui taip storai pridengiau viščiuką ikrais, tarsi būčiau tepusi riešutų sviestą ant duonos riekės. Tada vieną po kito ėmiau viščiuko gabalėlius pirštais taip susukdama juos, kad neišbyrėtų ikrai, ir valgiau.

Anksčiau baisiai nuogąstaudavau, ar pataikysiu išsirinkti prie stalo tinkamą šaukštą, bet vėliau supratau, kad jei neteisingai, bet arogantiškai elgsiesi prie stalo, tarsi rodydama, jog elgiesi teisingai, gali išsisukti, ir niekas nepamanys, kad tavo manieros blogos ar esi neišauklėta. Žmonėms atrodys priešingai: kad esi originali ir labai sąmojinga.

Išmokau šio triuko tądien, kai Džei Si nusivedė mane papietauti su įžymiu poetu. Jis vilkėjo siaubingą nutįsusį, dėmėtą rudo tvido švarką, mūvėjo pilkas kelnes ir vilkėjo raudonai ir mėlynai languotą džersį atviru kaklu labai prašmatniame restorane, pilname fontanų ir sietynų, kur visi kiti vyrai buvo apsirengę tamsiais kostiumais ir švariais baltais marškiniais.

Poetas valgė salotas pirštais, lapą po lapo, kalbėdamas man apie gamtos ir meno priešingybę. Negalėjau atplėšti akių nuo trumpų ir storų baltų pirštų, keliaujančių nuo poeto salotų dubenėlio iki jo burnos su tais salotų lapais – vienu po kito. Niekas nekikeno ir net šnabždom nelaidė šiurkščių replikų.

Poetas valgė salotas pirštais taip, jog atrodė: tik taip elgtis ir yra natūralu ir prasminga.

Nė viena mūsų žurnalo redaktorė ar *Damų dienos* darbuotoja nesėdėjo šalia manęs, o Betsė atrodė miela ir draugiška, rodės, jai net nepatinka ikrai, taigi aš ėmiau vis labiau pasitikėti savimi. Baigusi pirmąją šalto viščiuko ir ikrų lėkštę, prisikroviau antrą. Paskui puoliau prie avokadų su krabų salotomis.

Avokados – mano mėgstami vaisiai. Kiekvieną sekmadienį senelis parnešdavo man avokadą, paslėptą lagamino dugne po šešeriais purvinais marškiniais ir sekmadienio komiksais. Jis išmokė mane, kaip jas valgyti, puodelyje išlydžius vynuogių džemo ir provanso aliejaus su actu bei įpylus į išgremžtą avokadą granatų padažo. Baisiai pasiilgau to padažo. Palyginti su juo, krabų mėsa – beskonė.

– Kaip sekėsi kailių parodoj? – paklausiau Betsės, kai jau nustojau rūpintis varžybomis dėl ikrų. Sriubos šaukštu išgramdžiau paskutinius kelis sūrius juodus kiaušinėlius ir švariai jį nulaižiau.

– Buvo nuostabu, – nusišypsojo Betsė. – Mums parodė, kaip pasidaryti universalią kaklaskarę iš audinės uodegos ir aukso grandinėlės, tokios grandinėlės kopiją galima gauti Vulvorte tik už dolerį devyniasdešimt aštuonis centus, o Hilda tučtuojau lėkte nulėkė į didmeninės prekybos kailių parduotuvę ir nusipirko šūsnį audinės uodegų su didele nuolaida, paskui užsuko dar į Vulvortą ir važiuodama autobusu susikūrė sau kaklaskarę.

Dėbtelėjau į Hildą, sėdinčią šalia Betsės iš kitos pusės. Tikrai, ji buvo apsisukusi kaklą brangiai atrodančiu šaliku iš kailinių uodegų, vienoje pusėje surištų viliojančia paauksuota grandinėle.

Niekad taip ir nesupratau Hildos. Ji buvo šešių pėdų ūgio, turėjo milžiniškas įkypas žalias akis, putnias raudonas lūpas ir abejingą, slavišką išraišką. Ji siuvo skrybėles. Hilda mokėsi pas madų redaktorę, kuri atskyrė ją nuo literatūrai gabesnių mūsiškių, tokių kaip Dorina, Betsė ir aš – visos mes rašėme straipsnius, nors kai kurie iš jų buvo tik apie grožį ir sveikatą. Nežinau, ar Hilda mokėjo skaityti, bet ji siuvo pritrenkiančias skrybėlaites. Ji tamtyč atvyko į skrybėlių siuvimo mokyklą Niujorke ir kasdien eidama į darbą užsidėdavo naują skrybėlaitę, pasiūtą savo pačios rankomis iš šiaudagalių, kailio, kaspinų ar subtilių, keistų atspalvių šydo.

– Nuostabu, – sumurkiau. – Nuostabu, – bet man trūko Dorinos. Kad mane pralinksmintų, ji būtų sumurmėjusi kokią rafinuotą kandoką repliką apie stebuklingąjį Hildos kailiuką.

Pasijutau tikra menkysta. Kaip tik šį rytą pati Džei Si mane demaskavo, ir dabar jaučiau, kad visi nemalonūs įtarimai, kuriuos kūriau apie save, ima virsti tiesa, ir aš nebegaliu jos slėpti. Devyniolika metų gaudavau gerus pažymius, prizus bei vienokias ar kitokias stipendijas, o šit dabar silpstu, lėtėju, tuoj iškrisiu iš lenktynių trasos.

– Kodėl nėjai su mumis į kailių parodą? – paklausė Betsė. Man pasirodė, jog ji buvo uždavusi šį klausimą man prieš minutę ir dabar jį kartoja, nes aš nesiklausiau. – Ar buvai išėjusi su Dorina?

– Ne, – atsakiau, – norėjau eiti į kailių parodą, bet Džei Si paskambino ir privertė mane ateiti į biurą, – kiek melavau, sakydama, jog norėjau eiti į parodą, bet mėginau įtikinti save, jog kalbu tiesą, kad galėčiau iš tiesų įsižeisti dėl to, ką padarė Džei Si.

Pasakojau Betsei, kaip šįryt gulėdama lovoje svarsčiau ir ketinau eiti į kailių parodą. Tačiau nepasakiau jai, jog prieš tai į mano kambarį buvo užėjusi Dorina ir tarė: „Kokio velnio tau grūstis į tą šūdiną parodą, aš su Leniu važiuoju į Koni Ailendą*, gal varom kartu? Lenis suras tau mielą vaikinuką, vis vien diena nuėjo šuniui ant uodegos dėl tų priešpiečių ir filmo premjeros po pietų, taigi niekas mūsų net nepasiges".

Akimirką mane suėmė pagunda. Paroda iš tiesų kvaila. Man niekada nerūpėjo kailiai. Galiausiai nusprendžiau, kad gulėsiu lovoje kiek norėsiu, paskui eisiu į Centrinį parką ir praleisiu ten dieną voliodamasi žolėje, aukščiausioje žolėje, kokią tik rasiu tose džiunglėse su ančių tvenkiniu.

Pasakiau Dorinai, kad neisiu nei į parodą, nei priešpiečiauti, nei į filmo premjerą, bet nevyksiu ir į Koni Ailendą, geriau liksiu lovoje. Išėjus Dorinai, ėmiau svarstyti, kodėl nebegaliu daryti to, ką privalėčiau. Nuliūdau ir pasijutau pavargusi. Paskui tariau sau, kodėl negaliu elgtis taip, kaip noriu, taip, kaip elgiasi Dorina, ir tada dar labiau nusiminiau, jausdamasi vis didesnė bejėgė.

Nežinau, kelinta buvo valanda, bet girdėjau, kaip koridoriuje bruzda ir šūkčioja merginos, besiruošdamos eiti į kailių parodą. Paskui klausiausi koridoriuje įsivyravusios tylos, ir kai gulėjau ant nugaros lovoje, spoksodama į blyškias baltas lubas, tyla dar labiau ėmė plėstis, kol pajutau, jog mano ausų būgneliai sprogs nuo jos. Tada suskambo telefonas.

Valandžiukę spoksojau į jį. Ragelis virpčiojo ant dramblio kaulo spalvos svirtelių, tad galėjau net matyti jį skambant. Gal kam nors šokiuose ar vakarėlyje daviau savo telefono numerį, bet visiškai tai pamiršau? Pakėliau ragelį ir prabilau kimiu, jusliu balsu:

– Alio?

* Pramogų ir poilsio parkas Brukline, Niujorke, pietinėje Long Ailendo pakrantėje.

– Čia Džei Si, – šiurkščiai burbtelėjo Džei Si. – Svarstau, ar tu ketinai ateiti šiandien pas mane į biurą?

Susmukau ant paklodžių. Nesupratau, kodėl Džei Si mano, kad turėčiau ateiti į biurą. Pagal rotacinius tvarkaraščius galėjome elgtis, kaip norim – leisdavome daugelį rytmečių bei popiečių ne biure, o tiesiog eidavome tvarkyti reikalų į miestą. Bet tikrai ne visada privalėjome tvarkyti reikalus.

Stojo tyla. Paskui aš droviai prisipažinau ketinanti eiti į kailių parodą. Žinoma, nė nemaniau ten eiti, bet nesumečiau, ką dar pasakyti.

– Sakiau jai, kad noriu eiti į kailių parodą, – tarstelėjau Betsei, – bet ji liepė man ateiti į biurą, norėjo su manimi pasišnekučiuoti, be to, buvo šiokio tokio darbelio.

– Aaa, – užjausdama nutęsė Betsė.

Tikriausiai ji pamatė kelias ašarėles, nuriedėjusias į mano deserto lėkštutę su morengais ir konjaku užpiltais ledais, nes atstūmė nepaliestą savo desertą, ir aš išsiblaškiusi jo ėmiausi, vos pabaigusi savąjį. Man buvo mažumą nemalonu dėl tų ašarų, bet jos buvo išties tikros. Džei Si man prikalbėjo baisių dalykų.

Kai apie dešimtą valandą įklibikščiavau į biurą, Džei Si atsistojo, apėjo aplink stalą ir užtrenkė duris. Aš atsisėdau ant sukamosios kėdės už savo stalo su spausdinamąja mašinėle veidu į Džei Si, ji – ant sukamosios kėdės už savo stalo veidu į mane. Ant lango vešėte vešėjo augalai vazonuose, išdėliotuose ant lentynėlių. Jie sviro Džei Si už nugaros it atogrąžų sode.

– Gal tau neįdomus šis darbas, Estera?

– Ak, ne ne, – įtikinėjau, – man labai įdomu, – pajutau, kad noriu rėkte išrėkti žodžius, tarsi taip labiau įtikinčiau, bet susivaldžiau.

Visą gyvenimą tarsi pamišusi kartojau sau, jog mokytis, skaityti, rašyti ir dirbti man labai patinka, ir tai iš tikrųjų atrodė tiesa: viską atlikdavau pakankamai gerai ir gaudavau visus dešimtukus, o kai jau perėjau į koledžą, niekas nebegalėjo manęs sustabdyti.

Buvau koledžo miesto *Gazette* korespondentė, literatūrinio žurnalo redaktorė, populiariosios Garbės lentos, skelbiančios akademinius bei socialinius nusižengimus ir bausmes, sekretorė, o žinoma fakulteto poetė ir profesorė ragino mane, baigus mokyklą, stoti į didžiausius Rytų universitetus ir žadėjo man stipendiją. Dabar aš mokausi pas geriausią intelektualaus madų žurnalo redaktorę ir ką gi darau? Tik spyriojuosi ir spyriojuosi kaip koks kuinas!

– Aš labai viskuo domiuosi, – lėkšti, nenuoširdūs žodžiai krito ant Džei Si stalo tarsi bevertės penkių centų monetos.

– Džiaugiuosi, – kandžiai purkštelėjo Džei Si. – Žinok: jei tik pasiraitysi rankoves, žurnale per šį mėnesį gali daug išmokti. Merginai, kuri čia buvo prieš tave, nerūpėjo jokios kvailos madų parodos. Iš šio biuro ji išėjo tiesiai į *Time*.

– Vaje! – suniurnėjau tuo pačiu gūdžiu balsu. – Spartuolė!

– Aišku, tau dar liko vieneri metai koledže, – kiek švelniau tęsė Džei Si. – Ką manai veikti baigusi?

Visada galvojau, jog būtų gerai gauti didelę stipendiją mokyklai baigti ar kokią pašalpą, kad galėčiau studijuoti kur nors Europoje, paskui pamaniau, kad galėčiau būti profesore ar redaktore ir rašyti eilėraščius. Dažniausiai būtent šie planai sukdavosi man ant liežuvio galo.

– Kad tikrai nežinau, – išgirdau save sakant. Tai ištarusi, net nustėrau. Suvokiau, jog kalbu tiesą.

Tai buvo tiesa, ir aš ją atpažinau taip, kaip atpažįsti kokį nors keistą žmogėną, kuris nuolat sukiodavosi apie tavo duris, bet kartą staiga įėjo ir prisistatė esąs tikrasis tavo tėvas. Jis atrodo visiškai kaip tu, tad žinai, kad iš tikrųjų jis ir yra tavo tėvas, o tas žmogus, kurį visą gyvenimą laikei savo tėvu, – tik apsimetėlis.

– Iš tikrųjų nežinau.

– Šitaip niekada nieko nepasieksi, – Džei Si patylėjo. – Kokių kalbų moki?

– Na, moku šiek tiek prancūziškai ir visada norėjau išmokti vokiškai, – jau penkerius metus tvirtinu visiems aplink, jog visada norėjau išmokti vokiškai.

Mano motina vaikystėje Amerikoje kalbėjo vokiškai, ir per Pirmąjį pasaulinį karą vaikai mokykloje apmėtydavo ją akmenimis. Mano vokiškai kalbėjęs tėvas, miręs tada, kai man buvo devyneri, buvo kilęs iš kažkokio užguito kaimelio Prūsijos gilumoje. Mano jaunesnysis brolis tuo metu Berlyne dalyvavo eksperimente, tiriančiame daugelio tautų gyvenimą, ir vokiškai kalbėjo kaip gimtąja kalba.

Tik niekam nesakiau, kad kas kartą, kai paimdavau vokiečių kalbos žodyną ar vokišką knygą ir pažvelgdavau į tas tankias juodas spygliuotos vielos raides, mano protas staiga užsiverdavo tarsi kiaute.

– Visada maniau, kad man patiktų leidyba, – mėginau rasti giją, kuri man grąžintų senąjį gerąjį sugebėjimą įtikinti. – Turbūt mano darbas tiks kokiai nors leidyklai.

– Privalai mokėti prancūzų ir vokiečių kalbas, – negailestingai pareiškė Džei Si. – Be to, keletą kitų kalbų – ispanų ir italų, o dar geriau rusų. Tūkstančiai merginų kiekvieną birželį suplūsta į Niujorką manydamos, jog galės dirbti redaktorėmis. Tu turi pasiūlyti šį tą daugiau nei savo pilką asmenybę. Taigi verčiau pasimokyk kalbų.

Neišdrįsau pasakyti Džei Si, jog mano baigiamųjų metų

tvarkaraštis toks prikimštas, jog negalėsiu į jį įterpti dar ir kalbų pamokų. Esu pasirinkusi vieną iš tų garsiųjų programų, kurios jus moko išties savarankiškai mąstyti, ir, išskyrus kursą apie Tolstojų ir Dostojevskį bei seminarą išmanantiems apie poezijos rašymą, aš visą laiką leisiu rašydama rašinį kokia nors miglota tema apie Džeimso Džoiso darbus. Dar neišsirinkau temos, nes neperskaičiau „Finegano pabudimo“, bet mano vadovė labai susižavėjo mano tezėmis ir pažadėjo parinkti keletą pavyzdžių apie dvynių įvaizdį.

– Pažiūrėsiu, ką galiu padaryti, – pasakiau Džei Si. – Gal imsiu lankyti sustiprintus vokiečių kalbos kursus pradedantiesiems, – tuo metu tikrai ketinau taip ir padaryti. Žinojau, kaip įtikinti savo klasės vadovę, jog ji leistų man elgtis ne pagal taisykles. Ji vertino mane kaip kokį įdomų tyrinėjimo egzempliorių.

Koledže turėsiu lankyti privalomas fizikos ir chemijos pamokas. Aš jau ėjau į botaniką, ir man puikiai sekėsi. Per visus metus nė karto nebuvau suklydusi, atsakinėdama į testų klausimus, ir kartais vis pagalvodavau, ar netapus man botanike, kuriai rūpi tyrinėti laukines ganyklas Afrikoje ar drėgnas atogrąžų girias Pietų Amerikoje, mat kur kas lengviau laimėti stipendijas neįprastiems dalykams studijuoti, nei gauti stipendiją meno studijoms Italijoje ar anglų kalbos studijoms Anglijoje: dėl pirmųjų varžosi kur kas mažiau žmonių.

Botanika man patiko, nes mėgau pjaustyti lapus ir kišti juos po mikroskopu, piešti duonos pelėsių diagramas ir keisto, širdies formos paparčio lapo dauginimosi ciklą, tai man atrodė taip tikra.

Ta diena, kai nuėjau į fizikos pamoką, buvo pražūtinga.

Žemas tamsiaplaukis žmogėnas aptemptu mėlynu kostiumu, aukštu šveplu balsu, vardu ponas Mancis, stovėjo priešais klasę laikydamas mažą medinį rutuliuką. Jis padėjo rutuliuką ant stataus lovelio ir leido jam nuriedėti į dugną. Paskui, pradėjęs kalbėti apie raidę *a*, žyminčią greitį, ir raidę *t*, žyminčią laiką, staiga ėmė rašyti raides, skaičius ir minuso ženklus ant visos lentos, kol mano protas visai susijaukė ir užsisklendė.

Parsinešiau fizikos vadovėlį į bendrabutį. Tai buvo didžiulė knyga akytais mimeografiniais lapais – keturių šimtų puslapių, be piešinėlių ar nuotraukų, tik su diagramomis bei formulėmis – tarp plytų raudonumo kartoninių viršelių. Šią knygą parašė pats ponas Mancis, norėdamas paaiškinti fiziką koledžo merginoms, o jei ji, girdi, padės mums, jis pamėgins ją išleisti.

Ką gi, aš mokiausi šias formules, vaikščiojau į pamokas ir stebėjau, kaip rutuliukai rieda loveliu žemyn, klausiausi skambančių varpelių. Semestro gale dauguma merginų susimovė, o aš gavau dešimtuką. Girdėjau, kaip ponas Mancis sako toms, kurios skundėsi, kad kursas per sunkus: „Ne, jis nėra per sunkus, nes viena mergina gavo dešimtuką“. – „Kas ji? Pasakykit mums“, – prašė jos, bet jis papurtė galvą ir nieko neatsakė, tik slapčia meiliai šyptelėjo man.

Štai kodėl sumaniau kitą semestrą išvengti chemijos pamokų. Kas, kad gavau dešimtuką iš fizikos, vis tiek aš buvau apimta panikos. Visą laiką, mokantis fizikos, man darėsi bloga. Negaliu pakęsti, kai viskas susitraukia ir virsta vien raidėm ir skaičiais. Vietoj lapų formų ir jų padidintų kvėpuojamųjų skylučių diagramų, ir žavių žodžių ant lentos, tokių kaip „karotinas“ ir „chlorofilas“, čia driekėsi tos šlykščios mėšlungiškos, skorpioniškos formulės, kurias ponas Mancis rašydavo tamtyč raudona kreida.

Žinojau, kad per chemiją bus dar blogiau, nes buvau jau

mačiusi tą didžiulę devyniasdešimties elementų lentelę, kabančią chemijos laboratorijoje, kur visi gražūs žodžiai, tokie kaip „auksas“, „sidabras“, „kobaltas“ ir „aliuminis“, buvo sutraukti iki šlykščių trumpinių su įvairiais dešimtainiais skaičiais šalia. Jei ir toliau privalėsiu kimšti sau į galvą tokias nesąmones, išprotėsiu. Visiškai susimausiu. Tik milžiniškomis valios pastangomis ištempiau pirmąją metų pusę.

Tad nuėjau pas savo klasės vadovę su gudriu planu.

Pareiškiau, kad man reikia laiko lankyti kursus apie Šekspyrą, juk pagrindinė mano disciplina yra anglų kalba. Ir ji, ir aš puikiai žinojome, kad ir iš chemijos aš gausiu dešimtuką, tad kokia prasmė laikyti egzaminus, kodėl negalėčiau tiesiog lankyti pratybų, plėsti žinias ir pamiršti visus pažymius ir kreditus? Tai buvo kilnių žmonių garbės reikalas, kur turinys reiškė daugiau nei forma. Juk pažymiai – toks kvailas dalykas, kai žinai, jog visada gausi dešimtuką, ar ne? Mano planą išgelbėjo tai, kad koledže nuo kitų metų nebereikės lankyti privalomų tiksliųjų mokslų dalykų, tad mano klasė paskutinė kenčia mokydamasi pagal senas taisykles.

Ponas Mancis visiškai pritarė mano planui. Turbūt jį pamalonino tai, jog man taip patiko jo pamokos, kad lankysiu jas ne dėl kokių materialių priežasčių, tokių, kaip kreditas ir geri pažymiai, bet tik dėl to, kad pati chemija yra nepaprastai žavi. Turbūt gana sumaniai pasisiūliau sėdėti chemijos pamokose net po to, kai persimečiau prie Šekspyro. Tai buvo visai nebūtinas gestas, ir atrodė, kad aš tiesiog negaliu gyventi be chemijos.

Žinoma, man niekada nebūtų pavykęs šis planas, jei iš pat pradžių nebūčiau gavusi dešimtuko. Ir jei mano klasės vadovė būtų žinojusi, kokion depresijon įpuoliau, kaip bijau ir kaip rimtai svarsčiau apie tokias beviltiškas priemones, kaip gydytojo pažyma, kad nesu tinkama mokytis chemijos, kad nuo formulių man svaigsta galva ir taip toliau. Esu tikra, kad ji nė akimirkos nebūtų manęs klausiusi, būtų nieko nepaisydama privertusi mane lankyti tą kursą.

Kad ir kaip ten būtų, fakulteto taryba patenkino mano prašymą, o klasės vadovė vėliau sakė, kad keletas profesorių, jį skaitydami, buvo sukrėsti. Jie nutarė, kad tai tikrų tikriausias žingsnis į intelektualią brandą.

Pagalvojusi apie likusią metų dalį, nusijuokiau. Penkis kartus per savaitę aš lankiau chemijos pamokas ir nė vienos nepraleidau. Ponas Mancis stovėdavo didelio išklibusio amfiteatro apačioje, keldamas mėlynas liepsnas, raudonus pliūpsnius ir geltonų dulkių debesis, įpylęs vienos bandymo kolbos turinį į kitą, o aš net negirdėdavau jo balso, apsimesdama, kad jis – lyg moskitas tolių toliuose. Sėdėdavau atsilošusi, mėgaudamasi skaisčia šviesa, spalvotomis liepsnomis, ir puslapį po puslapio rašydavau sonetus ir vilanelas.

Ponas Mancis retkarčiais pažvelgdavo į mane, įsitikindavo, kad rašau, ir meiliai nusišypsodavo. Turbūt jis manė, kad nusirašinėju visas formules ne dėl egzaminų, kaip kitos merginos, bet dėl to, kad jo spektakliai taip žavi mane, jog aš negaliu atsispirti.

Ketvirtas skyrius

Nežinau, kodėl sėdint čia, Džei Si biure, galvoje ėmė suktis mintys apie tai, kaip sėkmingai išsisukau chemijos.

Visą laiką, kol ji man kalbėjo, aš mačiau poną Mancį, kybantį ore už Džei Si galvos, tarsi ištrauktą iš burtų skrybėlės, laikantį savo medinį kamuoliuką ir mėgintuvėlį, iš kurio, likus dienai iki Velykų atostogų, pakilo didžiulis geltonų dūmų debesis, pasmirdo sugedusiais kiaušiniais, ir visos merginos su ponu Manciu priešaky ėmė kvatotis.

Man pasidarė jo gaila. Jaučiausi taip, tarsi klūpėčiau priešais jį, liesdama delnais žemę, ir atsiprašinėčiau už tai, kad buvau tokia baisi melagė.

Džei Si padavė man krūvą pasakojimų rankraščių ir ėmė kalbėti švelniau. Paskui visą rytą skaičiau istorijas, spausdinau savo mintis apie jas ant violetinių žurnalo lapukų ir siunčiau juos į Betsės redaktorės biurą, kad jas kitą dieną perskaitytų Betsė. Džei Si vis nutraukdavo mano darbą, suskeldavo ką nors pamokančio ar papasakodavo kokį gandą.

Tą popietę Džei Si ketino priešpiečiauti su dviem įžymiais rašytojais, vyriškiu ir dama. Vyriškis neseniai pardavė šešis apsakymėlius *New Yorker* ir šešis Džei Si. Aš nustebau, nes dar nežinojau, kad žurnalai perka po šešis apsakymus, ir kvaitau, pagalvojusi apie pinigų sumą, kuri tikriausiai bus sumokėta už juos. Džei Si sakė, kad turės būti labai atsargi per priešpiečius, nes dama irgi rašo apsakymus, bet niekada jų nespausdino *New Yorker*, o ir Džei Si iš jos paėmė tik vieną apsakymėlį prieš penkerius metus. Ji turės pamalonınti įžymesnį vyriškį ir tuo pat metu stengtis neįžeisti mažiau įžymios damos.

Kai cherubinai prancūziškame Džei Si sieniniame laikrodyje sumosavo sparneliais ir, prisidėję mažyčius paauksuotus trimitus prie lūpų, vieną po kitos ištrimitavo dvylika natų, Džei Si pasakė, jog šiandien jau pakankamai padirbėjau ir turiu eiti į *Damų dienos* ekskursiją, puotą bei filmo premjerą, ir kad mudvi susitiksime rytoj, vos prašvitus.

Tuomet ji apsivilko kostiumėlio švarką ant alyvinės palaidinukės, užsimaukšlino ant pakaušio skrybėlaitę su dirbtiniais alyvų žiedais, pasipudravo nosytę ir užsidėjo akinius storais lęšiais. Ji atrodė baisi, bet labai protinga. Prieš išeidama iš biuro, ji patapšnojo man per petį alyvų spalvos pirštinaite apmauta ranka.

– Neleisk, kad šis suknistas miestas tave parklupdytų.

Keletą minučių ramiai sėdėjau ant sukamosios kėdės ir galvojau apie Džei Si. Mėginau įsivaizduoti, kas būtų, jei būčiau I Dži, įžymi redaktorė, jei sėdėčiau biure, pilname vazonų su fikusais ir afrikinėmis žibuoklėmis, kuriuos kas rytą turėtų laistyti mano sekretorė. Gaila, kad neturėjau tokios motinos kaip Džei Si. Nes dabar žinočiau, ką reikia daryti.

Mano pačios motina nelabai kur man padėdavo. Kad galėtų mus išlaikyti po tėvo mirties, ji mokė stenografijos ir spausdinti mašinėle ir slapčia nekentė savo darbo, nekentė tėvo už tai, kad numirė nepalikęs pinigų, nes jis nepasitikėjo gyvybės draudimo agentais. Motina nuolat mane ragindavo po koledžo išmokti stenografuoti, kad turėčiau ne tik koledžo išsilavinimą, bet ir praktinių įgūdžių. „Net ir apaštalai statydavo palapines, – kartodavo ji. – Jie turėjo išgyventi, visai kaip mes“.

Panėriau pirštus į dubenėlį su šiltu vandeniu, kurį *Damų dienos* padavėja pastatė vietoj dviejų mano ištuštintų lėkštučių su ledais. Paskui kruopščiai nusišluosčiau kiekvieną pirštą linine servetėle, vis dar gana švaria. Tada, sulanksčiusi ją, įsikišau tarp lūpų ir smarkiai sučiaupiau. Kai padėjau servetėlę atgal ant stalo, jos vidury tarsi mažutė širdelė švytėjo violetinis putlių lūpų atspaudas.

Pagalvojau, kokį ilgą kelią jau nuėjau.

Pirmą kartą dubenėlį rankoms mazgoti pamačiau savo labdarės namuose. Mažutė strazdanota dama iš stipendijų skyriaus man pasakė, jog mūsų koledže yra įprasta parašyti asmeniui, skyrusiam tau stipendiją, jei jis vis dar gyvas, ir padėkoti jam už tai.

Man stipendiją skyrė Filomena Gvinėja, turtinga rašytoja, lankiusi šį koledžą dvidešimto amžiaus pradžioje. Betė Deivis pavertė jos pirmą romaną begarsiu filmu, taip pat buvo sukurtas iki šiol tebeskaitomas radijo serialas, ir paaiškėjo, kad ji dar gyva ir gyvena didžiuliuose rūmuose netoli mano senelio kaimo klubo.

Taigi parašiau Filomenai Gvinėjai ilgą laišką anglies juodumo rašalu ant pilko popieriaus, kuriame raudonai buvo išraitytas koledžo pavadinimas. Rašiau, kaip atrodo lapai rudenį, kai važiuoju dviračiu į kalvas, kaip nuostabu gyventi mokyklos miestelyje, užuot kasdien dardėjus autobusu į miesto koledžą ir gyvenus namuose, kaip man atsiveria visi žinių lobynai ir kad gal vieną dieną aš irgi galėsiu rašyti tokias didžias knygas, kokias rašė ji.

Miesto bibliotekoje perskaičiau vieną ponios Gvinėjos knygą, – kažkodėl koledžo bibliotekoje jų nebuvo, – kurioje nuo pradžios iki pabaigos buvo keliami ilgi nerimastingi klausimai: „Ar Evelina supras, kad Gledė pažinojo Rodžerį ir anksčiau? – karštligiškai svarstė Hektoras“ ir „Kaip galėjo Donaldas ją vesti, kai sužinojo apie dukrelę Elzę, paslėptą ponios Rolmop nuošalioje kaimo sodyboje? – klausė Grizelda įsikniaubus į blyškią mėnulio apšviestą pagalvę“. Už šias knygas Filomena Gvinėja, – vėliau man ji prisipažino, kad koledže buvo tikra kvaiša, – uždirbo milijonus dolerių.

Ponia Gvinėja atsakė į mano laišką ir pakvietė papietauti jos namuose. Štai kur pirmą kartą pamačiau dubenėlį rankoms mazgoti.

Vandenyje plaukiojo keli vyšnių žiedeliai, ir iš pradžių pamaniau, kad gal tai kokia nors japonų popiečio sriuba, taigi suvalgiau viską, net ir tuos traškius žiedelius. Ponia Gvinėja nė žodžiu nieko tuomet neužsiminė. Tik kur kas vėliau, papasakojusi savo pažįstamai debiutantei koledže apie pietus, suvokiau, ką padariau.

Kai išėjome iš saulės nušviestų *Damų dienos* kabinetų, gatvės buvo pilkos ir garavo nuo lietaus. Tai nebuvo tas mielas lietutis, švariai tave nuprausiantis, bet toks lietus, koks, mano galva, tikriausiai būna Brazilijoje. Jis kliokė tiesiai iš dangaus, lašai buvo kavos lėkštelių dydžio, jie šnypšdami tėkšdavosi į įkaitusius šaligatvius, ir garo debesys rangydamiesi pakildavo nuo blizgančio tamsaus betono.

Mano slapta viltis vienai praleisti popietę Centriniame parke žlugo stikliniame *Damų dienos* besisukančių durų plaktuve. Pasijutau tarsi išvemta pro šiltą lietų į prietemą, į pulsuojančią taksi tuštumą drauge su Betse, Hilda ir tvarkinga moteryte raudonų plaukų kupeta – Ana Emile Ofenbach, kuri su vyru ir trimis vaikais gyvena Tineke, Niu Džersyje.

Filmas buvo labai prastas. Jame vaidino dailutė blondinė, panaši į Džun Elison, bet iš tikrųjų tai buvo kita aktorė, ir seksuali juodaplaukė, primenanti Elizabetę Teilor, bet ir čia iš tiesų buvo visai kita aktorė, ir du stambūs plačiapečiai bukagalviai – Rikas su Džilu.

Filmas buvo apie futbolą, spalvotas.

Nekenčiu spalvotų filmų. Atrodo, kad spalvotuose filmuose visi privalo apsivilkti ryškų naują kostiumą kiekvienai scenai ir stoviniuoti tarsi dabitos tarp ryškiai žalių medžių ar geltonut geltoniausių kviečių, ar prie skaisčiai mėlyno vandenyno, kurio bangos ritasi mylių mylias visomis kryptimis.

Didžioji šio filmo veiksmo dalis vyko futbolo tribūnose, kuriose mojavo ir šūkčiojo dvi merginos, apsivilkusios dailiais kostiumėliais su kopūsto dydžio oranžinėmis chrizantemomis atlapuose, arba šokių salėje, kur merginos, apsivilkusios sukneles *à la* „Vėjo nublokšti“, sklandė po parketą su savo vaikinais, o paskui išsmuko į moterų tualetą ir prišnekėjo viena kitai visokių šlykštybių.

Galiausiai supratau, kad meilioji mergytė gaus dailų didvyrį futbolininką, o seksualioji mergina negaus nieko, nes Džilas norėjo tik meilužės, o ne žmonos, ir dabar pakuojasi daiktus skristi į Europą be atgalinio bilieto.

Maždaug tuo metu pasijutau keistai. Apsižvalgiau aplink: permečiau akimis susižavėjusius veidukus, priešais juos ekranas švytėjo sidabru, o už jų tvyrojo juodas šešėlis. Pamaniau, kad visi atrodo kaip kvaili šikniai.

Pajutau, jog tuoj apsivemsiu. Net nežinojau, ar man skrandį ėmė skaudėti dėl šio baisaus filmo, ar dėl visų suvalgytų ikrų.

– Grįžtu į viešbutį, – sušnibždėjau Betsei prieblandoje.

Betsė baisiai susikaupusi spoksojo į ekraną.

– Blogai jautiesi? – pasiteiravo, vos krutindama lūpas.

– Aha, – atsiliepiau. – Jaučiuosi kaip pragare.

– Ir aš. Eisiu su tavimi.

Mes nuslydome nuo savo kėdžių ir kartojome „Atsiprašau. Atsiprašau. Atsiprašau“ per visą mūsų eilę, žmonės niurnėjo, šnypštavo ir patraukdavo savo kaliošus bei skėčius, kad galėtume praeiti, o aš numindžiau tiek kojų, kiek tik galėjau, mėgindama pamiršti, jog beprotiškai noriu vemti. Tas noras taip ūmai ėmė didėt, kad nebemačiau nieko aplink.

Kai išėjome į gatvę, drungni lietaus lašeliai vis dar biro žemyn.

Betsė atrodė išsigandusi. Jos skruostai nebešvytėjo, žalias, suprakaitavęs ir ištįsęs veidas plaukiojo priešais mane. Mudvi sukritome į vieną geltonai languotą taksi, kurių visada laukia kelkraštyje, kol bandai nuspręsti, reikia tau taksi ar ne. Ir kol pasiekėme viešbutį, aš nusivėmiau kartą, o Betsė – du kartus.

Taksi vairuotojas taip greitai sukdavosi, kad mes buvome mėtomos iš vienos užpakalinės sėdynės pusės į kitą. Kas kartą, kai vienai iš mūsų pasidarydavo bloga, tyliai pasilenkdavome, tarsi būtume ką nors pametusios ir dabar keltume nuo grindų, o kita niūniuodavo ir apsimesdavo, kad žiūri pro langą.

Tačiau atrodė, kad taksi vairuotojas mus mato kiaurai.

– Ei, – užprotestavo jis, pravažiuodamas šviesoforą, kur ką tik užsidegė raudona šviesa, – tik nevemkit mano mašinoj, geriau išlipkit ir darykit tai gatvėje.

Bet mes nieko jam neatsakėme. Tada, turbūt pamatęs, jog esame beveik prie viešbučio, nusprendė negrūsti mūsų lauk, kol neprivažiuosime prie pagrindinio įėjimo.

Nebedrįsome ilgai krapštyti pinigų už parvežimą. Subėrėme krūvą sidabro į taksisto ranką, numetėme porą popierinių nosinaičių, kad pridengtume prišnerkštas grindis, ir nubėgome vestibiuliu prie tuščio lifto. Laimei, šiuo dienos metu buvo gana ramu. Betsė vėl susivėmė prie lifto, o aš laikiau jai galvą, paskui susivėmiau aš, ir ji laikė manąją.

Paprastai gerai išsivėmęs tučtuojau pasijunti geriau. Mes apsikabinome, atsisveikinome ir nuėjome miegoti į priešinguose koridoriaus galuose esančius savo kambarius. Pavėmęs su kuo nors, tampi jam geriausiu draugu.

Bet kai tik užtrenkiau už savęs duris, nusirengiau ir įšliaužiau į lovą, pasijutau dar prasčiau. Jaučiau, kad turiu eiti į tualetą. Vargais negalais apsivilkau baltą vonios chalatą mėlynomis rugiagėlėmis ir nusvirduliavau į vonios kambarį.

Betsė jau buvo čia. Girdėjau, kaip ji žiaukčioja už durų, taigi nuskubėjau į vonios kambarį, – jis buvo už kampo kitame sparne. Maniau, kad tuoj tuoj mirsiu, taip toli jis buvo.

Atsisėdau ant tualeto, nukoriau galvą per praustuvės kraštą, ir man toptelėjo, kad drauge su pietumis išvemsiu ir žarnas. Šleikštulys ritosi manimi didelėmis bangomis. Kai banga nuslūgdavo ir palikdavo mane suglebusią tarsi šlapią lapą bei visą drebančią, aš tučtuojau pajusdavau atplūstant dar vieną, o žvilgantys balti kankinimų kambario kokliai po kojomis ir virš galvos, ir visose keturiose pusėse ėmė slėgti ir pjaustyti mane į gabaliukus.

Nežinau, kiek laiko ten išbuvau. Leidau šaltą vandenį į neužkimštą kriauklę, kad jis garsiai klioktų, ir, jei kas nors eitų pro šalį, pamanytų, jog skalbiu drabužius. Kai jau pasijutau beveik gerai, išsitiesiau ant grindų ir nurimusi gulėjau.

Nebeatrodė, kad dabar vasara. Jutau, kaip žiema smelkiasi iki pat kaulų, kaip barška dantys, o didelis baltas atsineštas viešbučio rankšluostis guli po galva šaltas it pusnis.

Pamaniau, jog labai nemandagu belsti į vonios kambario duris taip, kaip kažkas dabar beldžiasi. Gana tik pasukti už kampo ir susirasti kitą vonią, kaip kad aš padariau, o mane palikti ramybėje. Bet žmogus beldėsi ir maldavo, jog įleisčiau, ir aš tarsi pro miegus atpažinau tą balsą. Jis buvo mažumą panašus į Emilės Anos Ofenbach.

– Vieną minutėlę, – pasakiau. Žodžiai liejosi it sirupas.

Susiėmiau, lėtai atsistojau, dešimtą kartą nuleidau vandenį tualete, švariai iššveičiau kriauklę ir, susukusi rankšluostį, kad taip aiškiai nesimatytų vėmalų dėmių, bei atrakinusi duris, išėjau į koridorių.

Žinojau, kad bus negerai, jei pažvelgsiu į Emilę Aną ar dar kokį žmogų, taigi įbedžiau stiklines akis į langą, besisukantį priešais mane koridoriaus gale, ir ėmiau slinkti vilkdama kojas.

Paskui pamačiau kažkieno batą.

Tai buvo gana senas sudiržusios juodos odos tvirtas batas, su mažytėmis skylutėmis orui ties pirštais, išbestomis dantukais puoštoje ir kiek išdirbtoje odoje. Jis buvo nukreiptas į mane. Atrodė, kad tas batas padėtas ant kieto žalio paviršiaus, žeidžiančio mano dešinį skruostą.

Buvau labai rami, laukiau užuominos, iš kurios suprasčiau, ką turiu daryti. Šiek tiek į kairę nuo bato lyg per miglas pamačiau mėlynų rugiagėlių šūsnį ant baltų grindų ir užsimaniau verkti. Juk žvelgiau į savo pačios chalato skverną, o mano kairė ranka ant jo gulėjo blyški it menkė.

– Dabar jai viskas gerai.

Balsas sklido iš šaltos, nykios vietos virš mano galvos. Akimirką nesusigaudžiau, jog tai gana keista, bet paskui supratau, kodėl. Tai buvo vyro balsas, o vyrams neleidžiama lankytis mūsų viešbutyje nei dienos, nei nakties metu.

– Kiek dar čia jų yra? – tęsė balsas.

Klausiausi susidomėjusi. Grindys atrodė nuostabiai tvirtos. Buvo gera žinoti, kad parkritau ir jau niekur nebekrisiu.

– Turbūt vienuolika, – atsakė moters balsas, kurį priskyriau juodam batui. – Manau, kad čia jų dar vienuolika, bet vienos trūksta, taigi yra tik dešimt.

– Ką gi, nuneškit šitą į lovą ir pasirūpinkit kitomis.

Išgirdau duslų bum bum savo dešine ausimi, paskui dunksėjimas ėmė slopti. Tada tolumoje atsivėrė durys, pasigirdo balsai ir aikčiojimai, ir durys vėl užsitrenkė.

Antklodė ant mano lovos buvo sulankstyta, ir moteris padėjo man atsigulti. Užklojusi mane iki pat smakro, valandžiukę pastovėjo šalia, vėduodamasi putlia rausva ranka. Ji nešiojo akinius paauksuotais rėmeliais ir buvo užsidėjusi baltą seselės kyką.

– Kas jūs tokia? – pralemenau.

– Viešbučio slaugė.

– Kas man nutiko?

– Apsinuodijai, – trumpai paaiškino. – Visos apsinuodijot. Nesu regėjusi nieko panašaus. Čia vemia, ten vemia, ko gi jūs, jaunos damos, prisikimšot?

– Ar visos kitos irgi vemia? – paklausiau viltingai.

– Visos jūsiškės, – patvirtino pasigardžiuodama. – Šuniškai vemia ir šaukiasi mamytės.

Kambarys švelniai susiskliaudė aplinkui, tarsi kėdės, stalai ir sienos ūmai būtų tapę besvoriai, užjausdami mane dėl staigaus silpnumo.

– Gydytojas suleido tau vaistų, – pasakė slaugė nuo slenksčio. – Dabar miegosi.

Vietoj jos kaip švaraus popieriaus lapas užsivėrė durys, o paskui dar didesnis popieriaus lapas iškilo durų vietoje, aš nuplaukiau prie jo, nusišypsojau ir užmigau.

Kažkas stovėjo prie mano pagalvės su baltu puoduku.

– Išgerk, – paliepė.

Papurčiau galvą. Pagalvė sušiugždėjo kaip šiaudų kupeta.

– Išgerk ir pasijusi geriau.

Man prie nosies prikišo storo balto porceliano puoduką. Blyškioje rytmečio, o gal jau vakaro šviesoje apžiūrėjau skaidrų gintarinį skystį. Paviršiuje plaukiojo sviesto gabaliukai, šnerves pasiekė silpnas viščiuko aromatas.

Nedrąsiai pažvelgiau į sijoną už puoduko.

– Betse, – sumurmėjau.

– Čia ne Betsė, čia aš.

Žvilgtelėjusi viršun, pamačiau Dorinos galvos siluetą blausaus lango fone, o jos šviesių plaukų galiukai švytėjo tarsi aukso aureolė. Dorinos veidas buvo šešėlyje, tad negalėjau įžvelgti jos išraiškos, bet pajutau, kad kažkoks ypatingas švelnumas plūsta nuo jos pirštų galiukų. Tai galėjo būti Betsė, mano motina ar paparčiais kvepianti slaugė.

Palenkiau galvą ir gurkštelėjau sultinio. Jaučiausi taip, tarsi mano burna būtų iš smėlio. Gurkštelėjau dar ir dar, ir dar, kol puodukas ištuštėjo.

Pasijutau apsivaliusi, šventa ir pasiruošusi naujam gyvenimui.

Dorina pastatė puodelį ant palangės ir atsisėdo į fotelį. Pastebėjusi, kad ji nė neketina išsitraukti cigaretės, nustebau, nes ji – tikra rūkalė.

– Žinai, tu vos nenumirei, – galiausiai prabilo ji.

– Turbūt kalti tie ikrai.

– Kokie ikrai! Kalta krabų mėsa. Atlikus tyrimus, paaiškėjo, kad joje pilna ptomaino*.

* Nuodai, atsirandantys yrant baltymams.

Įsivaizdavau tas dangiškai baltas *Damų dienos* virtuves, nusidriekiančias į begalybę. Mačiau, kaip viena avokada po kitos prikemšama krabų mėsos, apipilama majonezu ir fotografuojama po ryškiomis lempomis. Mačiau švelnias žnyples rausvais taškučiais, gundomai kyšančias iš po majonezo apkloto, ir šviesiai geltoną kriaušės formos avokadą su krokodilo žalumo žievele.

Nuodai.

– Kas atliko tyrimus? – maniau, jog gydytojas tikriausiai išplovė kam nors skrandį ir viešbučio laboratorijoje ištyrė savo radinį.

– Tie bukagalviai iš *Damų dienos*. Vos tik visos pradėjote kristi kaip musės, kažkas paskambino į biurą, o iš ten pranešė *Damų dienai*. Ir tada ištyrė viską, kas dar buvo likę iš didžiųjų priešpiečių. Cha!

– Cha! – pakartojau nenuoširdžiai. Gera vėl susigrąžinti Doriną.

– Jie atsiuntė dovanų, – pridūrė ji. – Jos guli didelėje kartono dėžėje koridoriuje.

– Kaip jas čia taip greitai atvežė?

– Specialus pristatymas, o ką tu sau manei? Jie juk negali leisti jums lakstyti ir pasakoti, kaip puikiai buvote pašertos per *Damų dieną*. Jei pažinotum kokį gudrų teisininką, galėtum išspaust iš jų visus aliai vieno pensus.

– Kur dovanos? – pajutau, kad jei tai bus ganėtinai gera dovana, negalvosiu apie tai, kas nutiko: juk galiausiai jaučiuosi tokia tyra.

– Niekas dar neatidarė dėžės, visos jos vienodos. Aš turiu visoms nešioti sriubą, nes vienintelė dar laikausi ant kojų, bet tau atnešiau pirmąjai.

– Pažiūrėk, kokia ten dovana, – paprašiau. Paskui prisiminiau ir pridūriau: – Ir aš tau turiu dovaną.

Dorina išėjo į koridorių. Girdėjau, kaip ji šnarina dėžę, paskui išgirdau, kaip dryksta popierius. Galiausiai ji grįžo su stora knyga blizgančiais viršeliais, ant kurių buvo prirašyta pavardžių.

– *Trisdešimt geriausių šių metų apsakymų*, – ji nudrėbė knygą man į sterblę. – Toje dėžėje jų dar vienuolika. Jiems atrodo, jog turėsi ką paskaitinėti, kol sirgsi, – ji patylėjo. – Kur maniškė?

Pažvejojusi savo rankinėje, padaviau Dorinai veidrodėlį su jos vardu ir saulutėmis. Dorina žvilgtelėjo į mane, aš į ją, ir mes ėmėme kvatotis.

– Jei nori, gali suvalgyt mano sriubą, – pasiūlė ji. – Per klaidą ant padėklo atsidūrė dvylika dubenėlių, o mes su Leniu laukdami, kol nustos lyti, sušveitėm tiek bandelių su dešrelėmis, jog nieko nebegalėčiau praryti.

– Nešk ją šen, – paprašiau. – Aš išbadėjusi.

Penktas skyrius

Kitą rytą septintą valandą suskambo telefonas.

Lėtai išplaukiau iš juodo miego dugno. Prie veidrodžio jau buvo prilipdyta Džei Si telegrama, kurioje man liepta nesivarginti ir šiandien į darbą neiti, pailsėti dienelę, kol visiškai pasveiksiu. Be to, Džei Si labai apgailestavo dėl krabų, taigi nė neįsivaizdavau, kas čia galėtų skambinti.

Ištiesiau ranką ir pasidėjau ragelį ant pagalvės taip, kad mikrofonas atsidūrė ant mano raktikaulio, o ausinė – ant peties.

– Alio?

– Ar čia panelė Estera Grynvud? – paklausė vyriškas balsas. Atrodo, išgirdau silpną užsienietišką akcentą.

– Taip, tai aš, – atsakiau.

– Tai Konstantinas Kskovskis...

Nesupratau, kokia jo pavardė, bet joje buvo pilna K ir S raidžių. Nepažįstu jokio Konstantino, bet nedrįsau to pasakyti.

Paskui prisiminiau ponią Vilard ir jos minėtą sinchroninio vertimo specialistą.

– Žinoma, žinoma! – šūktelėjau ir atsisėdau, abiem rankom spausdama ragelį prie ausies.

Niekada netikėjau, kad ponia Vilard pristatys mane vyrui, vardu Konstantinas.

Kolekcionavau vyrus įdomiais vardais. Jau pažinojau Sokratą. Tai aukštas, bjaurus ir intelektualus kažkokio garsaus graikų kilmės prodiuserio iš Holivudo sūnus, be to, katalikas, tad mums nieko neišėjo. Be Sokrato, pažinojau tokį baltarusį Atilą iš Bostono verslo administravimo mokyklos. Pamažėle ėmiau suprasti, jog Konstantinas šiandien nori susitikti.

– Ar norėtumėte šią popietę pamatyti JT?

– Aš jau matau JT, – isteriškai sukikenau.

Atrodė, kad jis neįsikirto.

– Matau tą pastatą pro savo langą, – pamaniau, jog truputį per greitai šneku angliškai.

Stojo tyla.

Paskui jis pasakė:

– Gal po to norėsite truputį užkąsti.

Nusivyliau, atpažinusi ponios Vilard žodyną. Ji visada kviesdavo truputį užkąsti. Prisiminiau, kad šis vyras, pirmą sykį atvykęs į Ameriką, svečiavosi pas ponią Vilard. Ji atverdavo savo namų duris užsieniečiams, kad jei ji vyktų į užsienį, šie priimtų ją savo namuose.

Dabar visai aiškiai supratau, jog ponia Vilard paprasčiausiai pardavė savo viešnagę Rusijoje, kad galėčiau truputį užkąsti čia, Niujorke.

– Taip, norėčiau truputį užkąsti, – šaltai atsakiau. – Kada ateisite?

– Užvažiuosiu jūsų su savo mašina apie antrą. Taigi „Amazonėje“?

– Taip.

– A, žinau, kur ji yra.

Akimirką pagalvojau, ar tik jis šiems žodžiams nesuteikė

pernelyg daug reikšmės, bet paskui pamaniau, jog tikriausiai keletas „Amazonės“ merginų dirba JT sekretorėmis ir gal kada nors jis vieną jų vedėsi į pasimatymą. Leidau jam pirmam padėti ragelį, tada padėjau ir aš. Vėl atsilošiau į pagalves. Jaučiausi niūriai.

Štai aš ir vėl kūriau žavingą vyro, kuris aistringai mane pamilsta iš pirmo žvilgsnio, paveikslą, o čia – tik niūri kasdienybė. Pareiginga ekskursija į JT, o paskui – sumuštinis!

Mėginau pralinksmėti.

Greičiausiai ponios Vilard sinchroninio vertimo specialistas mažas ir bjaurus, ir galiausiai imsiu jį niekinti taip, kaip niekinau Badį Vilardą. Ši mintis suteikė tam tikrą pasitenkinimą. Dėl to, kad niekinau Badį Vilardą, ir, nors visi tebegalvoja, jog ištekėsiu už jo, kai jis išeis iš džiovininkų ligoninės, žinojau, kad taip niekad neatsitiks, net jei jis būtų paskutinis vyras žemėje.

Badis Vilardas buvo veidmainis.

Žinoma, iš pradžių nežinojau, kad jis toks. Maniau, kad jis nuostabiausias vaikinas pasaulyje. Penkerius metus garbinau jį iš tolo, kol ir jis galų gale teikėsi į mane pažvelgti. Buvo nuostabu, kai aš vis dar jį garbinau, o jis ėmė žiūrėti į mane, o kai jau jis vis labiau ir labiau spoksojo į mane, aš visai atsitiktinai supratau, koks jis baisus veidmainis. Dabar jis nori mane vesti, o aš nekenčiu jo iki širdies gelmių.

Blogiausia buvo tai, kad negalėjau prieiti ir jam tiesiai išklotі, ką apie jį galvoju, nes jis veikiai užsikrėtė tuberkulioze, tad dabar turiu jį linksminti, kol pasveiks ir galės ištverti nepagražintą tiesą.

Nusprendžiau neiti pusryčiauti į kavinę. Juk tada turėčiau apsirengt, o kokia prasmė rengtis, kai visą rytą tūnai lovoje? Galėčiau paskambinti į apačią ir paprašyti, kad pusryčius ant padėklo atneštų man į kambarį, bet tada reikėtų duoti arbatpinigių juos atnešusiam žmogui, o aš niekada nežinau, kiek jų duoti. Esu patyrusi nemalonių akimirkų, mėgindama duoti arbatpinigių žmonėms Niujorke.

Kai atvažiavau į „Amazonę“, mažas plikis pasiuntinuko uniforma liftu užvežė mano lagaminą ir atrakino mano kambarį. Aišku, aš tučtuojau įlėkiau vidun ir žvilgtelėjau, koks vaizdas pro langą. Po kurio laiko pastebėjau, jog pasiuntinukas, sukiodamas karšto ir šalto vandens čiaupą mano praustykleje, burba: „Čia šaltas, o čia karštas“, – paskui jis įjungė radiją ir išbėrė man visų Niujorko radijo stočių pavadinimus. Man pasidarė nesmagu, tad atsukau jam nugarą ir rūsčiai pasakiau:

– Ačiū, kad užnešėte mano lagaminą.

– Ačiū, ačiū, ačiū. Cha! – pasakė jis šlykščiu besimeilinančiu balsu ir, nespėjus man atsisukti, išėjo, šiurkščiai užtrenkdamas paskui save duris.

Vėliau, kai papasakojau Dorinai, kaip keistai jis pasielgė, ji tarė:

– Naivuole, jis norėjo arbatpinigių.

Paklausiau, kiekgi turėjau duoti, ir ji atsakė, kad mažiausiai 25 centus, o jei lagaminas svėrė daug, tai trisdešimt penkis. Juk pati puikiausiai galėjau užsinešti lagaminą į savo kambarį, tik pasiuntinukas, rodos, taip nuoširdžiai norėjo tai padaryti, jog leidau jam. Pamaniau, kad tokios paslaugos įskaičiuojamos į sąskaitą už viešbučio kambarį.

Dorina sakė, kad reikia duoti dešimt procentų arbatpinigių, bet aš beveik niekada neturėdavau tiksliai tiek pinigų ir jausdavausi baisiai kvailai, duodama kam nors pusę dolerio ir tardama: „Čia jums penkiolika centų arbatpinigių, o trisdešimt penkis prašom man grąžinti“.

Pirmą kartą Niujorke važiuodama taksi, daviau vairuotojui dešimt centų arbatpinigių. Už važiavimą reikėjo susimokėti dolerį, taigi pamaniau, kad dešimt centų bus kaip tik, ir šyptelėjusi plačiu mostu įteikiau vairuotojui lygiai tiek. Bet jis toliau laikė ištiestą delną ir spoksojo išvertęs akis į jį, o kai aš išlipau iš taksi, tikėdamasi, kad per klaidą nepadaviau jam kanadietiško pinigo, jis pradėjo rėkti: „Ledi, aš irgi noriu gyventi kaip ir jūs ir visi kiti“. Taip išsigandau jo garsaus riksmo, kad puoliau bėgti. Laimei, jis sustojo prie šviesoforo, nes kitaip, ko gero, būtų važiavęs šalia ir gluminamai klykęs. Kai paklausiau Dorinos, ką padariau ne taip, ji pasakė, kad tikriausiai nuo tada, kai ji lankėsi Niujorke paskutinį kartą, arbatpinigių dabar duodama ne dešimt, o penkiolika procentų. Šiaip ar taip, tas taksi vairuotojas buvo tikras parazitas.

Paėmiau *Damų dienos* atsiųstą knygą.

Kai ją atverčiau, iškrito atvirukas. Ant jo buvo pavaizduotas pudelis liūdnu snukučiu, gėlėta pižama tupintis krepšyje, o atviruko viduje nupieštas krepšyje gulintis besišypsantis pudelis. Po juo buvo gražiai išraityta: „Tu būsi geriausia iš visų“. Atviruko apačioje kažkas šviesiai violetiniu rašalu buvo parašęs: „Greitai sveik! Nuo visų tavo gerų draugų iš *Damų dienos*“.

Verčiau vieną pasakojimą po kito, kol galiausiai radau tą – apie figmedį.

Figmedis augo žalioje pievutėje tarp žydo namo ir vienuolyno, ir žydas su gražute tamsiaplauke vienuole susitikdavo prie medžio ir skindavo prinokusius vaisius. Vieną dieną jie pamatė, kaip paukštė peri kiaušinį lizde ant medžio šakos. Kol jie stebėjo, kaip paukščiukas kalasi pro kiaušinio lukštą, jųdviejų rankos susilietė. Vienuolė daugiau nebeatėjo skinti vaisių su žydu; ateidavo virtuvės darbininkė katalikė piktu veidu, ji suskaičiuodavo vaisius, kuriuos suskindavo vyras, norėdama įsitikinti, kad jis neprisiskynė daugiau už ją, o žydas tūždavo.

Man šis apsakymas pasirodė gana mielas, ypač ta vieta apie figmedį žiemą, užklotą sniegu, o paskui pavasarį su visais žaliais vaisiais. Net gaila pasidarė, kai perskaičiau paskutinį puslapį. Norėjau įsisprausti tarp tų išspausdintų juodų eilučių lyg tarp tvoros statinių ir eiti miegoti po tuo gražiu aukštu žaliu figmedžiu.

Man atrodė, kad Badis Vilardas ir aš buvome kaip tas žydas su vienuole, nors, žinoma, mes anei žydai, anei katalikai, mes – unitoriai. Ir mudu susitikinėdavome po savo įsivaizduojamu figmedžiu. Tik pamatėme ne kaip paukščiukas išsikala, o kaip moteris pagimdo kūdikį. Paskui nutiko kai kas baisaus, ir mudviejų keliai išsiskyrė.

Gulėdama baltoje viešbučio lovoje, jaučiausi vieniša ir silpna. Įsigalvojau apie Badį Vilardą, kuris dar vienišesnis ir silpnesnis guli toje sanatorijoje Adirondekse, ir pasijutau tikra bjaurybė. Savo laiškuose Badis vis pasakodavo, kaip skaito poeto, kuris dar ir gydytojas, eilėraščius, kaip sužinojo apie kažkokį įžymų, bet jau mirusį apsakymų rašytoją rusą, irgi gydytoją, tad gal tikrai tiesa, jog gydytojai ir rašytojai gali neblogai sutarti.

Na, ši gaida labai nesiskyrė nuo tos, kokia Badis Vilardas suokdavo man visus tuos dvejus metus, kai stengėmės geriau pažinti vienas kitą. Prisimenu dieną, kai jis nusišypsojo man ir pasakė: „Ar žinai, kas yra eilėraštis, Estera?“ – „Ne, o kas?“, – paklausiau. – „Dulkė“. Ir jis taip didžiavosi, šitai sugalvojęs, kad aš tiesiog dėbtelėjau į jo geltonus plaukus, mėlynas akis ir baltus dantis – jo dantys buvo labai ilgi, balti ir stiprūs, – ir pasakiau: „Tikriausiai“.

Tik po vienerių metų čia, Niujorko centre, galiausiai pagalvojau apie atsakymą.

Praleisdavau nemažai laiko, įsivaizduodama pokalbius su Badžiu Vilardu. Jis buvo pora metų už mane vyresnis ir baisus mokslinčius, tad galėdavo įrodyti bet ką. Kai būdavau su juo, iš visų jėgų stengdavausi nesusimauti.

Paprastai šiuos pokalbius kartodavau mintyse prieš pradėdama tikruosius, tik jie pasibaigdavo tuo, jog ką nors šiurkščiai atrėždavau Badžiui, užuot sėdėjusi ir kartojusi: „Tikriausiai".

Dabar, gulėdama ant nugaros lovoje, įsivaizdavau, kaip Badis sako: „Ar žinai, kas yra eilėraštis, Estera?" – „Ne, o kas?" – sakau aš. – „Dulkė". Ir kai tik jis ima išdidžiai šypsotis, aš sakau: „Kaip ir tavo pjaustomi lavonai. Kaip ir žmonės, kuriuos tu manai gydąs. Jie yra dulkės, kaip visos dulkės. O šit geras eilėraštis išlieka kur kas ilgiau, nei visas šimtas draugėn sudėtų žmonių".

Žinoma, Badis vargiai būtų galėjęs atsikirsti, nes tai, ką pasakiau, yra gryna tiesa. Žmonės sukurti tiesiog iš dulkių, ir nemanau, kad gydyti visas šias dulkes yra bent kiek geriau už eilėraščių rašymą; eilėraščių, kuriuos žmonės prisimins ir kartos sau, kai bus nelaimingi, sirgs ar negalės užmigti.

Deja, viską, ką man sakydavo Badis Vilardas, priimdavau kaip dieviškąją tiesą. Prisimenu pirmą vakarą, kai jis mane pabučiavo. Tai įvyko po Jeilio mokslo metų pabaigtuvių vakaro.

Badis labai keistai pakvietė mane į tą šokių vakarą.

Per vienas Kalėdų atostogas jis netikėtai įvirto į mano namus, vilkėdamas storą baltą megztinį aukšta atlenkiama apykakle. Buvo toks gražus, kad negalėjau atplėšti nuo jo akių. Jis pasakė: „Gal galiu kurią dieną aplankyti tave koledže, gerai?"

Apstulbau. Matydavau Badį tik bažnyčioje sekmadieniais, kai abu grįždavome namo iš koledžo, ir tai tik iš tolo, tad nesupratau, kodėl jis sumanė atbėgti ir pasimatyti su manimi – jis sakė, kad nubėgo dvi mylias, skiriančias mūsų namus, norėdamas pasitreniruoti prieš kroso varžybas.

Žinoma, mudviejų motinos buvo geros draugės. Jos kartu lankė mokyklą, abi ištekėjo už profesorių ir įsikūrė tame pačiame mieste. Tačiau Badis rudenį visada mokydavosi parengiamojoje mokykloje, o vasarą betriūsdamas Montanoje net prisitrindavo pūslių, tad buvo visai nesvarbu, jog mūsų motinos buvo geros draugės nuo pat mokyklos laikų.

Po šio netikėto apsilankymo nieko negirdėjau apie Badį iki pat vieno gražaus sekmadienio ryto kovo pradžioje. Sėdėjau savo kambaryje koledže ir skaičiau apie Piterį Atsiskyrėlį ir Volterį Beturtį, ruošdamasi kitą pirmadienį paskirtam istorijos egzaminui apie kryžiaus žygius, kai koridoriuje suskambo telefonas.

Paprastai žmonės paeiliui atsakinėja į koridoriaus telefono skambučius, bet aš buvau vienintelė fuksė visame aukšte, visi kiti vyresni, taigi dažniausiai atsiliepti tekdavo man. Valandžiukę luktelėjau, ar niekas neišvaduos manęs nuo tos pareigos. Paskui nusprendžiau, kad visi tikriausiai žaidžia skvošą ar išėjo pasivaikščioti, nes buvo savaitgalis, taigi atsiliepiau pati.

– Ar tai tu, Estera? – paklausė mergina, budinti apačioje, ir kai atsakiau, kad aš, pranešė:

– Čia tavęs laukia vyriškis.

Nustebau tai išgirdusi, nes nė vienas vaikinas, su kuriais susitikinėjau šiais metais per tuos aklus pasimatymus, nepasiūlė susitikti antrą kartą. Man tiesiog nesisekė. Nekenčiau kiekvieną šeštadienio vakarą leistis žemyn prakaituojančio-

mis rankomis ir smalsaudama, kai kuri nors senbuvė pristatydavo man savo tetos geriausios draugės sūnų, ir išvysti blyškų išglebėlį atlėpusiomis ausimis, kreivadantį ar klišakojį. Nemanau, kad tik tiek nusipelniau. Juk nesu kokia luošė, na, gal kiek per daug uoliai mokausi ir nežinau, kada liautis.

Taigi susišukavau plaukus, truputį ryškiau pasidažiau lūpas ir, pasiėmusi istorijos knygą, – galėsiu sakyti, kad einu į biblioteką, jei ten lauks koks baisuoklis, – nulipau žemyn, kur į pašto staliuką stovėjo atsirėmęs pats Badis Vilardas, apsivilkęs chaki spalvos švarku su užtrauktuku, mėlynu kombinezonu bei nutrintais pilkais sportbačiais, ir šypsojosi man.

– Tik užsukau pasisveikinti, – paaiškino jis.

Man pasirodė, jog keista kakti tokį kelią nuo Jeilio net ir autostopu, kaip darė jis, vien tam, kad pasisveikintum.

– Sveikas, – atsakiau. – Eikime laukan, pasėdėsime verandoje.

Norėjau išeiti į verandą, nes budinti mergina, smalsi senbuvė, mėgo kaišioti visur savo ilgą nosį. Ji, aišku, pagalvojo, kad Badis smarkiai apsiriko.

Mes susėdome šalia ant dviejų pintų supamųjų kėdžių. Skaisčiai švietė saulė, vėjas nepūtė, buvo beveik karšta.

– Galiu pabūti vos porą minučių, – tarė Badis.

– Gal pasilik priešpiečių, – paprašiau.

– O, tikrai negaliu. Atvažiavau čia į Sofomo išleistuvių vakarą su Džoana.

Pasijutau tarsi visiška kvailė.

– Kaip sekasi Džoanai? – šaltai paklausiau.

Džoana Džiling, kilusi iš mano gimtojo miesto, lankė mūsų mokyklą, o koledže mokėsi klase aukščiau už mane. Džoana – svarbus žmogus, klasės prezidentė ir koledžo žolės riedulio čempionė, jos specializacija buvo fizika. Visada susigūždavau, kai ji varstydavo mane tuščiomis kalnų krištolo spalvos akimis ar nusišypsodavo, atidengdama žvilgančius antkapių baltumo dantis, ir kalbėdavo tuo kvėpčiojančiu balsu. Be to, ji buvo stambi kaip karvė. Pradėjau galvoti, kad Badžio skonis tikrai nekoks.

– O, Džoana, – pakartojo jis, – ji pakvietė mane į šiuos šokius dar prieš porą mėnesių, o jos motina paprašė mano motinos, kad ją pakviesčiau, tad kaip turėjau pasielgti?

– Tai kodėl pasakei, kad ją pakviesi, jei to nenorėjai? – piktai paklausiau.

– Na, man patinka Džoana. Jai niekada nesvarbu, ar išleisi jai pinigų. Be to, jai patinka pramogauti gryname lauke. Paskutinį kartą, kai ji atvažiavo į Jeilį savaitgaliui, mes dviračiais važiavome į Rytinę Uolą. Tai vienintelė mergina, kurios neturėjau stumti į kalną. Džoana – šaunuolė.

Pašiurpau iš pavydo. Dar niekada nebuvau Jeilyje, o Jeilis – tai ta vieta, į kurią dažniausiai savaitgaliais važinėdavo bendrabučio senbuvės. Nutariau nieko daugiau nesitikėti iš Badžio Vilardo. Jei nieko nesitiki, tai ir nenusivili.

– Ką gi, geriau bėk pas Džoaną, – pasakiau dalykišku balsu. – Bet kurią minutę gali ateiti mano vaikinas, ir jam nepatiks, kad sėdžiu su tavimi.

– Vaikinas? – nustebo Badis. – Kas jis?

– Jie du, – atsakiau. – Piteris Atsiskyrėlis ir Volteris Beturtis.

Badis tylėjo, tad pasakiau:

– Čia jų pravardės.

Paskui pridūriau:

– Jie iš Dortmuto.

Spėju, kad Badis niekada labai nesidomėjo istorija, nes kietai sučiaupė lūpas. Pašokęs nuo pintos supamosios kėdės, be reikalo staigiai ją stumtelėjo. Paskui numetė žydrą voką su Jeilio kryžiumi man į sterblę.

– Šį laišką ketinau tau palikti, jei tavęs nebūtų kambary. Į jame užduotą klausimą gali atsakyti paštu. Nelabai noriu jį dabar tau užduoti.

Kai Badis išėjo, aš atplėšiau laišką. Jame buvau kviečiama į Jeilio fuksų šokių vakarą.

Taip nustebau, kad net porą sykių suviaukčiojau ir lėkte įlėkiau į namą šaukdama: „Eisiu, eisiu, eisiu!" Verandoje švietė skaisti balta saulė, o čia buvo tamsu, nors į akį durk, nieko nemačiau. Tik pajutau, kad glėbesčiuoju budinčią senbuvę. Kai ji išgirdo, jog einu į Jeilio fuksų šokių vakarą, nusistebėjo ir net ėmė gerbti mane.

Keista, bet bendrabuty po to viskas pasikeitė. Mano aukšto senbuvės pradėjo su manimi kalbėtis, tai viena, tai kita spontaniškai atsakydavo į telefono skambučius ir niekas nebelaidė šiurkščių užuominų prie mano durų apie tai, kaip žmonės švaisto auksines koledžo dieneles, įkišę nosį į knygas.

Tačiau per visus fuksų šokius Badis elgėsi su manimi kaip su drauge ar pussesere.

Visą laiką šokome, laikydamiesi kokios mylios atstumo, tik per „Auld Lang Syne" jis netikėtai padėjo smakrą man ant pakaušio, tarsi būtų labai pavargęs. Paskui, košiami šalto juodo trečios valandos vėjo, lėtai pėdinome penkias mylias atgal į namą, kur aš už penkiasdešimt centų nakčiai gavau per trumpą sofą svetainėje. Kitur gi už padorią lovą turi pakloti porą dolerių.

Jaučiausi apsunkusi, išsikvėpusi ir priblokšta sudužusių vilčių.

Įsivaizdavau, kad šį savaitgalį Badis mane pamils, ir likusius metus man nebereikės rūpintis, kaip leisti šeštadienių vakarus. Kai priėjome namą, kuriame buvau apsistojusi, Badis pasiūlė:

– Varom prie chemijos laboratorijos.

– Prie chemijos laboratorijos? – mane apėmė siaubas.

– Taip, – Badis palietė man ranką. – Už jos atsiveria puikūs vaizdai.

Ir iš tiesų už chemijos laboratorijos buvo tokia kalvelė, nuo kurios galėjai matyti poros Niu Heiveno namų šviesas. Stovėjau apsimesdama, kad jomis gėriuosi, kol Badis patogiai atsistojo ant rupios žemės. Kol jis mane bučiavo, stovėjau atsimerkusi ir stengiausi taip įsiminti namų šviesas, kad niekada jų nepamirščiau.

Galiausiai Badis atšlijo.

– Oho! – atsiduso.

– Kas „oho"? – nustebusi paklausiau.

Tai buvo sausas paprastas bučinukas, ir aš prisimenu galvojusi apie tai, kaip blogai, kad mūsų lūpos suskirdo, kol penkias mylias žingsniavome pučiant tam šaltam vėjui.

– Oho, nuostabiai jaučiuosi tave bučiuodamas.

Aš kukliai nutylėjau.

– Tikriausiai susitikinėji su daugeliu vaikinų, – pridūrė Badis.

– Tikriausiai, – pasakiau pagalvojusi, kad kiekvieną šių metų savaitę susitikinėjau vis su kitu vaikinu.

– Na, aš turiu dar daug mokytis.

– Ir aš, – skubiai įterpiau. – Juk privalau ir toliau gauti stipendiją.

– Bet turbūt galėčiau susitikinėti su tavimi bent kas trečią savaitgalį.

– Puiku, – beveik alpau, trokšdama grįžti į koledžą ir visiems papasakoti.

Badis vėl mane pabučiavo prie namo laiptų. Kitą rudenį, kai jis įstojo į medicinos mokyklą, aš nuvažiavau ten, o ne į Jeilį susitikti su juo, ir supratau, kaip jis mane mulkino visus tuos metus ir koks veidmainis jis buvo.

Supratau tai tądien, kai išvydome gimstant kūdikį.

Šeštas skyrius

Prašiau Badžio, kad parodytų kokių nors įdomesnių vaizdelių iš ligoninės gyvenimo, tad vieną penktadienį pabėgau iš visų pamokų ir atvykau ilgam savaitgaliui, o Badis tikrai pasistengė.

Iš pradžių apsivilkau baltą chalatą ir atsisėdau ant aukštos kėdės kambaryje su keturiais lavonais, kuriuos pjaustinėjo Badis su draugais. Tie lavonai buvo tokie nepanašūs į žmones, kad visai nebijojau. Jų oda buvo kieta, suragėjusi, juodai violetinė, o dvokė jie kaip seni stiklainiai su marinuotomis daržovėmis.

Paskui Badis nusivedė mane į salę, kur stovėjo keletas didelių stiklainių su kūdikiais, kurie gimė negyvi. Pirmame stiklainyje didelė balta kūdikio galva buvo nuknebusi prie mažučio varlės dydžio susisukusio kūnelio. Kitame stiklainyje kūdikis buvo didesnis, šalia jo dar didesnis, o paskutiniame inde jis buvo jau normalaus naujagimio dydžio. Atrodė, kad jis žiūri į mane ir šypsosi it mažas paršelis.

Labai didžiavausi, galėdama ramiai žiūrėti į visas tas baisybes. Išsigandusi pašokau tik kartą, kai įkišau alkūnę į Badžio lavono skrandį, pasilenkusi pažiūrėti, kaip jis pjausto plaučius. Valandžiukę alkūnė svilte svilo, rodėsi, kad lavonas dar gyvas, jei vis dar šiltas, tad klyktelėjusi pašokau nuo kėdės, o Badis man paaiškino, jog deginimo pojūtis atsirado tik dėl sūrymo skysčio, taigi vėl atsisėdau ant kėdės.

Likus valandai iki priešpiečių, Badis nusivedė mane paskaiton apie piktybinę mažakraujystę ir kitas slogias ligas. Ligoti žmonės buvo užvežami ant platformos ir jiems uždavinėjami klausimai. Juos išvežus, rodė spalvotas skaidres.

Prisiminiau vienoje skaidrėje pavaizduotą gražią besijuokiančią merginą su juodu apgamu ant skruosto. „Po dvidešimties dienų nuo šio apgamo iškilimo mergina mirė", – pasakė gydytojas. Visi minutę patylėjo, paskui suskambo skambutis, o aš taip niekada ir nesužinojau, kas čia per apgamas, ir kodėl mirė mergina.

Po pietų nuėjome pasižiūrėti, kaip gimsta naujagimis.

Pirmiausia susiradome baltinių spintą ligoninės koridoriuje, ir iš ten Badis man padavė baltą kaukę bei šiek tiek marlės.

Aukštas storas medicinos studentas, stambus kaip jautis, slampinėjo netoliese, stebėdamas, kaip Badis vynioja marlę sluoksniais man aplink galvą, kol visiškai paslėpė mano plaukus, ir tik akytės spingsojo pro baltos kaukės plyšius.

Studentas pašaipiai prunkštelėjo.

– Bent jau motina tave myli, – mestelėjo.

Buvau taip įsigalvojusi apie tai, koks jis storulis ir koks nelaimingas turėtų būti toks vyriškis, o ypač jaunas vaikinas, – juk jokia moteris nenorės jį bučiuodama prisiliesti prie didžiulio pilvo, – kad ne iš karto suvokiau, jog studentas norėjo mane įžeisti. Man tebesvarstant, kad gal jis laiko save visai mielu vaikinu ir tą kandžią pastabą, kad tik motina gali mylėti storulį, prisitaikė sau, jis jau buvo dingęs.

Badis tyrinėjo keistą medinę plokštę ant sienos su įvairių

dydžių skylių eile joje, pradedant nuo sidabrinio dolerio dydžio ir baigiant pietų lėkštės dydžio skyle.

– Puiku, puiku, – porino jis man. – Kaip tik šią akimirką ten viena moteris jau ruošiasi gimdyti vaikiuką.

Prie gimdymo palatos durų stovėjo liesas kumptelėjęs Badžio pažįstamas medicinos studentas.

– Sveikas, Vili, – šūktelėjo Badis. – Kas dirba?

– Aš, – niūriai atsakė Vilis, o aš pastebėjau mažus prakaito lašelius ant jo aukštos blyškios kaktos. – Aš, ir tai mano pirmasis.

Badis man papasakojo, kad Vilis – trečiakursis studentas ir kad jis privalo priimti aštuonis vaikelius, tik tada galės baigti studijas.

Paskui jis pastebėjo šurmulį tolimajame koridoriaus gale: keletas vyrų citrinos žalumo chalatais ir kepuraitėmis bei kelios seselės nedarnia procesija ėjo mūsų link ir stūmė vežimėlį su didele balta storule.

– Neturėtum to matyti, – sumurmėjo man Vilis. – Niekada nenorėsi kūdikio, jei tai išvysi. Nereikėtų leisti to matyti moterims. Tai būtų visos žmonijos pabaiga.

Mes su Badžiu nusijuokėme. Jis paspaudė Viliui ranką, ir mes visi sugužėjome į palatą.

Mane taip pritrenkė to stalo, ant kurio kėlė moterį, vaizdas, kad aš nepratariau nė žodžio. Jis priminė kažkokį baisų kankinimų stalą: viename gale stirksojo metalinės kilpos, gulėjo visokiausių rūšių instrumentai, vielos ir vamzdeliai, kurių net paskirties nežinojau.

Drauge su Badžiu stovėjome prie lango, už kelių pėdų nuo moters, ir iš čia puikiai viską matėme.

Moters pilvas buvo atsikišęs taip, kad išvis nemačiau jos veido ar viršutinės kūno dalies. Rodės, ji turi tik milžinišką vorės pilvą ir dvi mažytes bjaurias išstypusias kojukes, įkištas į aukštas kilpas. Visą laiką, gimdydama vaikelį, ji nežmoniškai klykė.

Badis pasakojo, kad gimdyvei suleido vaistų, ir ji pamirš skausmą, kad tada, kai ji keikėsi ir aimanavo, iš tiesų nesuvokė, ką daro, nes buvo tarsi užsnūdusi.

Pagalvojau, kad tokius vaistus galėjo išrasti tik vyras. Čia gulėjo moteris, kenčianti siaubingus skausmus, aiškiai jausdama visą save iki kojų pirštų, nes kitaip nebūtų taip kriokusi. Po to ji droš tiesiai namo ir pradės kitą vaikelį tik todėl, kad vaistai privers ją pamiršti išgyventą skausmą. O kažkurioje slaptoje jos kertelėje tas ilgas tamsus, beduris ir belangis skausmo koridorius tik ir lauks, kol galės vėl atsiverti ir ją praryti.

Vyriausiasis akušeris, mokęs Vilį, vis sakė moteriai:

– Stumkite, ponia Tomolilo, stumkite, gera mergaitė, stumkite, – ir galiausiai pro sutrūkinėjusią, nuskustą vietą tarpukojyje, ryškią nuo dezinfekavimo priemonių, pamačiau pasirodant tamsų papurusį daiktelį.

– Kūdikio galvutė, – sušnibždėjo Badis, bet jo balsą nuslopino moters krioksmas.

Tačiau kūdikio galvutė kažkodėl užstrigo, ir gydytojas nurodė Viliui kirpti. Išgirdau, kaip žirklės prakirpo moters odą tarsi medžiagą, prapliupo kraujas – ryškus, šviesiai raudonas. Rodės, tarsi naujagimis staigiai būtų įšokęs Viliui į rankas, mėlynos slyvos spalvos, aplipęs kažkuo baltu ir ruožuotas nuo kraujo, o Vilis išsigandusiu balsu vis kartojo:

– Tuoj jį išmesiu, tuoj jį išmesiu, tuoj jį išmesiu.

– Neišmesi, – atkirto gydytojas ir, paėmęs naujagimį iš Vilio rankų, pradėjo jį masažuoti. Mėlyna spalva pranyko, kūdikis ėmė cypti nelaimingu kvarksinčiu balseliu, ir aš pamačiau, kad tai berniukas.

Pirmiausia kūdikis nusišlapino tiesiai gydytojui į veidą. Vėliau Badžio klausiau, ar tai įmanoma, ir jis atsakė, kad taip, nors tai ir neįprastas reginys.

Kūdikiui gimus, žmonės palatoje pasidalijo į dvi grupes: sesutės pririšo metalinį asmens ženklą kūdikiui prie riešo, lazdele medvilniniu galu nuvalė jam akutes, suvystė ir paguldė į storos drobės lopšį, o akušeris ir Vilis adata ir ilgu siūlu ėmė siūti moters pjūvį.

Rodos, kažkas ištarė:

– Tai berniukas, ponia Tomolilo, – bet moteris neatsakė, net galvos nepajudino.

– Na, kaip? – paklausė Badis patenkinta išraiška, kai ėjome per žalią keturkampį kiemą į jo kambarį.

– Nuostabu, – atsakiau. – Galėčiau stebėti tai kiekvieną dieną.

Nedrįsau jo paklausti, ar yra kitų būdų pagimdyti vaikelį. Kažkodėl man atrodė svarbiausia pačiai pamatyti, kaip kūdikis išlenda iš manęs, ir įsitikinti, kad jis mano. Pamaniau, kad jei jau vis tiek turi iškęsti šį skausmą, galėtum ir nemiegoti.

Visada įsivaizdavau, kad pasiremiu ant alkūnių, gulėdama ant gimdymo stalo po to, kai jau viskas baigta, – mirtinai išblyškusi, aišku, nepasidažiusi, baisiai susivėlusi, bet šypsodama ir spinduliuodama, o plaukai krinta man iki juosmens, – siekiu to mažutėlio besimuistančio vaikelio ir ištariu jam duotą vardą.

– Kodėl kūdikis toks miltuotas? – klausiu, neleisdama užgesti pokalbiui, o Badis man pasakoja apie vaškinį dangalą, saugantį naujagimio odelę.

Kai grįžome į Badžio kambarį, baisiai primenantį vienuolio celę plikomis sienomis, plika lova ir plikomis grindimis, su stalu, ant kurio guli Grėjaus „Anatomija“ ir kitos storos bauginančios knygos, Badis uždegė žvakę ir atkimšo „Dubonnet“ butelį. Tada sugulėme šalia vienas kito ant lovos, Badis siurbčiojo vyną, o aš garsiai skaičiau „Ten, kur niekada nebuvau nukeliavusi“ bei kitus eilėraščius iš savo atsivežtos knygos.

Badis sakė dabar suprantąs, jog poezija tikrai kažkuo ypatinga, jei tokia mergytė kaip aš kiauras dienas nepaleidžia jos. Tad vėliau kas kartą, kai susitikdavome, skaitydavau jam eilėraščius ir aiškindavau, ką juose radau. Tai buvo Badžio mintis. Jis visada taip surengdavo mūsų savaitgalius, kad niekada nesiskųsdavome tuščiai praleidę laiką. Badžio tėvas buvo mokytojas, turbūt ir Badis taip pat būtų galėjęs juo tapti, mat visada stengdavosi man viską paaiškinti ir suteikti kuo daugiau žinių.

Kai baigiau skaityti eilėraštį, jis staiga paklausė:

– Estera, ar kada nors esi mačiusi vyrą?

Iš jo intonacijos supratau, kad jis turi galvoje ne vyrą apskritai. Supratau, kad jis kalba apie nuogą vyrą.

– Ne, – atsakiau. – Tik statulų.

– Gal norėtum pamatyti – na, mane?

Nežinojau, ką ir atsakyti. Motina ir senelė jau daug anksčiau man užsimindavo, kad Badis Vilardas yra šaunus, doras vaikis, kilęs iš geros, padorios šeimos, ir visi bažnyčioje laiko jį sektinu pavyzdžiu, nes jis labai gerbia savo tėvus ir vyresnius žmones, be to, yra sportiškas, gražus ir protingas.

Iš tiesų girdėdavau tik tai, kad Badis – šaunus ir doras, kad jis toks žmogus, su kuriuo ir mergina turi likti šauni ir dora. Taigi tikrai neatrodė, jog Badis galėtų sumanyti ką nors negera.

– Ką gi, gerai, gerai, – atsakiau.

Įsispoksojau į Badį: jis atsisegė chaki spalvos kelnes, nusimovė jas, pakabino ant kėdės, paskui nusimovė apatinius, primenančius nailoninį žuvų tinklą.

– Jie šaunūs, – paaiškino jis, – ir mama sako, kad juos lengva skalbti.

Paskui jis atsistojo priešais mane, o aš vis dar spoksojau į jį. Galėjau galvoti tik apie kalakuto kakliuką bei skilvį, tad pasijutau labai nusivylusi.

Badis atrodė įsižeidęs dėl mano tylos.

– Turi priprasti prie tokio manęs, – tarė. – O dabar leisk pažvelgti į tave.

Staiga pajutau, kad negalėsiu nusirengti prieš Badį, kaip negalėjau nusifotografuoti ir plakatui koledže, kur būčiau turėjusi stovėti nuoga priešais fotoaparatą, visą laiką žinodama, kad mano portretas priekiu ir šonu bus įsegtas į koledžo gimnastikos salės bylas su A, B, C ar D raide priklausomai nuo to, kokios sveikatos esu.

– Gal kada kitą kartą, – pasakiau.

– Gerai, – Badis apsirengė.

Paskui mes pasibučiavome, truputį pasiglamonėjome, ir aš pasijutau mažumą geriau. Išgėrusi likusį „Dubonnet“ ir sukryžiavusi kojas, įsitaisiau Badžio lovūgalyje. Paprašiusi šukų, užšukavau jomis plaukus sau ant veido taip, kad Badis negalėtų jo matyti. Staiga jo paklausiau:

– Ar esi su kuo nors turėjęs meilės ryšių, Badi?

Nežinau, kodėl taip paklausiau, žodžiai patys tiesiog iššoko man iš burnos. Niekada, nė akimirkos nebuvau pagalvojusi, jog Badis Vilardas su kuo nors juos palaikė. Tikėjausi, kad jis pasakys:

– Ne, saugojau save, kol vesiu kokią nors nekaltą ir tyrą merginą, tokią kaip tave.

Bet Badis išraudęs tylėjo.

– Na, tai kaip?

– Kaip suprasti, ar turėjau meilės ryšių? – dusliai perklausė Badis.

– Na, ar su kuo nors ėjai į lovą? – ritmiškai šukavau plaukus ant tos veido pusės, kuri buvo arčiau Badžio, ir jaučiau, kaip maži elektriniai siūleliai bado karštus skruostus. Norėjau surikti: „Ne ne, nesakyk man, nieko nesakyk". Bet nesušukau, tylėjau.

– Ką gi, taip. Ėjau, – galiausiai atsakė Badis.

Vos nenualpau. Nuo pat tos nakties, kai Badis Vilardas mane pabučiavo, o aš pasakiau, kad susitikinėju su daugeliu vaikinų, jis leido man pajusti, jog esu kur kas seksualesnė ir labiau patyrusi nei jis, ir kad jis mane apkabindavo, bučiuodavo ir glamonėdavo tik todėl, kad aš jį tam įkvėpdavau, o jis paprasčiausiai nesusivaldydavo ir nesuvokdavo, ką darąs.

Dabar supratau, kad jis visą laiką tik apsimetinėjo esąs skaistus.

– Papasakok man apie tai, – lėtai šukavau ir šukavau plaukus, jausdama, kaip su kiekvienu brūkštelėjimu šukų dantukai įsikerta man į skruostą. – Kas ji?

Atrodo, Badžiui palengvėjo, jog aš nesupykau. Net, rodės, jam buvo malonu kam nors pasipasakoti, kaip jis buvo sugundytas.

Žinoma, kažkas sugundė Badį, jis to nepradėjo ir tai tikrai nebuvo jo kaltė. Ji buvo viešbučio Keip Kode, kuriame jis praeitą vasarą dirbo oficianto padėjėju, padavėja. Badis pastebėjo, kad ji keistai jį nužvelgia, virtuvės šurmuly rodo jam savo krūtis, tad galiausiai vieną dieną jis jos paklausė, kas čia dedasi, o ji pažvelgė jam tiesiai į akis ir išrėžė: „Aš tavęs noriu".

– Patiekto su petražolėmis? – nekaltai sukikeno Badis.

– Ne, – atsakė ji. – Kurią nors naktį.

Štai kaip Badis prarado savo nekaltybę ir skaistybę.

Iš pradžių pamaniau, kad jis turbūt tik kartą permiegojo su padavėja, bet kai norėdama tuo įsitikinti, paklausiau, kiek kartų, jis pasakė, kad neatsimena, bet porąkart per savaitę dulkindavosi visą likusią vasarą tikrai. Padauginau tris iš dešimties ir gavau trisdešimt, o tai beprotiškai daug.

Manyje kažkas tiesiog užšalo.

Grįžusi į koledžą, pradėjau klausinėti tai vienų, tai kitų senbuvių, ką jos darytų, jei jų pažįstamas vaikinas staiga joms pasakytų vieną vasarą trisdešimt kartų dulkinęsis su kažkokia ištvirkusia padavėja, nors jau ilgokai yra pažįstamas su jumis. Tačiau jos atsakė, kad dauguma vaikinų yra tokie, kad negalima nuoširdžiai jų kaltinti, kol jie tau nesiperša ar nebando tavęs susaistyti pažadais.

Iš tiesų mane skaudino ne ta mintis, kad Badis su kažkuo miegojo. Juk buvau skaičiusi apie visokiausius permiegojusius žmones. Jei tai būtų koks kitas vaikinas, būčiau tik išpešusi iš jo įdomiausias smulkmenas, o gal net nuėjusi ir pati su kuo nors permiegojusi, kad būtų lygiosios, ir daugiau nesukusi dėl to galvos.

Tačiau negalėjau pakęsti, kad Badis apsimetinėjo, esą aš baisiai seksuali, o jis tikras skaistuolis: juk visą laiką jis mylėjosi su ta vulgaria padavėja ir kartais tikriausiai labai norėdavo nusikvatoti tiesiai man į akis.

– Ką tavo motina galvoja apie tą padavėją? – tą savaitgalį paklausiau Badžio.

Badis stulbinamai gerai sutarė su savo motina. Jis visada klausėsi jos samprotavimų apie vyro ir moters santykius, o aš žinojau, kad ponia Vilard buvo tikra fanatikė, kalbėdama apie vyrų ir moterų skaistybę. Kai pirmą kartą atėjau į jos namus vakarienės, ji nužvelgė mane keistu, gudriu, tyrinėjančiu žvilgsniu, ir žinau, kad mėgino įspėti, skaisti aš ar ne.

Badis sutriko. Taip ir maniau.

– Motina klausinėjo mane apie Gledę, – prisipažino.

– Na, ir ką gi tu pasakei?

– Pasakiau, kad Gledė – netekėjusi dvidešimt vienerių baltoji.

Žinojau, kad dėl manęs Badis niekada nebūtų taip šiurkščiai kalbėjęs su motina. Jis visada kartodavo jos žodžius: „Vyras nori draugės, o moteris – tvirto ramsčio“ bei „Vyras – strėlė, lekianti ateitin, o moteris – lankas, iš kurio ta strėlė išlekia“, kol man pasidarydavo bloga.

Kiekvieną kartą, kai mėgindavau ginčytis, Badis atkirsdavo, kad jo tėvas vis dar suteikia malonumą jo motinai, o argi tai nenuostabu sulaukus tokio amžiaus; vadinasi, ji tikrai žino, kas yra kas.

Taigi jau buvau apsisprendusi visiems laikams mesti Badį Vilardą ne dėl to, kad jis miegojo su ta padavėja, bet dėl to, kad neišdrįso tiesiai visiems to prisipažinti ir parodyti, jog tai jo charakterio bruožas, kai koridoriuje suskambo telefonas ir kažkas monotonišku balsu pasakė:

– Estera, čia tau iš Bostono.

Iš karto galėjau nuspėti, kad kažkas negerai, nes Badis buvo vienintelis mano pažįstamas žmogus Bostone, o jis niekada neskambindavo man į tolimas vietoves, nes laiškus rašyti kur kas pigiau. Kartą, kai norėjo man tučtuojau perduoti žinutę, jis lakstyte lakstė po visą medicinos mokyklą klausinėdamas, ar kas nors savaitgalį nevažiuos į koledžą, ir, savaime aišku, tokių – važiuojančių – atsirado, tad jis perdavė jiems žinutę, ir aš gavau ją tą pačią dieną. Jis net nesumokėjo už pašto ženklą.

Ir iš tiesų tai buvo Badis. Jis pranešė man, kad šį kartą per kasmetinį krūtinės ląstos peršvietimą rentgenu paaiškėjo, jog jis užsikrėtęs tuberkulioze, taigi išvyksta į mokymosi centrą Adirondekse, skirtą medicinos studentams, užsikrėtusiems šia liga – į tuberkuliozininkų sanatoriją. Paskui pridūrė, jog aš nerašiau nuo pat to savaitgalio, bet jis viliasi, jog tarp mūsų viskas gerai, ir gal galėčiau jam rašyti bent kartą per savaitę ir per Kalėdų atostogas aplankyti jį toje tuberkuliozininkų sanatorijoje?

Dar niekada Badis nebuvo toks nusiminęs. Jis labai didžiuodavosi puikia sveikata. Visada, kai mano sinusai supūliuodavo ir aš negalėdavau kvėpuoti, sakydavo, kad tai – psichosomatinė liga. Turbūt keista, kai gydytojas laikosi tokio požiūrio, gal tada jam pravarčiau studijuoti psichiatriją, bet, žinoma, niekada nedrįsau jam tiesiai to iškloti.

Pasakiau Badžiui, kad apgailestauju, jog jis susirgo džiova, pažadėjau rašyti, bet, padėjusi ragelį, nejaučiau nė lašelio užuojautos. Tik nuostabų palengvėjimą.

Pagalvojau, kad ta liga – tikriausiai Badžiui bausmė už tą dvigubą gyvenimą, už tai, kad jis jautėsi daug viršesnis už kitus. Tiesiog nuostabu, kad koledže neprivalėsiu visiems paskelbti nutraukusi santykius su Badžiu: tada vėl prasidėtų nuobodūs akli pasimatymai.

Tiesiog visiems pasakiau, kad Badis užsikrėtė džiova, kad mes kaip ir susižadėjome, o kai šeštadienio vakarais likdavau mokytis, visi elgėsi su manimi labai maloniai manydami, jog elgiuosi taip narsiai ir dirbu tik todėl, kad nuslopinčiau sudužusios širdies skausmą.

Septintas skyrius

Kaip ir maniau, Konstantinas buvo labai mažas, bet savotiškai gražus, šviesiai rudais plaukais, tamsiomis mėlynomis akimis ir gyva, įdomia išraiška. Beveik galėtum palaikyti jį amerikiečiu: jis buvo labai įdegęs ir blykčiojo baltais dantimis. Tačiau iš karto galėjau pasakyti, kad Konstantinas kilęs iš kitur. Jis turėjo tai, ko neturėjo nė vienas iš mano sutiktų amerikiečių, – intuiciją.

Jis iš karto atspėjo, kad nesu ponios Vilard globotinė. Kartais kilstelėdavau antakį, kartais šaltai nusijuokdavau, ir netrukus mudu atvirai šaipėmės iš ponios Vilard, o aš galvojau: „Tam Konstantinui nerūpi, kad esu aukšta, kad nemoku daug kalbų ir kad nekeliauju po Europą, jis pro visą šį šlamštą mato, kas iš tiesų esu“.

Konstantinas nuvežė mane į JT sena žalia mašina subraižytomis, patogiomis rudos odos sėdynėmis ir pakeltu stogu. Jis pasakė, kad taip įdegė žaisdamas tenisą, o kai sėdėjome vienas šalia kito ir, šviečiant saulei, lėkėme per gatves, paėmė mano ranką ir ją paspaudė, o aš pasijutau tokia laiminga, kokia buvau tik devynerių, lakstydama po įkaitusį baltą paplūdimį su savo tėvu, likus metams iki jo mirties.

Kol mes su Konstantinu sėdėjome vienoje iš tylių ir prabangių JT auditorijų šalia rūsčios, raumeningos, nepasidažiusios rusės, kuri, kaip ir Konstantinas, buvo sinchroninio vertimo specialistė, pagalvojau, kaip keista, jog man niekada anksčiau netoptelėjo, kad visiškai laiminga buvau tik devynerių.

Vėliau, nors ir buvau skautė, lankiau pianino pamokas, akvarelės būrelį, šokių būrelį ir dalyvavau buriuotojų stovykloje – už viską mokėjo motina, nors ir labai nenorom, – bei koledže, kur prieš pusryčius kildavo tiesiog audra, kur kas dieną valgydavom prisvilusį pyragą ir siautėdavo naujų minčių fejerverkai, – jau niekada nebuvau iš tiesų laiminga.

Spoksojau į rusę dvieiliu pilku švarku, kuri savo nesuprantama kalba tarškėjo posakį po posakio, o Konstantinas pasakojo, kad tai ir yra sunkiausia, nes rusų posakiai skiriasi nuo mūsiškių. Ir aš iš visos širdies troškau persikūnyti į tą rusę ir likusį gyvenimą nugyventi lodama vieną sakinį po kito. Gal ir nebūčiau nė kiek laimingesnė, užtat būčiau dar viena darbšti bitelė tarp kitų.

Paskui Konstantinas, rusė vertėja ir krūva juodaodžių, baltaodžių ir geltonodžių vyrų, besiginčijančių pro savo prisegtus mikrofonus, tarsi nutolo. Mačiau, kaip jų lūpos be garso prasiveria ir susičiaupia, tarsi jie būtų stovėję išplaukiančio laivo denyje, palikdami mane visiškoje tyloje.

Ėmiau skaičiuoti visus darbus, kurių dirbti net nemoku.

Pradėjau nuo valgio gaminimo.

Senelė ir mama buvo tokios geros virėjos, kad leisdavau gaminti joms. Jos visada stengėsi išmokyti mane ruošti vieną ar kitą patiekalą, bet aš tik žiūrėdavau kartodama: „Taip, taip, suprantu“, o nurodymai tekėdavo per mano galvą it vanduo. Galiausiai visada sugadindavau patiekalą taip, kad niekas nebeprašydavo vėl jį pagaminti.

Prisimenu Džodę, geriausią ir vienintelę draugę iš koledžo pirmakursių, kuri vieną rytą savo namuose iškepė man plaktos kiaušinienės. Ji buvo neįprasto skonio, ir kai paklausiau jos, ar ji ten ko įdėjo, ji paminėjo sūrį ir česnakinę druską. Paklausiau, iš kur ji sužinojo šį receptą, ir ji atsakė, kad iš niekur, tiesiog pati taip sugalvojo. Bet juk ji ne kulinarė, ji – tik sociologijos studentė.

Nemoku ir stenografuoti.

Vadinasi, po koledžo negalėsiu gauti gero darbo. Mama vis man kartoja, kad niekas nenorės žmogaus, studijavusio tik anglų kalbą. Bet jei anglistė moka ir stenografuoti, tai jau visai kas kita. Visi jos norės. Ji bus populiari tarp visų perspektyvių jaunuolių, perrašinės vieną žavų laišką po kito.

Bėda ta, kad visai nenorėjau patarnauti vyrams. Norėjau diktuoti savo pačios žavius laiškus. Be to, tie stenografavimo simboliukai, kuriuos man rodė motina, atrodė tokie baisūs, kaip ir raidė *t*, žyminti laiką, bei *s*, žyminti bendrą atstumą.

Mano sąrašas ilgėjo.

Esu ir beviltiškai prasta šokėja. Nepataikau į toną. Nejaučiu pusiausvyros, ir kai per fizinio pamoką turime eiti siaura lenta, ištiesę rankas ir pakėlę galvas, visada nukrintu. Negalėčiau jodinėti arkliais ar slidinėti, nes tai per brangu, o kaip tik tai labiausiai ir norėčiau daryti. Nemoku kalbėti angliškai, skaityti hebrajiškai ar rašyti kiniškai. Net nežinau, kur žemėlapyje yra dauguma iš tų atokių šalių, kurioms JT atstovauja vyrai, sėdintys priešais mane.

Pirmą kartą gyvenime, sėdėdama garso nepraleidžiančio JT pastato viduje tarp Konstantino, kuris moka žaisti tenisą ir versti sinchroniškai, bei rusės, kuri žino daugybę posakių, pasijutau nevisavertė. Iš tiesų nevisavertė buvau visada, tik niekada apie tai nesusimąstydavau.

Sugebėjau tik laimėti stipendijas ir prizus, bet ši era netrukus baigsis.

Pasijutau tarsi lenktyninis žirgas pasaulyje be lenktynių trasų ar koledžo futbolo čempionas, staiga atsidūręs Volstryte solidžiu kostiumu, ir štai jo šlovės dienos susitraukė iki mažytės auksinės taurės ant židinio atbrailos, o ant jos išgraviruota data primena veikiau užrašą antkapyje.

Išvydau savo gyvenimą, išsišakojantį priešais mane tarsi tą žalią pasakojimo figmedį.

Nuo kiekvienos šakos galo, tarsi storas purpurinis jo vaisius, mojo ir mirksėjo nuostabi ateitis. Vienas vaisius buvo vyras, laimingi namai ir vaikučiai, kitas – įžymi poetė, trečias – išmintinga profesorė, dar vienas vaisius buvo I Dži, fantastiška redaktorė, dar kitas – Europa, Afrika ir Pietų Amerika bei keletas mylimųjų keistais vardais ir neįprastomis profesijomis, toliau kabojo olimpinė moterų komandos čempionė, o po šiais ir virš jų buvo dar daugiau, kurių neįžiūrėjau.

Mačiau, kaip tupiu susirietusi po tuo figmedžiu, mirtinai išbadėjusi tik dėl to, kad negaliu apsispręsti, kurį vaisių pasirinkti. Norėjau kiekvieno atskirai ir visų iš karto, bet jei pasirinksiu vieną, prarasiu visus kitus. Taigi, kol aš čia sėdėjau, negalėdama apsispręsti, vaisiai ėmė raukšlėtis, pajuodo, ir vienas po kito ėmė kristi ant žemės po mano kojomis.

Konstantino restorane kvepėjo žolėmis, prieskoniais ir grietine. Per visą tą laiką, kurį praleidau Niujorke, neradau kito tokio restorano. Radau tik Rojaus mėsainių kavines, kur patiekia didžiulius mėsainius ir dienos sriubą bei keturių rūšių keistus pyragėlius prie labai švaraus prekystalio, už kurio stovi ilgas žvilgantis veidrodis.

Norėdami pasiekti šį restoraną, turėjome nulipti žemyn septyniais blausiai apšviestais laipteliais į rūsį.

Nuo dūmų pajuodusios sienos buvo aplipdytos kelionių plakatais. Jie atrodė tarsi daugybė langų, už kurių atsiveria Šveicarijos ežerai ir Japonijos kalnai bei Afrikos stepės. Storos dulkėtos žvakės buteliuose, kurios tikriausiai jau šimtmečiais varvino spalvotą vašką – raudoną ant mėlyno, o mėlyną ant žalio, kurdamos dailų trispalvį vėrinį, šviesos ratu apšvietė visus staliukus, kur plaukė išraudę veidai, patys primenantys liepsnas.

Neprisimenu, ką valgiau, bet, įsidėjusi burnon pirmą kąsnį, pasijutau kur kas geriau. Man pasirodė, kad mano vizija apie figmedį ir tuos visus stambius jo vaisius, kurie suvyto ir nukrito žemėn, kilo tik dėl tuščio skrandžio.

Konstantinas vis pylė mums į taures saldų graikišką vyną, atsiduodantį pušies sakais, o aš pagavau save pasakojant, kaip ketinu mokytis vokiečių kalbos, vykti į Europą ir tapti karo korespondente kaip Megė Higins.

Tuo metu, kai perėjome prie jogurto ir braškių uogienės, pasijutau taip gerai, kad nutariau leistis Konstantino sugundoma.

Nuo tada, kai Badis Vilardas man papasakojo apie tą padavėją, vis mąsčiau, kad vertėtų pačiai imti ir su kuo nors permiegoti. Tačiau su Badžiu Vilardu permiegoti neverta, nes taip jis pirmautų vienu tašku. Tai turi būti kas nors kitas.

Vienintelis vaikinas, dėl kurio dvejojau, ar nereikėtų su juo permiegoti, buvo nuožmus kablianosis pietietis iš Jeilio, vieną savaitgalį atvažiavęs į koledžą susirasti savo merginos, kuri aną dieną pabėgo iš namų su taksi vairuotoju. Kadangi mergina gyveno mano name, o tą naktį aš vienintelė likau namuose, mano pareiga buvo jį pralinksminti.

Vietos kavinukėje, įspraustoje į slaptą būdelę aukštomis

medinėmis sienomis, ant kurių buvo prikraigliota šimtai žmonių vardų, gėrėme juodą kavą, vieną puoduką po kito, ir nuoširdžiai kalbėjomės apie seksą.

Tas vaikinas, – jis buvo vardu Erikas, – šlykštėjosi tuo, kaip visos mano koledžo merginos stoviniuoja verandose po lempomis bei krūmynuose ir atvirai kaip išprotėjusios bučiuojasi iki pirmos komendanto valandos taip, kad visi praeiviai galėtų jas matyti. Prabėgo milijonai evoliucijos metų, susirūpinęs kalbėjo Erikas, o kas mes tokie? Gyvuliai.

Paskui Erikas man papasakojo, kaip permiegojo su pirmąja savo moterimi.

Jis lankė privačią Pietų mokyklą, kuri ugdė visapusiškai išsilavinusius džentelmenus, ir ten buvo nerašyta taisyklė, kad prieš ją baigdamas privalai pažinti moterį. Pažinti bibline prasme, paaiškino Erikas.

Tad vieną šeštadienį Erikas su keliais bendraklasiais autobusu nuvažiavo į artimiausią miestą ir apsilankė garsiame viešnamyje. Eriko kekšė net nenusivilko suknelės. Tai buvo stora vidutinio amžiaus moteris dažytais raudonais plaukais, įtartinai storomis lūpomis bei papilkėjusia oda. Ji net šviesos neišjungė, tad jis paėmė ją po musių nutupėta dvidešimt penkių vatų stiprumo lempute, ir tai visai nebuvo taip įdomu, kaip kalbama. Tai buvo nuobodu, kaip nueiti į tualetą.

Atsakiau, kad jei mylėtum moterį, gal nebūtų taip nuobodu, bet Erikas pareiškė, kad būtų negražu galvoti apie moterį tik kaip apie gyvulį, tad jei jis kurią nors pamils, nieku gyvu nesiguls su ja į lovą. Jei reikės, apsilankys pas kekšę, o savo mylimą moterį apsaugos nuo visų tų nešvarių reikaliukų.

Tuo metu man toptelėjo mintis, kad gal būtų neblogai sugulti su Eriku, nes jis jau yra tai daręs, ne taip kaip dauguma berniūkščių ir nekalba apie tai gašliai ir kvailai. Bet paskui

Erikas man parašė laišką, kuriame pasakojo, jog galbūt galėtų mane pamilti, nes esu labai protinga, ciniška ir mielo veiduko, nuostabiai panaši į jo vyresnę seserį. Tad suvokiau, jog neverta, su manimi jis niekada neitų į lovą, ir parašiau jam, kad, deja, aš ketinu tekėti už vaikystės meilės.

Kuo daugiau apie tai galvojau, tuo labiau man patiko mintis, jog mane galėtų sugundyti sinchroninio vertimo specialistas Niujorke. Konstantinas atrodė visapusiškai subrendęs ir dėmesingas. Nepažįstu nieko, kam jis norėtų pasigirti, kaip koledžo berniukai savo kambario ar krepšinio komandos draugams susirietę giriasi, jog miegojo su merginomis ant automobilių užpakalinių sėdynių. Be to, būtų maloniai ironiška permiegoti su vyru, kurį man pristatė ponia Vilard, ir taip tarsi suversti visą kaltę jai.

Kai Konstantinas paklausė, ar nenorėčiau užsukti į jo namus ir pasiklausyti balalaikos įrašų, mintyse šyptelėjau. Motina man visada sakydavo, jog niekada neičiau su vyru į jo namus po pasimatymo, nes tai reiškia vienintelį dalyką.

– Žaviuosi balalaikomis, – pasakiau.

Konstantino kambarys buvo su balkonu, iš kurio matėsi upė, ir mes girdėjome, kaip apačioje tamsoje ūkauja buksyrai. Susijaudinau, atsipalaidavau ir įsitikinau, kad elgiuosi teisingai.

Žinojau, kad galiu pastoti, bet ta mintis neaiškiai plaukiojo kažkur toli ir visiškai manęs nejaudino. Nėra šimtaprocentinio apsisaugojimo nuo pastojimo, buvo sakoma straipsnyje, kurį motina iškirpo iš *Reader's Digest* ir atsiuntė man į koledžą. Jį parašė ištekėjusi vaikų advokatė, o vadinosi jis „Už susilaikymą".

Čia buvo suminėtos visos priežastys, kodėl mergina turėtų mylėtis tik su savo vyru ir tik po to, kai už jo ištekės.

Pagrindinė straipsnio mintis buvo tokia: skiriasi ne tik vyro pasaulis nuo moters pasaulio, bet ir emocijos, ir tik santuoka gali tinkamai suderinti šiuos du pasaulius ir dvi skirtingas emocijų sistemas. Motina sakė, kad kaip tik šitai mergaitės sužino per vėlai, todėl jos privalo klausyti patyrusių žmonių, pavyzdžiui, ištekėjusios moters, patarimų.

Ta advokatė sakė, jog geriausi vyrai nori vesti būdami skaistūs, o net jei jie nėra skaistūs, jie nori būti bent tie, kurie išmokys savo žmonas mylėtis. Žinoma, jie stengsis įtikinti merginą mylėtis ir žadės ją vesti vėliau, bet vos ji pasiduos, jie ims visiškai jos nebegerbti ir sakyti, kad jei ji darė tai su jais, tai darys su bet kuriuo kitu vyru. Taip galiausiai ji susigadins gyvenimą.

Moteris baigė savo straipsnį teigdama, kad geriau pasisaugoti nei gailėtis, be to, nėra garantuoto būdo nepastoti, o jau tada tai tikrai būtų bėda.

Tačiau man atrodė, kad šiame straipsnyje net neužsiminta, kaip jaučiasi mergina.

Gal ir miela būti skaisčiai ir ištekėti už skaistaus vyro, bet kas bus, jei jis staiga po santuokos prisipažins, jog nėra skaistus, taip, kaip padarė Badis Vilardas? Negaliu pakęsti nė minties, jog moteris privalo gyventi vieniša ir skaisčiai, o vyras gali gyventi dvigubą gyvenimą: ir skaisčiai, ir ne.

Galiausiai nusprendžiau: jei jau taip sunku rasti vyrišką ir protingą vyrą, kuris, būdamas dvidešimt vienerių, vis dar yra skaistus, tai ir aš pati galiu nebesistengti likti nekalta ir ištekėti už to, kuris irgi jau mylėjosi. Ir kai jis pradės gadinti man gyvenimą, aš galėsiu atsilyginti tuo pačiu.

Kai buvau devyniolikos, skaistybė buvo ginčų objektas.

Užuot pasaulis dalijęsis į katalikus ir protestantus, respublikonus ir demokratus, baltuosius ir juoduosius ar net vyrus ir moteris, rodės, dalijasi į tuos, kurie su kuo nors permiegojo, ir tuos, kurie to nedarė. Atrodė, kad tai vienintelis reikšmingas skirtumas tarp vieno ir kito žmogaus.

Maniau, kad tądien, kai peržengsiu ribą, nepaprastai pasikeisiu.

Maniau, kad jausiuosi tarsi aplankiusi Europą. Pareisiu namo, atidžiai pasižiūrėsiu į veidrodį ir pamatysiu savo akių gelmėje mažas baltas Alpes. Dabar pagalvojau, kad jei pažvelgčiau į veidrodį rytoj, savo akies vyzdyje pamatyčiau man besišypsantį lėlės dydžio Konstantiną.

Kokią valandą sėdėjome jo balkone dviejose atskirose iš virvelių pintose kėdėse, susikrovę tarp savęs šūsnį plokštelių. Grojo patefonas. Švelni pieniška šviesa sklido nuo gatvių lempų ar nuo pusmėnulio, ar nuo mašinų, ar nuo žvaigždžių – negalėjau atskirti, o Konstantinas nerodė noro mane sugundyti, tiesiog laikė mano ranką.

Paklausiau, gal jis susižadėjęs, gal turi mylimą merginą ir dėl to toks drovus, bet jis atsakė, kad ne, ir paaiškino, kad vengia susisaistyti.

Galiausiai pajutau, kaip venomis plūsta galingas snaudulys, apėmęs mane nuo išgerto pušų sakų skonio vyno.

– Eisiu ir atsigulsiu, – pasakiau.

Nerūpestingai nužingsniavau į miegamąjį ir pasilenkiau nusiauti batelių. Švari lova iškilo priešais mane tarsi saugus laivas. Išsitiesiau paslika ir užsimerkiau. Išgirdau, kaip Konstantinas atsiduso ir atėjo iš balkono. Vienas po kito jo batai dunkstelėjo ant grindų, jis atsigulė šalia manęs.

Slapčia stebėjau jį iš po plaukų sruogos.

Jis gulėjo ant nugaros, pasikišęs rankas po galva, ir spoksojo į lubas. Krakmolytos baltos marškinių rankovės, paraitotos iki alkūnių, nykiai šmėksojo prieblandoje, o įdegusi oda

atrodė beveik juoda. Pagalvojau, kad jis vienas gražiausių mano matytų vyrų.

Atrodė, jei tik turėčiau nuostabų švelnių linijų veiduką arba galėčiau įžvalgiai diskutuoti apie politiką, arba būčiau įžymi rašytoja, tada gal Konstantinui ir būtų įdomu su manimi permiegoti.

O tada dingtelėjo: kas bus, jei vos imsiu jam patikti, o jis man ims atrodyti visai paprastas, kas bus, jei vos jis mane pamils, o aš surasiu vieną ydą po kitos, taip, kaip radau jų Badžio Vilardo ir visų berniukų prieš jį charakteriuose?

Tas pats kartodavosi nuolat.

Šmėstelėdavo tolumoje koks vyras be ydų, bet, vos jam priartėjus, tučtuojau suvokdavau, kad jis man netiks.

Štai kodėl nenorėčiau kada nors ištekėti. Mažiausiai trokštu begalinio saugumo ar būti lanku, iš kurio išlekia strėlės. Noriu pokyčių, jaudulio, noriu pati lėkti visomis kryptimis, tarsi Liepos ketvirtosios spalvotos fejerverkų strėlės.

Pabudau, išgirdusi lietų.

Buvo tamsu, nors į akį durk. Po kurio laiko ėmiau įžvelgti blyškius nepažįstamo lango kontūrus. Šviesos spindulys vis pasirodydavo ore, pralėkdavo per sieną kaip šmėkliškas, tiriantis pirštas ir vėl nuslysdavo į nežinią.

Paskui išgirdau, kaip kažkas kvėpuoja.

Iš pradžių maniau, kad tai aš – taigi po apsinuodijimo guliu tamsiame savo viešbučio kambaryje. Sulaikiau kvapą, bet kvėpavimas nesiliovė.

Ant lovos priešais mane žvilgėjo žalia akis. Ji buvo padalyta į ketvirčius kaip kompasas. Lėtai ištiesiau ranką ir nutvėriau ją. Pakėliau. Su ja pakilo ranka, sunki kaip lavono, bet šilta nuo miego.

Konstantino laikrodis rodė tris.

Konstantinas gulėjo su marškiniais, kelnėmis ir kojinėmis toks, kokį jį užmigdama ir palikau, o kai mano akys priprato prie tamsos, įžvelgiau blyškias blakstienas, tiesią nosį ir švelnias dailias lūpas, kurios atrodė tarsi netikros, plaukiančios rūku. Valandėlę pasilenkusi jį tyrinėjau. Anksčiau dar niekada nebuvau užmigusi šalia vyro.

Mėginau įsivaizduoti, kas būtų, jei Konstantinas būtų mano vyras.

Taigi kelčiausi septintą, virčiau jam kiaušinius, kepčiau kumpį, šildyčiau skrebučius, kaisčiau kavą ir maklinėčiau su pižama ir plaukų suktukais, kol jis išeitų į darbą, tada suplaučiau visus nešvarius indus ir pakločiau lovą. O kai jis grįžtų namo po įdomios, žavios dienos, tikėtųsi karštos vakarienės, o aš vakare vėl plaučiau nešvarias lėkštes tol, kol galiausiai visiškai išsekusi griūčiau lovon.

Rodės, merginai, kuri penkiolika metų mokėsi vien dešimtukais, toks gyvenimas – tuščias ir niūrus, vis dėlto žinojau, kad būtent tokia ir yra santuoka, nes Badžio Vilardo motina nuo ryto iki vakaro tik ir virdavo, kuopdavo ir plaudavo, o juk ji buvo universiteto profesoriaus žmona ir pati dėstė privačioje mokykloje.

Kartą, kai aplankiau Badį, radau ponią Vilard, pinančią kilimėlį iš vilnonių juostelių, likusių sukarpius senus pono Vilardo kostiumus. Ji savaičių savaites praleido prie to kilimėlio. Žavėjausi tomis rudomis, žaliomis ir mėlynomis besipinančiomis juostelėmis, bet kai ponia Vilard baigė kilimą, ji, užuot pakabinusi jį ant sienos taip, kaip būčiau tai padariusi aš, patiesė jį virtuvėje ant grindų, ir po kelių dienų jis buvo purvinas, apdulkėjęs ir nesiskyrė nuo kitų demblių, kuriuos už dolerį gali nusipirkti „Five and Ten“ parduotuvėje.

Žinojau, kad nepaisant visų rožių, bučinių ir pietų restorane, kur vyras kviečiasi moterį prieš ją vesdamas, iš tiesų jis slapčia trokšta, pasibaigus vestuvių ceremonijai, pasitiesti žmoną po kojomis kaip ponios Vilard virtuvinį kilimėlį.

Argi motina man nepasakojo, jog vos tik ji su mano tėvu išvyko į Reno medaus mėnesio, – tėvas kartą buvo vedęs, tad jam teko išsiskirti, – jis jai pasakė: „Na, bent palengvėjo! Galime pagaliau liautis apsimetinėti ir būti savimi", – ir nuo tos dienos motina neturėjo nė minutėlės ramybės.

Be to, prisimenu, kaip Badis Vilardas grėsmingu, išmanančiu tonu pareiškė, kad, pagimdžiusi vaikus, pasijusiu kitaip, kad nebenorėsiu rašyti eilėraščių. Pamaniau, kad gal ir tiesa: ištekėjusi ir pagimdžiusi, jautiesi tarsi išsiplovusi smegenis, o paskui tik vergauji kaip apkvaišusi nuosavoje totalitarinėje šalyje.

Kol spoksojau į Konstantiną lyg į šviesų, nesuterštą burbuliuką gilaus šulinio dugne, jo blakstienos virptelėjo, ir jis pažvelgė į mane, o akys buvo pilnos meilės. Abejingai stebėjau, kaip mažos atpažinimo langinės užsivėrė – apkrito švelnumo migla, o plačios lėliukės ėmė žvilgėti ir tapo plokščios kaip natūrali oda.

Konstantinas atsisėdo ir nusižiovavo.

– Kiek valandų?

– Trys, – vangiai sumurmėjau. – Gal geriau eisiu namo. Iš pat ryto turiu būti darbe.

– Aš tave parvešiu.

Kai mes nugaromis vienas į kitą atsisėdome ant skirtingų lovos pusių ir ėmėme narplioti savo batraiščius šlykščioje baltoje naktinės lemputės šviesoje, pajutau, kaip Konstantinas atsisuko.

– Ar tavo plaukai visada tokie?

– Kokie?

Jis neatsakė, tik ištiesė ranką, paglostė plaukus ties šaknimis ir lėtai perbraukė juos pirštais tarsi šukomis iki galiukų. Mane tarsi elektra perskrodė, sėdėjau ramut ramutėlė. Nuo pat vaikystės mėgstu, kai man šukuoja plaukus. Tada tampu mieguista ir rami.

– O, žinau, – tarstelėjo Konstantinas. – Tu ką tik juos išsiplovei.

Ir pasilenkęs užsirišo sportbačius.

Po valandos gulėjau viešbučio lovoje ir klausiausi, kaip į langą barbena lietus. Nebuvo panašu į lietų, atrodė, kad laša čiaupas. Ėmė skaudėti kairiąją blauzdą, tad nebesitikėjau užmigti iki septynių, kai radijo žadintuvas įprastai prikelia mane nuoširdžiais dūdų garsais.

Kiekvieną kartą, kai lydavo, seniai lūžęs kaulas man primindavo save tuo buku skausmu.

Paskui pagalvojau:

– Tai dėl Badžio Vilardo susilaužiau tą koją.

Ir paprieštaravau sau:

– Ne, pati ją susilaužiau. Susilaužiau ją tyčia, kad atkeršyčiau sau už tai, jog buvau tokia bjaurybė.

Aštuntas skyrius

Ponas Vilardas nusivežė mane į Adirondeksą.

Buvo antra Kalėdų diena, pilkas dangus, grasinantis sniegu, kybojo virš galvų. Jaučiausi suskydusi, išglebusi ir nusivylusi, – taip man visada būna antrą Kalėdų dieną, tarsi pušų šakos, žvakės, sidabro ir aukso spalvos kaspinais perrištos dovanos, beržų rąstų laužai, Kalėdų kalakutas ir džiaugsmingos giesmės prie pianino būtų žadėję niekada niekur nedingti.

Per Kalėdas beveik gailėdavausi, kad nesu katalikė.

Iš pradžių vairavo ponas Vilardas, paskui aš. Neprisimenu, apie ką kalbėjomės, bet kai mus atšiauriai pasitiko kaimo vietovės, jau nuklotos giliomis sniego pusnimis, ir kai tamsiai žalios, beveik juodos eglės susispietusios ėmė leistis nuo pat pilkų kalvų iki kelio pakraščio, dariausi vis niūresnė ir niūresnė.

Troškau pasakyti ponui Vilardui, jog jis gali toliau važiuoti vienas, o aš pasigausiu kokią pakeleivingą mašiną ir parvažiuosiu namo.

Bet dirstelėjusi į pono Vilardo veidą, žilų plaukų gijas berniokiškai ežiuku kirptuose plaukuose, geras akis, rausvus skruostus, veide sustingusią nekaltą, savimi pasitikinčio žmogaus išraišką, primenančią saldų vestuvių pyragą, – suvokiau, kad negalėsiu taip pasielgti. Teks ištverti viską iki galo.

Vidurdienį pilkas dangus kiek pabalo. Pasistatę mašiną apledėjusiame šalutiniame kelyje, pasidalijome ponios Vilard priešpiečiams suteptus sumuštinius su tunu, avižinius sausainius, obuolius ir išplempėme termosą juodos kavos.

Ponas Vilardas švelniai žiūrėjo į mane. Paskui atsikrenkštė ir nusibraukė kelis trupinėlius nuo kelnių. Pamaniau, kad jis ketina pasakyti ką nors tikrai rimto, mat jis buvo labai drovus, o aš esu girdėjusi, kad šitaip jis atsikrenkščia prieš pradėdamas svarbią paskaitą apie ekonomiką.

– Nelė ir aš visada norėjome turėti dukrą.

Valandėlę apstulbusi maniau, kad ponas Vilardas pareikš, jog ponia Vilard laukiasi ir tikriausiai pagimdys mergytę.

– Bet neįsivaizduoju mielesnės dukros už tave, – pridūrė jis.

Tikriausiai jis pagalvojo, jog verkiu todėl, kad labai apsidžiaugiau jo noru atstoti man tėvą.

– Nagi nagi, – tapšnojo jis man per petį ir porą kartų atsikrenkštė. – Juk mes suprantame vienas kitą.

Paskui, atidaręs mašinos dureles savo pusėje, perėjo manojon. Jam iškvepiant, pilkame ore susidarydavo garo debesiukai. Aš persėdau į jo vietą, jis užvedė mašiną, ir ji pajudėjo.

Ne visai pamenu, kaip įsivaizdavau Badžio sanatoriją. Tikriausiai tikėjausi pamatyti medinę trobelę ant kalvos viršūnės, rausvaskruosčius jaunuolius ir moteris (jie visi turėjo būti labai patrauklūs, bet su žvilgančiomis džiovininkų akimis), gulinčius balkonuose ir užsiklojusius storomis antklodėmis.

„Sirgti tuberkulioze – tai tarsi gyventi su bomba plaučiuose, – rašė man į koledžą Badis. – Tiesiog guli ramiai ir tikiesi, kad ji nesprogs“.

Man buvo sunku įsivaizduoti ramiai gulintį Badį. Juk jo gyvenimo filosofija – kiekvieną sekundę ką nors veikti. Net kai vasarą eidavome į paplūdimį, jis niekada negulėdavo kepindamasis saulutėje kaip aš. Vis bėgiodavo pirmyn ir atgal, žaisdavo beisbolą ar keliolika kartų greitai atsispausdavo.

Mudu su ponu Vilardu laukėme priėmimo kambaryje, kol pasibaigs popietinio poilsio valanda.

Atrodė, kad visos sanatorijos spalvos parinktos pagal kepenų spalvą. Tamsios žvilgančios medinės plokštės, svilėsių spalvos odinės kėdės, sienos, kurios kada nors gal ir buvo baltos, bet pasidavė plintančiai drėgmės ir pelėsių ligai. Grindis dengė dėmėtas rudas linoleumas.

Ant žemo staliuko, kurio tamsi fanera buvo nusėta apskritomis ir pusapskritimio formos dėmėmis, gulėjo keletas apdriskusių *Time and Life* numerių. Atsiverčiau arčiausiai gulėjusį žurnalą ties viduriu. Į mane pažvelgė Eizenhauerio* veidas, plikas ir blyškus tarsi embriono veidas butelyje.

Po kurio laiko išgirdau, kaip tyliai varva vanduo. Valandžiukę maniau, kad persisotinusios sienos nutarė atsikratyti drėgmės, bet paskui pamačiau, kad šie garsai sklinda nuo fontanėlio kambario kampe.

Vanduo fontanėlyje tryško per kelis colius į viršų iš grublėto vamzdelio, išsiskleisdavo, išskysdavo ir nedarniais lašais imdavo byrėti į akmeninį baseinėlį su pageltusiu vandeniu. Baseinėlis buvo grįstas baltais šešiakampiais kokliais, kokiais paprastai esti išklotos viešos išvietės.

Suskambo skambutis. Tolumoje atsivėrė ir užsivėrė durys. Įėjo Badis.

– Sveikas, tėti.

* Eisenhower, Dwight David (1890—1969), Amerikos generolas ir respublikonų politikas, 34-asis Amerikos prezidentas.

Badis apkabino tėvą ir tučtuojau, visas nušvitęs, pripuolė prie manęs ir ištiesė ranką. Paspaudžiau ją. Ji buvo drėgna ir riebi.

Mes su ponu Vilardu susėdome ant odinės sofutės. Badis įsitaisė priešais mus ant slidaus fotelio kraščiuko. Jis šypsojosi taip, tarsi jo lūpų kampučiai būtų buvę suveržti nematoma viela.

Mažiausiai tikėjausi, kad Badis bus nutukęs. Visą laiką, kai galvodavau apie jį, gulintį ten, sanatorijoje, matydavau tik šešėlius įdubusiuose skruostuose ir akis, degančias beveik išdžiūvusiose akiduobėse.

Bet nelauktai visi Badžio įdubimai buvo virtę iškilimais. Didelis pilvukas pūpsojo po aptemptais baltais nailoniniais marškiniais, skruostai buvo apvalūs ir rausvi kaip marcipanai. Net jo juokas atrodė putlus.

Mudviejų akys susitiko.

– Tai dėl valgymo, – paaiškino jis. – Diena po dienos mums kemša maistą ir verčia gulinėti. Bet dabar man jau leidžiama pasivaikščioti valandžiukę, tad nebijok, per porą savaičių sulysiu, – jis stryktelėjo nuo fotelio, šypsodamas kaip patenkintas šeimininkas. – Gal norit pamatyti mano kambarį?

Aš nusekiau paskui Badį, o ponas Vilardas nuėjo į prieblandą paskui mane, pro dvejas besisukančias duris apšerkšnijusio stiklo paneliais, į kepenų spalvos koridorių, kvepiantį grindų vašku ir lizoliu; čia dar tvyrojo kažkoks silpnesnis kvapas, panašus į sutrintų gardenijų.

Badis atidarė rudas duris, ir mes vorele suėjome į siaurą kambarį.

Daugiausia vietos čia užėmė gremėzdiška lova, uždengta plonyčiu baltu užtiesalu mėlynomis juostelėmis. Šalia jos stovėjo naktinis staliukas su ąsočiu, stikline vandens ir sidabriniu termometru, kyšančiu iš dubenėlio su rausvu dezinfekuojamuoju skysčiu. Antras stalas, apkrautas knygomis, popieriais ir senais moliniais vazonais – tapytais, bet neglazūruotais, – buvo įspraustas tarp lovos kojūgalio ir spintos durų.

– Ką gi, – atsiduso ponas Vilardas, – atrodo visai jaukiai.

Badis nusijuokė.

– Kas čia? – paėmiau molinę vandens lelijos lapo formos peleninę: tamsiai žaliame fone kruopščiai buvo išvedžiotos geltonos gyslos.

– Tai peleninė, – atsakė Badis. – Ji tau.

Padėjau peleninę atgal.

– Aš nerūkau.

– Žinau, – atsiliepė Badis. – Bet vis tiek maniau, kad tau patiks.

– Ką gi, – ponas Vilardas sučiaupė popieriaus spalvos lūpas. – Gal jau keliausiu. Paliksiu jus, jauniklius, vienus...

– Puiku, tėti. Keliauk.

Nustebau. Maniau, kad ponas Vilardas čia pernakvos, o kitą dieną parveš mane atgal.

– Ar man irgi važiuoti?

– Ne ne, – jis išžvejojo keletą banknotų iš kišenės ir padavė juos Badžiui. – Žiūrėk, kad Estera gautų patogiai atsisėsti traukinyje. Tikriausiai ji pasiliks čia dienai.

Badis palydėjo tėvą prie durų.

Rodės, ponas Vilardas tyčia atsikratė manęs. Maniau, kad jis iš anksto tai suplanavo, bet Badis paneigė sakydamas, kad jo tėvas paprasčiausiai nenori matyti ligonių, o ypač sergančio sūnaus, nes jam esą atrodo, kad visos ligos – tik valios stokos įrodymas. Ponas Vilardas per visą gyvenimą nesirgo nė vienos dienos.

Atsisėdau ant Badžio lovos. Čia paprasčiausiai nebuvo daugiau kur sėstis.

Badis dalykiškai pasirausė savo popieriuose. Paskui padavė man ploną pilką žurnaliūkštį.

– Atsiversk vienuoliktą puslapį.

Žurnalas buvo leidžiamas kažkur Meine, pilnas šabloniškų eilėraštukų, o paragrafus vieną nuo kito skyrė žvaigždutės. Vienuoliktame puslapyje radau eilėraštį „Floridos aušra". Peržvelgiau posmą po posmo apie arbūzo spalvos šviesas, vėžlių žalumo palmes ir kriaukles, rievėtas it graikų architektūros kolonos.

– Neblogai, – nors mintyse sau tariau, kad tai baisu.

– Kas jį parašė? – paklausė Badis ir nusišypsojo kaip idiotas.

Mano žvilgsnis užkliuvo už pavardės dešiniajame puslapio kampe apačioje. B. S. Vilardas.

– Nežinau. – Ir staiga pridūriau: – O, kaipgi, žinau, Badi. Tu jį parašei.

Badis pasislinko arčiau manęs.

Aš atsitraukiau. Tikrai nedaug žinau apie tuberkuliozę, bet man atrodė, kad tai ypač baisi liga, sklindanti nemačiomis. Pamaniau, kad Badis galėtų kitiems ir negrūsti savo žudikiškų tuberkuliozės mikrobų.

– Nebijok, – nusijuokė Badis. – Nesu teigiamas.

– Teigiamas?

– Neužsikrėsi.

Badis trūkčiojamai įkvėpė, tarsi kopdamas į labai statų kalną.

– Noriu tavęs kai ko paklausti, – jis įgijo keistą įprotį skverbtis į mano akis žvilgsniu, tarsi norėtų perskrosti man visą galvą ir pažiūrėti, kuo dabar užsiima mano smegeninė.

– Ketinau to paklausti laiške.

Pagalvojau apie šviesiai mėlyną voką su Jeilio kryžiumi ant atlanko.

– Bet paskui pamaniau verčiau palaukti, kol tu atvažiuosi, nes galėsiu paklausti asmeniškai, – jis patylėjo. – Na, ar nenori žinoti, ko paklausiu?

– Ko? – paklausiau tyliu, nieko gera nežadančiu balsu.

Badis įsitaisė šalia manęs. Apkabino ranka man liemenį, nubraukė plaukų sruogą nuo ausies. Nesukrutėjau. Išgirdau jį šnabždant:

– Ar tau patiktų tapti ponia Badi Vilard?

Siaubingai panorau nusikvatoti.

Kaip šis klausimas būtų nustebinęs mane, jei Badis Vilardas būtų man uždavęs jį kada nors anksčiau per tuos penkerius metus, kai jį garbinau iš tolo!

Badis matė, kad dvejoju.

– Žinau, kad dabar nesu geros formos, – skubiai pridūrė. – Vis dar gydausi, gal ir prarasiu porą šonkaulių, bet kitą rudenį aš jau grįšiu į medicinos mokyklą. Vėliausiai po metų nuo šio pavasario...

– Turiu tau kai ką pasakyti, Badi.

– Žinau, – niūriai atkirto Badis. – Tu su kuo nors susitikinėji.

– Ne.

– Kas tada yra?

– Neketinu kada nors tekėti.

– Išprotėjai, – nušvito jis. – Dar apsigalvosi.

– Ne. Apsisprendžiau.

Bet Badis vis dar atrodė linksmas.

– Prisimeni, – paklausiau, – kai parvežei mane į koledžą po Parodijų vakaro?

– Prisimenu.

– Prisimeni, kaip klausei, kur labiau norėčiau gyventi – mieste ar kaime?

– Ir tu atsakei...

– Ir aš atsakiau, kad noriu gyventi ir mieste, ir kaime...

Badis linktelėjo.

– O tu, – tęsiau staiga sutvirtėjusiu balsu, – nusijuokei ir pareiškei, kad esu tikra neurastenikė, ir kad tas klausimas paimtas iš kažkokio testo, į kurį jūs tą savaitę atsakinėjote per psichologijos pamoką.

Badžio šypsena dingo.

– Ką gi, tu – teisus. Esu neurastenikė. Niekada negalėčiau įsikurti tiktai arba mieste, arba kaime.

– Tuomet galėtum gyventi tarp jų, – pasiūlė Badis. – Retkarčiais nuvyktum į miestą, retkarčiais į kaimą.

– Na, tai kas gi čia taip neurasteniška?

Badis neatsakė.

– Na? – burbtelėjau, galvodama: „Ligonių negalima gailėtis, tai jiems neišeina į gera, jie išpaiksta“.

– Nieko, – tyliai suvebleno Badis.

– Cha, neurastenikė! – pašaipiai nusikvatojau. – Jei gali vadinti neurastenike tą, kuri nori dviejų skirtingų dalykų tuo pat metu, tai aš esu visiška neurastenikė. Likusias savo gyvenimo dienas skraidysiu pirmyn ir atgal nuo vieno kraštutinumo prie kito.

Badis padėjo ranką ant manosios: „Bet leisk ir man skraidyti su tavimi“.

Stovėjau ant slidininkų šlaito Pisgos kalno viršūnėje, žvelgdama žemyn. Neturėjau čia ką veikti. Anksčiau niekada neslidinėjau. Bet maniau pasimėgauti bent vaizdu, kol turiu tokią galimybę.

Iš kairės virvinis keltuvas kėlė slidininkus vieną po kito ant snieguotos viršūnės, kur daug kas čiužinėjo ir šliuožė, ir kuri buvo jau kiek aptirpusi nuo vidurdienio saulės, bet dabar tapo tvirta ir blizganti kaip stiklas. Šaltas oras visiškai išvalė mano plaučius ir nosį.

Iš visų pusių slidininkai raudonais, mėlynais ir baltais švarkais šliuožė žemyn akinančiu šlaitu tarsi Amerikos vėliavos skutai. Nuo trasos papėdės netikra rąstų trobelė kriokė populiarias dainas į tylą.

Žvelgiu į Jungfrau
Iš mūs namelio dviem...

Griaudėjanti melodija skverbėsi į mane tarsi nematomas upokšnis sniego dykynėje. Vienas nerūpestingas puikus judesys, ir aš imsiu lėkti žemyn šlaitu prie mažyčio chaki spalvos taško šone – Badžio Vilardo, stovinčio tarp žiūrovų.

Visą rytą Badis mokė mane slidinėti.

Pirmiausia kaimelyje iš draugo jis pasiskolino slides ir slidžių lazdas bei slidžių batus iš gydytojo žmonos, kurios pėda buvo tik vienu dydžiu didesnė už maniškę, ir raudoną slidinėjimo švarką iš studentės slaugytojos. Jo užsispyrimas stebino.

Paskui prisiminiau, kad medicinos mokykloje Badis yra laimėjęs prizą už tai, kad įtikino mirusiųjų giminaičius leisti mokslo tikslais tuos numirėlius pjaustyti reikia nereikia. Pamiršau, koks buvo prizas, bet mačiau Badį baltu chalatu ir iš kišenės kyšančiu stetoskopu, tapusiu tarsi jo kūno dalimi, besišypsantį, besilankstantį ir įtikinėjantį tuos priblokštus, kvailus giminaičius pasirašyti pomirtinius dokumentus.

Paskui Badis iš savo gydytojo, taip pat sergančio tuberkulioze, tad labai supratingo, pasiskolino mašiną, ir mudu išlėkėme, tamsiuose sanatorijos koridoriuose sudžeržgus skambučiui, kuris paskelbė pasivaikščiojimo valandą.

Badis anksčiau irgi nebuvo slidinėjęs, bet jis sakė, kad pagrindiniai principai visai paprasti, o kadangi jis dažnai stebėdavo slidinėjimo instruktorius ir jų mokinius, tai galįs išmokyti mane visko, ką man reikia žinoti.

Pirmą pusvalandį aš klusniai kopiau į kalvelę eglute, atsispirdavau lazdomis ir nušliuoždavau tiesiai žemyn. Atrodė, kad Badis džiaugiasi mano pažanga.

– Puiku, Estera, – pasakė jis, kai aš įveikiau kalvelę dvidešimtą kartą. – Dabar pamėginkime užsikelti keltuvu.

Sustojau kaip įbesta, išraudusi ir šnopštuodama.

– Bet, Badi, aš dar nemoku šliuožti zigzagu. Visi žmonės, besileidžiantys nuo viršūnės, tai moka.

– Tau tereikia nusileisti pusę kelio. Tada nepasieksi didelio greičio.

Taigi Badis palydėjo mane iki virvinio keltuvo, parodė, kaip leisti virvei slysti delnais, paskui liepė sugniaužti ją ir kilti.

Dar niekada nebuvau pasakiusi „ne“.

Suėmiau pirštais tą šiurkščią slystančią lyg gyvatukė virvę ir pakilau.

Tačiau virvė taip greitai traukė mane, virpėdama ir siūbuodama, kad nepajėgiau jos paleisti pusiaukelėje. Ir priešais, ir už manęs buvo po slidininką, ir jei tik pasileisčiau, mane parblokštų, o tada pamesčiau viską – ir slides, ir slidžių lazdas. Nenorėjau sukelti rūpesčių, taigi ramiai laikiausi.

Tačiau viršūnėje pagalvojau ką kita.

Badžio akys išskyrė mano – dvejojančios – raudoną švarkelį iš kitų. Jo rankos skrodė orą tarsi chaki spalvos vėjo malūno sparnai. Paskui pamačiau, kad jis rodo man leistis vėžėmis, kurios vingiuoja šlaito viduriu. Bet kol neramiai, išdžiūvusia gerkle balansavau ant slidžių, lygios baltos vėžės nuo mano iki jo kojų susiliejo.

Vienas slidininkas pervažiavo jas iš kairės, kitas perkirto jas iš dešinės, o Badžio rankos ir toliau silpnai mojo tarsi antenos kitapus lauko, kur šmižinėjo mikroskopiniai judantys padarėliai, primenantys mikrobus, o gal sulinkusius šviesius šauktukus.

Nusisukau nuo šio mirgančio amfiteatro ir pažvelgiau aukštyn.

Didžiulė pilka dangaus akis žvelgė į mane, miglina saulė apgaubė visas baltas tylias tolumas, besidriekiančias iš visų pasaulio pusių, vieną blyškią kalvą po kitos blyškios kalvos, iki pat būdelės po mano kojomis.

Vidinis balsas liepė nebūti kvailai, saugoti savo kailį, nusiimti slides, lipti žemyn, slepiantis už žemučių pušaičių aplink šlaitą, ir pranykti tarsi liūdnam moskitui. Mintis, kad galbūt užsimušiu, ramiai iškilo vaizduotėje tarsi medis ar gėlė.

Akimis išmatavau atstumą nuo savęs iki Badžio.

Dabar jis stovėjo sukryžiavęs rankas ir atrodė tarsi skersinių tvoros, stūksančios jam už nugaros, dalis – sustingęs, rudas ir nereikšmingas.

Prišliuožusi prie viršūnės krašto, įbedžiau slidžių lazdas į sniegą ir atsispyriau skristi, nors ir žinojau, kad man neužteks nei sugebėjimų, nei tinkamos reakcijos laiku sustoti.

Nulėkiau tiesiai žemyn.

Stiprus vėjas, iki šiol slėpęsis, pūtė tiesiai man į burną ir bloškė plaukus ant pakaušio. Aš leidausi, bet balta saulė nekilo. Ta bejausmė visatos ašis, be kurio pasaulis negalėtų egzistuoti, kybojo virš sustingusių kalvų viršūnių.

Menkas atsakas iš mano kūno nulėkė jos link. Jaučiau, kaip mano plaučiai įkvepia gamtovaizdį – orą, kalnus, medžius, žmones. Galvojau: „Štai ką reiškia būti laimingai“.

Staigiai kritau žemyn į savo pačios praeitį pro zigzagais

lekiančius slidininkus, pro mokinius, pro ekspertus, pro metų metus vienatvės, šypsenų ir kompromisų.

Žmonės ir medžiai abiejose pusėse skyrėsi tarsi tamsūs tunelio šonai, kol aš nėriau į ramų, šviesų tašką jo gale, į burbuliuką šulinio dugne, baltą meilų kūdikį, susirangiusį motinos pilve.

Tarp dantų girgždėjo žvyras. Ledinis oras sruvo gerkle.

Virš manęs pakibo Badžio veidas, artimas ir milžiniškas, tarsi išdarkyta planeta. Už jo pasirodė kiti veidai. Toliau baltoje lygumoje šmirinėjo juodi taškeliai. Dalis po dalies, tarsi šiurkštūs krikštatėvio lazdos plaušeliai, senasis pasaulis vėl susiliejo.

– Tau puikiai sekėsi, – pasakė į ausį pažįstamas balsas, – kol tas vyras neužstojo tau kelio.

Žmonės atsegė man slidžių batus, ištraukė į skirtingas sniego pusnis kreivai įsmigusias slidžių lazdas. Už mano nugaros iškilo trobelės tvora.

Badis pasilenkė nuauti man batų ir numovė keletą porų storos vilnos kojinių. Jo putli ranka suspaudė kairiąją koją ir, gniauždama bei čiupinėdama, ėmė slysti mano kulkšnimi, tarsi ieškotų paslėpto ginklo.

Beaistrė balta saulė švietė dangaus skliaute. Norėjosi tol tobulėti, kol tapsiu šventa, liekna ir aštri kaip peilio ašmenys.

– Keliuosi, – pasakiau. – Dar kartą tai padarysiu.

– Ne, nepadarysi.

Badžio veide pasirodė keista, patenkinta išraiška.

– Ne, nepadarysi, – išdidžiai nusišypsojęs pakartojo jis. – Tau dviejose vietose lūžo koja. Mėnesių mėnesius būsi sugipsuota.

Devintas skyrius

– Labai džiaugiuosi, kad jie mirs.

Hilda nusižiovavo, pasirąžė, padėjo galvą ant rankų, sunertų ant stalo, ir vėl užmigo. Tulžies žalumo sruoga nusileido ant jos antakio kaip tropinis paukštis.

Tulžies žaluma. Ji turėjo būti madinga rudenį, tik Hilda kaip visada pusmečiu lenkė laiką. Tulžies žaluma su juoda, tulžies žaluma su balta, tulžies žaluma su melsva žaluma, savo pussesere.

Mados burbuliukai, sidabriniai niekučiai įtartinai kunkuliavo mano smegenyse. Dusliai pokštelėję, jie išniro.

Labai džiaugiuosi, kad jie mirs.

Prakeikiau likimą, atvedusį mane į viešbučio kavinę tuo laiku, kai ten sėdi Hilda. Po beveik nemiegotos nakties jaučiausi per daug apdujusi, kad sugalvočiau atsiprašymą ir galėčiau nešti savo sėdynę atgal į kambarį pasiimti pamirštų nosinės, skėčio, pirštinės ar užrašų knygutės. Taigi teks pro užšalusio stiklo „Amazonės“ duris pereiti į braškių spalvos marmurinėmis plokštėmis grįstą išėjimą į Medisono aveniu.

Hilda visą laiką judėjo kaip manekenė.

– Šauni skrybėlė, gal pati ją pasisiuvai?

Beveik tikėjausi, kad Hilda atsisuks į mane ir pasakys: „Šneki kaip gvėra“, bet ji tik ištiesė gulbės kaklą ir vėl įtraukė jį į pečius.

– Taip.

Praėjusį vakarą mačiau pjesę, kur heroję apsėdo dibukas*. Kai jis imdavo kalbėti iš jos burnos, balsas nuskambėdavo lyg iš po žemių, ir negalėdavai pasakyti, ar tai kalba vyras ar moteris. Tai va, Hildos balsas net labai priminė to dibuko balsą.

Ji spoksojo į savo atspindį blizgančiame parduotuvės lange tarsi norėdama įsitikinti, kad vis dar tebėra. Tyla tarp mūsų buvo tokia gili, kad net pamaniau, jog iš dalies dėl jos esu kalta aš.

Taigi pasakiau:

– Tie Rozenbergai... Baisu, tiesa?

Šiandien vėlai vakare Rozenbergai turėjo būti pasodinti į elektros kėdę.

– Taip! – sugergždė Hilda, ir galiausiai pajutau, kad prisiliečiau žmogiškumo stygos jos širdies raizgalynėje. Rodės, lyg kitų mudvi lauktume kapų tamsumo posėdžių kambaryje, kurį Hilda dar labiau patamsindavo savuoju „taip“.

– Baisu, kad tokie žmonės vis dar gyvi.

Ji nusižiovavo, šviesiai oranžinės lūpos atvėrė gilią tamsą. Susižavėjusi žvelgiau į vos įžiūrimą urvelį jos veide, kol lūpos susitiko, sujudėjo. Ir vėl iš slaptavietės prabilo dibukas:

– Labai džiaugiuosi, kad jie mirs.

– Nagi, nusišypsok mums.

Sėdėjau ant rausvos aksominės sofutės Džei Si biure, laikydama popierinę rožę ir pozuodama žurnalo fotografui. Vie-

* Žydų folkloro pikta klajojanti dvasia, valdanti žmogaus kūną tol, kol neišvaroma egzorcizmu.

nuolika mūsiškių jau nufotografavo, aš buvau paskutinė. Mėginau pasislėpti moterų tualete, bet nepavyko. Betsė pamatė mano kojas pro durų apačią.

Nenorėjau, kad mane fotografuotų, nes jaučiau, kad tuoj apsiverksiu. Nežinau, kodėl norėjau verkti, žinojau tik, kad jei kas nors man ką pasakys ar per daug atidžiai į mane pažvelgs, iš akių pabirs ašaros, imsiu kūkčioti ir verksiu ištisą savaitę. Jaučiau, kaip ašaros liejasi ir taškosi manyje kaip vanduo netvirtai stovinčioje su kaupu pripiltoje stiklinėje.

Tai buvo paskutinės fotografijos prieš išleidžiant žurnalą. Mes grįšime į Talsą, Viloksį, Tyneką ar Kuso Bėjų, į ten, iš kur atvykome, tad turėjome būti fotografuojamos su butaforija, vaizduojančia, kuo norėtume tapti.

Betsė laikė kukurūzo grūdą, norėdama parodyti, jog trokšta tapti ūkininko žmona, Hilda laikė pliką beveidę skrybėlių siuvėjo manekeno galvą, norėdama pasakyti, jog nori kurti skrybėlaites, o Dorina turėjo auksu kraštuotą sarį, ženklą, kad nori dirbti socialinį darbą Indijoje (man ji pasakė, kad iš tiesų to nenori, o tiesiog troško tiktai palaikyti sarį).

Kai manęs paklausė, kuo noriu būti, pasakiau, kad nežinau.

– Ką tu, aišku, kad žinai, – atšovė fotografas.

– Ji nori būti viskuo, – sąmojingai kirto Džei Si.

Pasakiau, kad noriu būti poetė.

Visi ėmė ieškoti daikto, kurį turėčiau laikyti.

Džei Si pasiūlė eilėraščių knygą, bet fotografas paprieštaravo sakydamas, kad tai pernelyg akivaizdu. Daiktas turėjo simbolizuoti įkvėpimą rašyti eilėraščius. Galiausiai Džei Si nusegė vienintelę ilgakotę popierinę rožę nuo paskutinės savo skrybėlaitės.

Fotografas ėmė blykčioti karštomis baltomis lempomis.

– Parodyk mums, kokia esi laiminga, rašydama eilėraštį.

Žvelgiau į mėlyną dangų pro fikusų lapų užtvarą ant Džei Si lango. Keletas teatrališkų debesiukų plaukė iš dešinės kairėn. Įbedžiau akis į didžiausią debesį, tarsi jam pranykus iš akių ir mano sėkmė išgaruotų.

Pajutau, kad labai svarbu išlaikyti lūpų kampučius lygius.

– Nusišypsok mums.

Pagaliau mano lūpų kampučiai klusniai ėmė kilti tarsi pilvakalbės marionetės.

– Ei, – staiga papriekaištavo fotografas, tarsi ką nujausdamas, – atrodai taip, tarsi tuoj imsi verkti.

Negalėjau susilaikyti.

Paslėpiau veidą ant rausvo aksominio Džei Si sofutės atlošo ir man nepaprastai palengvėjo, kai sūrios ašaros bei gailūs garsai, kurie kunkuliavo manyje visą šį rytą, išsiveržė lauk į kambarį.

Kai pakėliau galvą, fotografas jau buvo dingęs. Džei Si taip pat. Jaučiausi suglebusi ir išduota, tarsi kokio siaubūno numesta oda. Palengvėjo, išsivadavus nuo to gyvūno, bet atrodė, kad jis nusinešė su savimi mano sielą ir visa kita, ką tik galėjo nutverti savo letenomis.

Pasirausiau kišenėje ir išsitraukiau paauksintą kosmetinę su tušu, šepetėliu, vokų šešėliais, trimis lūpdažiais ir šoniniu veidrodėliu. Veidas, spoksantis į mane iš jo, atrodė tarsi po ilgo mušimo, žvelgiąs iš už kalėjimo vienutės grotų. Jis buvo lyg sudaužytas, ištinęs ir keistų atspalvių. Šiam veidui reikėjo muilo, vandens ir krikščioniško pakantumo.

Ėmiau pudruoti jį maža širdute.

Praėjus beveik valandai, Džei Si grįžo su pilnu rankraščių glėbiu.

– Nagi, pasilinksmink, – pasiūlė. – Pasiskaitinėk.

Kas rytą rankraščių lavina tarsi sniegas užklodavo dulkių pilkumo krūvas grožinės literatūros redaktorės kambaryje.

Žmonės visoje Amerikoje tikriausiai slapta rašo kur tik nori – kabinetuose, palėpėse ir klasėse. Tikriausiai kas minutę vienas iš jų baigia rankraštį; po penkių minučių ant grožinės literatūros redaktorės stalo atsidurs dar penki rankraščiai. Po valandos bus šešiasdešimt, ir jie mėtysis ant grindų. O po metų...

Nusišypsojau, įsivaizduodama naują rankraštį, plūduriuojantį ore, kur dešiniajame viršutiniame kampe atspausdinti žodžiai: Estera Grynvud. Po mėnesio aš įsirašysiu į įžymaus rašytojo vasaros kursus, tereikia nusiųsti rašinio rankraštį, o jis perskaitęs pasako, ar esi pakankamai pasiruošusi, kad galėtum lankyti jo pamokas.

Žinoma, į kursus patekdavo tikrai nedaugelis. Aš išsiunčiau savo pasakojimą labai seniai ir dar negavau iš rašytojo jokio atsakymo, bet buvau tikra, kad namie ant pašto staliuko rasiu manęs laukiantį laišką su žinute, jog esu priimta.

Nusprendžiau nustebinti Džei Si ir nusiųsti jai porą tuose kursuose parašytų savo pasakojimų, pasirašiusi pseudonimu. Ir vieną dieną grožinės literatūros redaktorė užsuks pas Džei Si, numes pasakojimus jai ant stalo ir pasakys: „Čia tai bent!“, o Džei Si sutiks, priims juos, pakvies autorę priešpiečių, ir tai būsiu aš.

– Iš tikrųjų, – pasakė Dorina, – šis kitoks.

– Papasakok man apie jį, – niūriai paliepiau.

– Jis iš Peru.

– Jie storuliai ir maži, – pasakiau. – Ir bjaurūs kaip actekai.

– Ne ne ne, brangute, aš jau buvau su juo susitikusi.

Mes sėdėjome ant mano lovos tarp krūvos purvinų medvilninių suknelių, nailoninių kojinių nubėgusiomis akimis ir papilkėjusių apatinių, ir jau dešimt minučių Dorina mėgino mane įtikinti eiti į kaimo klubo šokius su Lenio pažįstamo draugu, sakydama, kad jis labai skiriasi nuo Lenio draugo, bet aš kitą rytą aštuntą turėjau išvažiuoti traukiniu namo, taigi norėjau susipakuoti daiktus.

Be to, miglotai nujaučiau, kad jei viena visą naktį vaikštinėčiau Niujorko gatvėmis, gal pagaliau imčiau nors truputį suprasti miesto paslaptis ir didybę.

Bet pasidaviau.

Man buvo vis sunkiau ir sunkiau nuspręsti, ko griebtis tomis paskutinėmis dienomis. Ir kai galiausiai nusprendžiau šį tą nuveikti, tai yra susipakuoti lagaminą, tiesiog išsitraukiau visus purvinus brangius drabužius iš komodos ir spintos, išdėliojau juos ant kėdžių, lovos ir grindų, atsisėdau ir visiškai sutrikusi įsispoksojau į juos. Rodės, jie tokie užsispyrę, kad nesileis plaunami, sulankstomi ir sudedami į lagaminą.

– Bet tie drabužiai, – pasakiau Dorinai. – Negalėsiu į juos žiūrėti, kai grįšiu.

– Tai lengva.

Ir Dorina ėmė rūpestingai rankioti apatinukus, kojines ir prabangias liemenėles be petnešėlių, pilnas plieninių spyruoklyčių, – tai buvo „Primrose“ korsetų kompanijos dovana, kurios aš taip ir nedrįsau užsisegti, – ir galiausiai vieną po kitos ji išskirstė tą liūdną keistai kirptų keturiasdešimt dolerių kainuojančių suknelių dėlionę...

– Ei, šitą palik. Aš ją apsivilksiu.

Dorina ištraukė juodą skiautelę iš ryšulio ir įbruko ją man į rankas. Paskui, sugrūdusi visus drabužius į vieną minkštą gumulą, pakišo juos po lova, kad nesimatytų.

Dorina auksiniu belstuku pabeldė į žalias duris.

Viduje aidintis vyrų juokas ir muštynių garsai nuslopo. Paskui aukštas vienmarškinis ežiuku nusikirpęs blondinas pravėrė duris ir atsargiai pažvelgė pro plyšį.

– Mažule! – suriaumojo jis.

Dorina pranyko jo glėbyje. Pamaniau, kad čia tikriausiai tas Lenio pažįstamas.

Tyliai stovėjau ant slenksčio su savo juoda siaura aptempta suknele ir juoda šerpe su kutais, geltonesnė nei paprastai, mažai ko tikėdamasi.

„Esu tik stebėtoja", – tariau sau stebėdama, kaip blondinas nuveda Doriną per kambarį prie kito aukšto tamsiaplaukio vyro, kurio plaukai buvo kiek ilgesni. Šis vyras vilkėjo nepriekaištingą baltą kostiumą, šviesiai mėlynus marškinius ir buvo pasirišęs geltono satino kaklaraištį su šviesiu segtuku.

Negalėjau atitraukti akių nuo to segtuko.

Atrodė, kad tai iš jo liejasi ta stipri balta šviesa, apšviečianti kambarį. Paskui šviesa pranyko, palikdama tiktai rasos lašelį auksiniame lauke.

Atstačiau vieną koją į priekį.

– Tai deimantas, – kažkas pasakė, ir daugybė žmonių ėmė kvatotis.

Nagu priliečiau žvilgančią briaunelę.

– Pirmasis jos deimantas.

– Duok jį jai, Markai.

Markas nusilenkė ir įdėjo segtuką man į delną.

Jis žvilgėjo ir atspindėjo šviesą kaip dangiškas ledo kubas. Skubiai įmečiau jį į netikro gagato karoliukais papuoštą savo vakarinę rankinę ir apsižvalgiau. Veidai buvo tušti kaip lėkštės, rodės, niekas nė nekvėpuoja.

– Laimei, – sausa kieta ranka sugniaužė man ranką, – su šia dama liksiu visą vakarą. Gal, – kibirkštėlės Marko akyse užgeso, akys tapo juodos, – aš suteiksiu kokią paslaugėlę...

Kažkas nusijuokė.

– ...vertą deimanto.

Jis stipriau suspaudė man ranką.

– Ai!

Markas atitraukė ranką. Pažvelgiau į saviškę. Ten raudonavo nykščio atspaudas. Markas stebėjo mane. Paskui parodė mano rankos apačią.

– Pažvelk čia.

Pasižiūrėjau ir pamačiau keturis blyškius atspaudus.

– Matai, aš kalbu visai rimtai.

Virpanti Marko šypsenėlė man priminė gyvatę, kurią erzinau Bronkso zoologijos sode. Kai priliečiau pirštu tvirtą narvo stiklą, gyvatė staiga pražiojo nasrus ir, rodos, išsišiepė. Paskui ji tol daužės į nematomą stiklą, kol aš pasitraukiau.

Anksčiau dar niekada nebuvau sutikusi antifeministų.

Supratau, kad Markas yra antifeministas, nes, nepaisant visų modelių ir TV žvaigždžių kambaryje, tą vakarą jis dėmesį skyrė tik man, niekam kitam. Ne dėl to, kad būtų malonus ar smalsus, tiesiog dėl to, kad aš buvau paskirta jam, kaip korta iš identiškų kortų šūsnies.

Vyras iš kaimo klubo grupės, pripuolęs prie mikrofono, pradėjo purtyti sėklų lukštų barškučius vaizduodamas, jog groja Pietų Amerikos muziką.

Markas siekė mano rankos, bet aš laikiausi įsitvėrusi ketvirtojo daikirio*. Anksčiau nebuvau ragavusi tokio kokteilio. Gėriau jį todėl, kad Markas man jį užsakė, ir jaučiausi dėkinga, kad jis nepaklausė, ką norėčiau gerti. Neištarusi nė žodžio, tiesiog gėriau vieną daikirį po kito.

Markas pažiūrėjo į mane.

– Ne, – pasakiau.

*Saldus romo kokteilis su citrinos sultimis.

– Ką reiškia tas tavo „ne“?
– Negaliu šokti pagal tokią muziką.
– Nebūk kvaila.
– Noriu sėdėti čia ir baigti gerti savo gėrimą.

Markas įtemptai šypsodamas palinko prie manęs, mano gėrimas išsprūdo iš rankų, įgavo sparnus ir nusileido į palmės vazoną. Paskui jis taip stvėrė man už rankos, kad turėjau arba sekti paskui jį į šokių aikštelę, arba leisti, kad man ją nuplėštų.

– Tai tango, – Markas manevravo su manimi tarp šokėjų. – Aš mėgstu tango.
– Aš nemoku šokti.
– Tau nereikės šokti. Aš tave vedžiosiu.

Markas apglėbė ranka mano liemenį ir prispaudė prie akinamai balto kostiumo.

– Apsimesk, kad skęsti, – pridūrė.

Užsimerkiau, ir muzika suskambo virš manęs kaip lietus per audrą. Marko koja nuslydo į priekį už manęs, manoji nuslydo atgal, ir atrodė, kad prie jo prikaustyti visi mano sąnariai, aš judėjau taip kaip jis, be valios, pati nieko negalvodama, o po kurio laiko vis dėlto tariau sau: „Šokiui nereikia dviejų, užtenka vieno“, ir leidausi pučiama ir lankstoma tarsi medis vėjyje.

– Ką aš tau sakiau? – Marko alsavimas nusvilino man ausį. – Tu puikiai šoki.

Ėmiau suprasti, kaip antifeministai moteris paverčia kvailėmis. Jie tarsi dievai: nepažeidžiami ir kimšte prikimšti galios. Jie nusileidžia ir pranyksta. Niekada negali kurio nors vieno nutverti.

Po Pietų Amerikos muzikos buvo pertrauka.

Markas išsivedė mane pro slaptas duris į sodą. Pro šokių

salės langą plaukė šviesos ir balsai, bet vos už kelių metrų tamsa užtvėrė kelią ir juos sulaikė. Spindėjo tik tos mažytės žvaigždės, o medžiai ir gėlės skleidė vėsų aromatą. Mėnulio nebuvo.

Už mūsų susiskliaudė pinučiai. Apleistas golfo aikštynas driekėsi keleto iškarpytų medžių viršūnių link, ir ūmai aš pajutau pažįstanti visą tą apleistą erdvę – kaimo klubą, šokius ir pievelę su vieninteliu svirpliu.

Žinojau tik tiek, kad esu kažkuriame turtingame Niujorko priemiestyje.

Markas išsitraukė plonytį cigarą ir sidabrinį kulkos formos žiebtuvėlį. Suspaudęs jį lūpomis, pasilenkė prie liepsnelės. Veidas, kuriame mirguliavo šešėliai ir šviesos blyksniai, atrodė svetimas ir skausmingas, tarsi pabėgėlio.

Aš jį stebėjau.

– Ką tu myli? – galiausiai paklausiau.

Valandžiukę Markas nieko neatsakė, tik pravėrė lūpas ir išpūtė mėlyną, perregimą žiedą.

– Puiku! – nusikvatojo.

Žiedas išplatėjo ir išnyko tarsi šmėkla tamsiame ore.

– Myliu savo pusseserę, – pagaliau pasakė.

Nenustebau.

– Kodėl jos nevedi?

– Neįmanoma.

– Kodėl?

Markas gūžtelėjo pečiais.

– Ji mano pirmos eilės pusseserė ir taps vienuole.

– Ar ji graži?

– Niekas jos dar nepalietė.

– O ar ji žino, kad tu ją myli?

– Žinoma.

Aš patylėjau. Kliūtis man pasirodė netikra.

– Jei tu ją myli, – tariau, – vieną dieną pamilsi dar ką nors.

Markas koja sutrynė cigarą.

Žemė staiga pašoko ir švelniai mane kumštelėjo. Pirštai įsmigo į purvą. Markas palaukė, kol šiek tiek... Tada padėjo rankas man ant pečių ir vėl paguldė.

– Mano suknelė...

– Tavo suknelė! – Purvas sruvo man tarp menčių. – Tavo suknelė! – Marko veidas kybojo migloje virš manojo. Man ant lūpų pateko keli jo seilių lašeliai. – Tavo suknelė juoda, o purvas irgi juodas.

Paskui jis parpuolė veidu žemyn, tarsi norėdamas perskrosti mane savo kūnu ir įpulti į purvą.

„Tai jau prasideda, – galvojau. – Tai jau prasideda. Jei čia gulėsiu ir nieko nedarysiu, tai įvyks".

Markas įsikando mano petnešėlę ir nusmaukė suknelę iki pat juosmens. Mačiau dūluojančią nuogą odą tarsi blyškų šydą, skiriantį du kraugeriškai nusiteikusius priešininkus.

– Šliundra!

Tas žodis sušnypštė man prie ausies.

– Šliundra!

Rūkas išsisklaidė, ir aš pamačiau visą mūšio lauką.

Ėmiau rangytis ir kandžiotis.

Markas prispaudė mane prie žemės.

– Šliundra!

Spyriau jam į koją aštriu batelio kulnu. Jis pasisuko ir stvėrėsi už sužeistos vietos.

Suspaudžiau pirštus į kumštį ir vožiau jam į nosį. Tarsi būčiau trenkusi į plieninę kovinio laivo plokštę. Markas atsisėdo. Aš pravirkau.

Išsitraukęs baltą nosinę, jis priglaudė ją prie nosies. Baltą medžiagą tarsi rašalas užliejo juoduma.

Aš lyžtelėjau sūrius krumplius.

– Noriu Dorinos.

Markas žiūrėjo į golfo aikštyną.

– Noriu Dorinos. Noriu eiti namo.

– Šliundros, visos jos šliundros, – su savimi kalbėjo Markas. – Šiaip ar taip, jos visos tokios pat.

Aš prilieičiau Marko petį.

– Kur Dorina?

– Eik į stovėjimo aikštelę, – sušvokštė Markas. – Paieškok ant mašinų užpakalinių sėdynių.

Jis staiga atsisuko.

– Mano deimantas...

Atsikėlusi ir susiradusi tamsoje šerpę, buvau beeinanti šalin. Markas pašoko ir užstojo man kelią. Tada tyčia perbraukė pirštais sau per kraujuojančią nosį ir dviem brūkšniais papuošė mano skruostus.

– Užsidirbau deimantą šiuo krauju. Atiduok jį man.

– Nežinau, kur jis.

Puikiai prisiminiau, kad deimantas yra mano vakarinėje rankinėje, o kai Markas mane parvertė, rankinė tarsi nakties paukštis nuskrido į mus supančią tamsą. Sumečiau, kad nuviliosiu Marką šalin, paskui grįšiu viena ir jį susirasiu.

Nežinojau, kiek kainuoja tokio dydžio deimantas, bet kad ir kokia būtų jo kaina, žinojau, kad ji didelė.

Markas abiem rankom griebė man už pečių.

– Sakyk, – košė jis žodžius, kiekvieną ypač pabrėždamas. – Jei nepasakysi, nusuksiu tau sprandą.

Staiga man pasidarė nebesvarbu.

– Jis mano vakarinėje rankinėje su gagato karoliukų imitacija, – atsakiau. – Kažkur purvyne.

Palikau Marką ropoti keturpėsčią, beieškantį tamsoje kitos, mažesnės tamsos, kuri slėpė jo deimanto spindesį nuo įtūžusių akių.

Dorinos nebuvo nei šokių salėje, nei automobilių stovėjimo aikštelėje.

Laikiausi šešėlyje, kad niekas nepastebėtų žole išterliotos suknelės ir batelių, o juoda šerpe prisidengiau pečius ir nuogas krūtis.

Laimei, šokiai jau buvo besibaigią, ir besiskirstančių žmonių grupelės ėjo prie pastatytų mašinų. Ėjau nuo vienos mašinos prie kitos, kol galiausiai radau vairuotoją, sutikusį mane priimti ir paleisti Manheteno vidury.

Tą miglotą priešaušrio valandą ant „Amazonės" stogo nieko nebuvo.

Tyliai tarsi įsilaužėlė, užsimetusi savo šviesiai geltoną raštuotą vonios chalatą, aš nuslinkau prie turėklų krašto. Jie beveik siekė man pečius, tad iš krūvos prie sienos pasiėmiau sulankstomą kėdę, pastačiau ją ir užlipau ant netvirtos sėdynės.

Šaltas brizas sušiaušė man plaukus. Po kojomis miegantis miestas gesino šviesas, o pastatai juodavo tarsi per laidotuves.

Tai paskutinė mano naktis.

Čiupau savo atsineštą ryšulį ir patraukiau už blyškios uodegos. Į ranką įslydo siaura aptempta elastinga suknelė, dabar jau nudėvėta ir praradusi elastingumą. Aš pamojavau ja tarsi paliaubų vėliava vieną kartą, kitą... Brizas sučiupo suknelę, ir aš ją paleidau.

Balta kruopelė išskrido į naktį ir ėmė lėtai leistis. Svarsčiau, į kokią gatvę ar ant kokio stogo ji nusileis poilsio.

Vėl naršiau ryšulį.

Vėjas stengėsi, bet jam nepavyko, ir šešėlis, primenantis šikšnosparnį, nuslydo prie mansardos stogelio, esančio priešais.

Vieną po kito atidavinėjau savo drabužius nakties vėjui, ir tarsi mylimojo pelenai sklandė pilkos kruopelės, kol buvo nuneštos šalin, kad įsikurtų kur nors tamsioje Niujorko širdyje.

Dešimtas skyrius

Į mane iš veidrodžio pažvelgė serganti indė.

Įsikišau pudrinę į rankinę ir pažvelgiau pro traukinio langą. Ten mirguliavo pelkės ir Konektikuto sklypai, primenantys milžinišką šiukšlyną. Vienas apšiuręs vaizdas niekaip nesisiejo su kitu.

Tas pasaulis – tikras kratinys!

Pažvelgiau į sijoną ir marškinėlius, man neįprastus.

Sijonas buvo platus, parauktas ir styrojo kaip lempos gaubtas. Žaliame fone grūdosi juodos, baltos ir ryškiai mėlynos figūrėlės. Prie baltų marškinių su kilputėmis vietoj rankovių karojo klostės – nulėpusios, tarsi ką tik gimusio angelo sparnai.

Pamiršau pasilikti kokį dieninį drabužį iš tų, kuriuos paleidau skristi virš Niujorko, taigi Betsė atidavė man marškinius ir sijoną mainais į mano vonios chalatą su rugiagėlėmis.

Virš peizažo it šmėkla sklandė blausus mano atspindys baltais sparnais ir ruda arklio uodega...

– Polianos kaubojė, – garsiai pasakiau.

Moteris, sėdinti priešais mane, pakėlė galvą nuo žurnalo.

Paskutinę akimirką nepanorau nusiplauti dviejų įstrižų sudžiūvusio kraujo dryžių nuo skruostų. Jie atrodė graudžiai,

bet įspūdingai, taigi pamaniau, kad nenusiplausiu jų, tebūnie jie kaip mirusio meilužio palikimas, kol patys nusitrins.

Aišku, jei daug šypsočiausi ar vaipyčiausi, kraujas akimirksniu pranyktų, taigi aš nejudinau veido, o kai turėdavau prabilti, košdavau žodžius pro dantis, nekrutindama lūpų.

Nemanau, kad žmonės į mane spoksos.

Daugybė žmonių atrodo keisčiau už mane.

Mano pilkas lagaminas gulėjo ant grotelių virš galvos, jame nebuvo nieko, tik tie *Trisdešimt geriausių šių metų apsakymų*, baltas plastmasinis saulės akinių dėklas ir du tuzinai avokadų, Dorinos atsisveikinimo dovana.

Avokados buvo neprinokusios, taigi gerai laikysis; ir kai pakeldavau lagaminą ar jį nešdavausi, jos, dunksėdamos lyg griaustinis, raičiodavosi iš vieno lagamino šono į kitą.

– Šimts dvim aštoni! – subliovė konduktorius.

Jaukios pušys, klevai ir ąžuolai stabtelėjo ir įstrigo traukinio lango rėmuose kaip prastas paveikslas. Kulniavau ilgu perėjimu, o lagaminas vis bumbsėjo ir bumbsėjo.

Iš kupė su kondicionieriumi išlipau į stoties platformą, kur mane apsupo motiniškas priemiesčių dvelksmas. Čia atsidavė pievelių purkštuvais, šeimyniniais automobiliais, teniso raketėmis, šunimis ir kūdikiais.

Vasaros ramybė uždengė viską švelnia kaip mirtis ranka.

Motina laukė prie pilko ševroleto.

– Nagi, brangute, kas nutiko tavo veidui?

– Įsipjoviau, – atkirtau ir, padėjusi lagaminą ant užpakalinės sėdynės, susirangiau šalia jo. Nenorėjau, kad motina spoksotų į mane visą kelią iki pat namų.

Apvalkalai buvo slidūs ir švarūs.

Motina pasirausė už vairo ir, įmetusi keletą laiškų man sterblėn, atsuko nugarą.

Mašina atgijo ir suburzgė.

– Turiu tau iš karto pasakyti, – prakalbo ji, ir iš to, kaip ji ištempė kaklą, supratau, kad naujienos bus blogos. – Tu nepatekai į tuos rašytojų kursus.

Oras išsiveržė man iš skrandžio.

Visą birželį galvojau apie rašytojų kursus kaip apie šviesų, saugų tiltą virš nuobodžios vasaros srovės. Dabar pamačiau, kaip jis susvyravo ir pranyko, o mergina baltais marškiniais ir žaliu sijonu nugarmėjo tarpeklin.

Rūgščiai išsiviepiau.

To ir tikėjausi.

Susigūžiau į kamuoliuką taip, kad nosis atsidūrė ties lango kraštu, ir žiūrėjau, kaip pro šalį slenka Bostono priemiesčio namai. Kai namai ėmė darytis labiau pažįstami, susigūžiau dar labiau.

Jaučiau: niekas, niekas neturi manęs atpažinti.

Pilkas minkštai apmuštas mašinos stogas užsivėrė virš mano galvos kaip kalėjimo furgono stogas, ir balti, spindintys vienodi namai apkaltomis sienomis su rūpestingai prižiūrimomis žaliomis vejomis slinko pro šalį tarsi vienas didelio narvo skersinis po kito. Narvo, iš kurio neįmanoma pabėgti.

Dar niekada nebuvau praleidusi vasaros priemiestyje.

Ausį rėžė girgždančių vežimo ratų sopranas. Saulė, spingsanti pro naktines užuolaidas, užliejo kambarį žalsvai geltona šviesa. Nežinau, ar ilgai miegojau, bet jaučiausi labai išsekusi.

Lova šalia manęs buvo tuščia ir nepaklota.

Septintą girdėjau, kaip motina keliasi, apsirengia ir ant pirštų galų išstypčioja iš kambario. Netrukus iš apačios pasigirdo apelsinų sulčiaspaudės zvimbimas, kavos ir kumpio kvapai įsismelkė pro durų apačią. Iš čiaupo į kriauklę pasruvo vanduo, suskambo motinos šluostomos ir į indaują dedamos lėkštės. Atsivėrė ir užsitrenkė paradinės durys. Supokšėjo mašinos durelės, suburzgė motoras ir mašina išlėkė, sugirgždindama žvyrą. Garsai išnyko tolumoje.

Motina miesto koledžo mergaitėms dėstė stenografiją ir mokė jas spausdinti mašinėle, taigi jos iki pat vėlyvos popietės nebus namie.

Pro šalį vėl pragirgždėjo vežimėlis. Tikriausiai po mano langu kas nors vežioja kūdikį.

Išsiropščiau iš lovos ant kilimo ir tylutėliai keturpėsčia prišliaužiau pasižiūrėti, kas ten.

Mūsų namas mažas, apkaltas baltai dažytomis lentomis, ir stovi jis vidury žalios pievelės dviejų ramių priemiesčio gatvių sankryžoje. Nors aplink mūsų žemę kas keli metrai susodinti klevukai, vis dėlto bet kuris praeivis, žingsniuojantis šaligatviu, gali pažvelgti į antro aukšto langus ir pamatyti, kas už jų dedasi.

Tai sužinojau iš mūsų kaimynės, pagiežingosios ponios Okenden.

Ponia Okenden – tai į pensiją išėjusi slaugė, ką tik ištekėjusi už trečio vyro, – kiti du mirė keistomis aplinkybėmis, – ir didžiąją laiko dalį ji slapčia spokso pro savo langą iš už krakmolytų baltų užuolaidų.

Ji du kartus buvo užsukusi pas motiną šį bei tą apie mane pranešti: vieną kartą pareiškė, jog valandą sėdėjau priešais namą po gatvės žibintu ir bučiavausi su vaikinu, o kitą kartą pasakė, kad turėčiau savo kambary užsitraukti naktines užuolaidas, nes vieną vakarą, išėjusi pasivaikščioti su škotų terjeru, ji matė mane pusnuogę, besiruošiančią eiti miegoti.

Labai atsargiai pakėliau galvą taip, kad akys atsidūrė šiek tiek virš palangės.

Moteris groteskiškai atsikišusiu pilvu, kurios ūgis nesiekė nė penkių pėdų, gatve stumdė seną juodą vaikišką vežimėlį. Trys skirtingo ūgio vaikučiai, – visi išblyškę, purvinais veidukais ir įjuodusiais keliais, – krypuliavo jos sijono šešėlyje. Moters veide švytėjo romi, kone religinga šypsena. Ji patenkinta atlošė galvą ir nusišypsojo saulei kaip žvirblienė, užtūpusi anties kiaušinį.

Puikiai pažįstu šią moterį.

Tai – Doda Konvėj.

Doda Konvėj yra katalikė. Ji išvažiavo į Barnardą ir ten ištekėjo už kolumbiečio architekto, taip pat kataliko. Jie gyvena dideliame apgriuvusiame mūsų gatvės name, stovinčiame už šlykštaus pušų fasado; jį supa mopedai, triratukai, lėlių vežimėliai, žaislinės viryklės, beisbolo lazdos, badmintono tinkleliai, kroketo varteliai, žiurkėnų narveliai ir kokerspanielio šunyčiai – visas pakrikas priemiesčių vaikystės turtas.

Bet Doda man atrodo įdomi.

Jos namas nepanašus į mūsų kaimynų namus (jis daug didesnis), nuo kitų skiriasi ir spalva (antras aukštas apkaltas tamsiai rudomis lentomis, o pirmas pilkai nutinkuotas ir nusagstytas pilkais bei rožiniais golfo kamuoliuko dydžio akmenukais), pušys visiškai užstoja jį nuo gatvės. Mūsų bendruomenė nusprendė, kad tai nevisuomeniška, nes paprastai pievutes vieną nuo kitos skiria juosmenį vos siekiantys draugiški pinučiai.

Doda užaugino šešis vaikus, – be abejonės, užaugins ir septintąjį, – maitindama juos ryžių traškučiais, zefyrais, sumuštiniais su riešutų sviestu, vaniliniais ledais bei sugirdydama jiems galonus Hudso pieno. Vietos pienininkas suteikė jai ypatingą nuolaidą.

Visi mylėjo Dodą, nors kaimynai ir laidė liežuvius apie vis gausėjančią jos šeimyną. Vyresni aplinkiniai žmonės, tokie kaip mano motina, turėjo po du vaikus, jaunesni, turtingesni turėjo po keturis, bet niekas, išskyrus Dodą, neturėjo septynių vaikų. Visiems rodės, kad net šešių jau per akis, bet ką darysi, juk Doda – katalikė.

Žiūrėjau, kaip ponia Konvėj vežioja jauniausią savo atžalą. Rodės, ji tai daro tamtyč dėl manęs.

Nuo vaikų man darosi bloga.

Sugirgždėjo grindų lenta, aš vėl susigūžiau po palange, ir kaip tik tada Doda Konvėj instinktyviai ar dėl antgamtinės klausos pasuko galvą ant plono kaklo. Jaučiau, kaip jos žvilgsnis verte veria baltas lentas, blausias apmušalų rožes ir randa mane, susigūžusią šalia sidabrinių radiatoriaus vamzdelių.

Įsirangiau atgal į lovą ir užsitraukiau antklodę ant galvos. Tačiau net ir po ja buvo šviesu, taigi pakišau galvą po pagalve ir apsimečiau, kad dabar naktis. Nebuvo jokio reikalo keltis.

Neturėjau ko laukti.

Po kurio laiko išgirdau apačioje koridoriuje skambantį telefoną.

Užsikimšau pagalve ausis ir taip gulėjau penkias minutes. Paskui ištraukiau galvą iš po pagalvės. Telefonas nebeskambėjo.

Ir tučtuojau vėl suskambo.

Keikdama kurį nors draugą, giminaitį ar nepažįstamąjį, iššniukštinėjusį, jog grįžau namo, basa nušlepsėjau į apačią. Juodas aparatas ant staliuko koridoriuje žvygavo isteriškas gaidas kaip nervingas paukštis.

Pakėliau ragelį.

– Alio, – atsiliepiau žemu slėpiningu balsu.

– Alio, Estera, kas nutiko? Susirgai laringitu?

Iš Kembridžo skambino mano sena draugė Džodė.

Džodė šią vasarą dirba kooperatyve, o per pietų pertraukas lanko sociologijos kursus. Ji su kitom dviem merginom iš mano koledžo išsinuomojo iš keturių Harvardo teisės studentų didelį butą, ir aš ketinau pas jas įsikelti, kai tik prasidės rašytojų kursai.

Džodė norėjo sužinoti, kada manęs laukti.

– Neatvyksiu, – pasakiau. – Neįstojau į kursus.

Džodė valandėlę tylėjo. Paskui pasakė:

– Jis šiknius. Neatpažįsta talentų.

– Ir aš taip manau, – mano balsas skambėjo keistai ir nenatūraliai.

– Vis tiek atvaryk. Užsirašysi į kokį kitą kursą.

Pagalvojau, kad galėčiau mokytis vokiečių kalbos ar studijuoti psichopatologiją. Juk sutaupiau beveik visą algą, gautą Niujorke, taigi galėčiau tai sau leisti.

Bet nenatūralus balsas atsakė:

– Gali manęs neskaičiuot.

– Ką gi, – pradėjo Džodė, – viena mergaitė norėjo pas mus įsikraustyt, jei kuri nors iškristų.

– Puiku. Kviesk ją.

Vos tik padėjau ragelį, pagalvojau, kad reikėjo sutikti atvažiuoti. Jei dar vieną rytą reikės klausytis, kaip girgžda Dodos Konvėj vaikiško vežimėlio ratai, išprotėsiu. Be to, juk esu nusprendusi daugiau nė savaitės negyventi vienuose namuose su motina.

Siekiau ragelio.

Ranka priartėjo per kelis colius, paskui atsitraukė ir suglebusi nusileido prie šono. Vėl pamėginau priversti ją paimti ragelį, bet ji vėl sustingo, tarsi būtų susidūrusi su stiklo siena.

Nuvėžlinau į valgomąjį.

Ant stalo radau ilgą dalykinį laišką iš vasaros mokyklos ir ploną mėlyną voką su Jeilio antspaudu kairiajame viršutiniame kampe. Mano adresas buvo užrašytas aiškia Badžio Vilardo rašysena.

Peiliu atplėšiau vasaros mokyklos voką.

Laiške buvo rašoma, kad jie manęs nepriėmė į rašytojų kursus, o vietoj jų galiu pasirinkti kokius nors kitus, bet dar šį rytą privalau paskambinti į Priėmimo komisiją, nes kitaip registruotis bus per vėlu, mat kursai jau beveik užpildyti.

Paskambinau į Priėmimo komisiją ir klausiausi, kaip zombio balsas palieka žinutę, jog panelė Estera Grynvud atšaukia savo sprendimą lankyti vasaros mokyklą.

Tada atplėšiau Badžio Vilardo laišką.

Badis rašė, kad jis turbūt ima įsimylėti slaugę, irgi sergančią tuberkulioze, bet jo motina liepos mėnesiui išsinuomojo kotedžą Adirondekse, ir jei aš atvykčiau su ja, gal paaiškėtų, kad jo jausmai slaugei buvo tik susižavėjimas.

Čiupau pieštuką ir perbraukiau Badžio žinutę. Apvertusi popieriaus lapą, parašiau, kad esu susižadėjusi su sinchroninio vertimo specialistu ir kad daugiau nebenoriu jo matyti, nes netrokštu, kad toks veidmainis būtų mano vaikų tėvas.

Įgrūdau laišką atgal į voką, užklijavau jį ir peradresavau Badžiui, neužklijavusi naujo pašto ženklo. Pamaniau, kad žinutė verta bent trijų centų.

Paskui nusprendžiau, kad šią vasarą imsiu rašyti romaną. Jis įsirėš daugeliui žmonių į atmintį.

Nuėjau į virtuvę, įmušiau žalią kiaušinį į arbatos puodelį su jautienos faršu, sumaišiau viską ir suvalgiau. Paskui atsisėdau prie kortų staliuko pastogėje tarp namo ir garažo.

Iš priekio gatvės vaizdą užstojo didžiulis krūmas, apkibęs į apelsinus panašiais vaisiais, iš dviejų pusių stovėjo namo ir garažo sienos, o beržų guotas ir buksmedžių gyvatvorė saugojo mane nuo ponios Okenden iš nugaros.

Suskaičiavau tris šimtus penkiasdešimt lapų motinos spintoje koridoriuje, paslėptų už krūvos senų fetro skrybėlių, drabužių šepečių ir vilnonių šalikų.

Grįžusi į pastogę, įkišau pirmą švarų lapą į savo senąją spausdinimo mašinėlę...

Tarsi iš toli mačiau save, sėdinčią pastogėje, supamą dviejų baltomis lentomis apkaltų sienų, netikrų apelsinų krūmo bei beržų guoto ir buksmedžių gyvatvorės, mažą kaip lėlę lėlių namelyje.

Švelnumas užliejo man širdį. Romane herojė būsiu aš, tik su kauke. Ji bus vardu Eleinė. Eleinė. Suskaičiavau raides sau ant pirštų. Žodis „Estera" irgi turi šešias raides. Rodos, man pasiseks.

Eleinė sėdėjo pastogėje tarp namo ir garažo, apsivilkusi seną geltoną motinos chalatą, ir laukė, kol kažkas nutiks. Buvo tvankus liepos rytas, jos nugara vienas po kito riedėjo prakaito lašeliai, tarsi lėtai ropotų vabalai.

Atsilošiau ir perskaičiau ką parašiusi.

Tekstas atrodė gana gyvas, o aš didžiavausi, jog palyginau prakaito lašelius su vabalais, bet kažkodėl apėmė miglota nuojauta, jog prieš daug daug laiko jau esu skaičiusi kai ką panašaus.

Sėdėjau taip apie valandą, mėgindama sugalvoti, kas bus toliau, ir mano vaizduotėje basakojė lėlė su senu geltonu motinos chalatu taip pat sėdėjo ir spoksojo į tolumą.

– Na, meilute, ar nenori apsirengti?

Motina stengėsi niekada nieko man neliepti. Ji tik mėgindavo švelniai atvesti mane į protą, tarsi vienas protingas subrendęs žmogus šnekėtųsi su kitu.

– Jau beveik trečia valanda popiet.

– Rašau romaną, – suniurzgiau. – Neturiu laiko persirenginėti.

Atsiguliau ant sofutės pastogėje ir užsimerkiau. Girdėjau, kaip motina ima spausdinimo mašinėlę nuo kortų stalelio, kaip surenka lapus ir išdėlioja sidabrinį servizą vakarienei, bet nesujudėjau.

Inertiškumas liejosi Eleinės sąnariais kaip sirupas. „Tikriausiai taip jautiesi, kai sergi maliarija“, – pamanė ji.

Jei rašysiu tokiu tempu, man pasiseks. Jei per dieną rašysiu bent po puslapį.

Tada supratau, kur šuo pakastas.

Man reikia patirties.

Kaip galiu rašyti apie gyvenimą, jei niekada nemylėjau, negimdžiau ar nemačiau mirštančio žmogaus? Mano pažįstama mergaitė ką tik laimėjo prizą už apsakymą apie savo nuotykius tarp Afrikos pigmėjų. Kaip galėčiau su ja varžytis?

Baigiantis vakarienei, motina mane tikino, jog turėčiau vakarais mokytis stenografijos. Taip nušaučiau du zuikius vienu šūviu: rašyčiau romaną ir išmokčiau šio to praktiško. Be to, sutaupyčiau daugybę pinigų.

Tą patį vakarą motina atsinešė iš rūsio seną mokyklinę lentą ir pastatė ją pastogėje. Paskui atsistojo prie lentos ir balta kreida užrašė kelis kringelius, o aš sėdėjau ir žiūrėjau.

Iš pradžių pajutau viltį.

Pamaniau, kad akimoju išmoksiu stenografuoti, o kai strazdanota dama iš Stipendijų komisijos paklaus, kodėl liepą ir rugpjūtį nedirbau ir neužsidirbau, nes to buvo tikimasi iš stipendiją gaunančių mergaičių, galėsiu jai pasakyti, kad lankiau nemokamus stenografijos kursus ir kad po koledžo galėsiu save išlaikyti.

Bėda ta, kad kai mėgindavau įsivaizduoti save darbe, skubriai stenografuojančią vieną eilutę po kitos, man tai nepavykdavo. Nėra nė vieno man patinkančio darbo, kur reikėtų stenografijos. Be to, šitie balti kreida užrašyti kringeliai dabar atrodė beprasmiai.

Pasakiau motinai, kad man baisiai skauda galvą, ir nuėjau gulti.

Po valandos durys prasivėrė, ir motina įslinko į kambarį. Girdėjau, kaip šiugžda drabužiai, jai nusirengiant. Ji įlipo į lovą. Ėmė kvėpuoti ramiai ir lygiai.

Neryškioje gatvės žibinto šviesoje, kuri skverbėsi pro užtrauktas naktines užuolaidas, mačiau, kaip ant motinos galvos tarsi durtuvėliai blizga plaukų segtukai.

Nusprendžiau, kad tęsiu romaną tik po to, kai nuvyksiu į Europą ir susirasiu meilužį ir kad niekada nesimokysiu stenografuoti nė vieno žodžio. Jei niekada neišmoksiu stenografuoti, man nereikės to daryti.

Šią vasarą skaitysiu „Finegano pabudimą“ ir rašysiu diplominį darbą.

Taigi, kai rugsėjį vėl teks eiti į koledžą, būsiu smarkiai pasistūmėjusi priekin ir galėsiu mėgautis paskutiniaisiais metais, nes nereikės sėdėti įkniaubus nosį į knygas nepasidažiusiai, nutįsusiais plaukais ir laikantis kavos bei benzedrino* dietos, kaip elgiasi dauguma paskutinio kurso garbės studenčių tol, kol baigia rašyti diplominį.

Paskui pamaniau, kad galėčiau metams išeiti akademinių atostogų ir pradėti lankyti keramikos būrelį. Arba iške-

* Amfetamino pavadinimas.

liauti į Vokietiją ir dirbti padavėja, kol imsiu kalbėti dviem kalbomis.

Ir čia vienas planas po kito ėmė strykčioti mano galvoje kaip iškrikusių triušių šeimynėlė.

Regėjau, kaip mano gyvenimo metai rikiuojasi palei kelią tarsi telefono stulpai, susieti laidais. Suskaičiavau vieną, du, tris... devyniolika telefono stulpų, paskui laidai nusidriekė tolyn ir, kad ir kaip stengiausi, negalėjau įžvelgti nė vieno stulpo už devyniolikto.

Kambarys pamėlynavo, o aš susimąsčiau, kur dingo naktis. Motina iš rūku apsitraukusio rąsto virto miegančia vidutinio amžiaus moteriške. Jos lūpos buvo pravertos, o iš gerklės sklido parpimas. Kiauliškas garsas mane erzino, ir akimirką atrodė, kad vienintelis būdas jį nutildyti – suplėšyti į skivytus odą ir sausgysles, iš kurių jis sklinda, ir užtildyti jį, užspausti delnais.

Apsimečiau, kad miegu, kol motina išėjo į mokyklą, bet net užsimerkusi jaučiau šviesą. Blakstienos kybojo kaip šiurkščios raudonos mažytės burės, dengdamos saulės spindulius kaip žaizdą. Įsirangiau tarp čiužinio ir apmuštų lovos rėmų ir užsiverčiau čiužinį ant savęs kaip antkapį. Po juo buvo tamsu ir saugu, tačiau jis nebuvo pakankamai sunkus.

Kad užmigčiau, reikėjo daugiau kaip tonos svorio.

upe tekėk pro Ievą ir Adomą nuo kranto posūkio iki įlankos įdubimo, nešk mus erdviuosna miesteliuosna atgal į Pilį ir Apylinkes...

Sunki knyga nemaloniai spaudė man pilvą.

upe tekėk pro Ievą ir Adomą...

Pamaniau, kad mažoji raidė sakinio pradžioje gali reikšti, jog niekas niekada neprasideda iš naujo, iš didžiosios raidės, bet tiesiog išplaukė iš ten, iš kur kilo. Ieva ir Adomas, savaime suprantama, yra Ieva ir Adomas, nors tikriausiai visa tai turi dar kažkokią prasmę.

Gal tai buvo aludė Dubline.

Žvilgsnis paskendo raidžių maišalynėje, galiausiai aptikdamas ilgą žodį puslapio viduryje.

bababadalgharaghtakamminarronnkonnbronntonnerronnruonnthunntrovarrhounaunskaw-ntoohoohoordenenthurnuk!

Suskaičiavau raides. Jų buvo lygiai šimtas. Pagalvojau, jog tai turbūt svarbu.

Kodėl čia turi būti šimtas raidžių?

Stabčiodama garsiai perskaičiau tą žodį.

Jis skambėjo tarsi sunkus medinis daiktas, krintantis nuo laiptų: dunkst, dunkst, dunkst, laiptelis po laiptelio. Lėtai sklaidžiau knygos lapus. Galbūt ir pažįstami žodžiai, bet išsikreivalioję lyg veidai kreivuose juokų kambario veidrodžiuose, kurie lėkė pro šalį nepalikdami jokių įspaudų mano stikliniame smegenų paviršiuje.

Pašnairavau į puslapį.

Raidės virto spygliais ir avinų ragais. Stebėjau, kaip jos atskirai viena nuo kitos sukinėjasi ir šokinėja aukštyn žemyn. Paskui visos susiliejo į fantastiškus neįskaitomus pavidalus ir ėmė priminti arabų ar kinų raštą.

Nusprendžiau išmesti lauk savo diplominį darbą. Nutarusi nebedalyvauti garbės programoje ir tapti paprasta anglų kalbos studente, nuėjau pasižiūrėti reikalavimų, keliamų paprastoms studijoms mūsų koledže.

Reikalavimų buvo daug, o aš neatitikau nė pusės iš jų. Pavyzdžiui, buvo reikalaujama būti lankiusiai aštuoniolikto amžiaus literatūros kursą. Negalėjau nė pagalvoti apie aštuonioliktą amžių ir tuos visus pasipūtusius vyrus, rašiusius kupletėlius ir besižavėjusius proto galia. Tad jį praleidau. Garbės studentams leisdavo tai daryti, jie būna kur kas laisvesni. Buvau tokia laisva, kad didžiąją laiko dalį leidau prie Tomo Dilano.

Mano draugė, irgi garbės studentė, sugebėjo taip ir neperskaityti nė vieno Šekspyro žodžio, bet ji buvo tikra „Keturių kvartetų“ žinovė.

Supratau, kad man bus sunku pereiti nuo laisvosios programos prie griežtesnės. Paprasčiausiai negalėsiu to padaryti. Tad žvilgtelėjau į reikalavimus anglų kalbos studijoms tame koledže, kuriame dėstė motina.

Jie buvo dar griežtesni.

Reikėjo išmanyti senąją anglų kalbą, anglų kalbos istoriją bei reprezentacinį rinkinį, į kurį įėjo viskas, kas buvo parašyta nuo Beovulfo iki pat šių dienų.

Nustebau. Visada iš aukšto žiūrėdavau į motinos koledžą, nes jis buvo mišraus pobūdžio ir pilnas žmonių, negavusių stipendijos didžiuosiuose Rytų koledžuose.

Dabar suvokiau, kad net kvailiausias žmogus motinos koledže išmano daugiau už mane. Supratau, kad ten manęs nė pro duris neįleistų, o ką jau kalbėti apie tokią didelę stipendiją, kokią gaunu savo koledže.

Nusprendžiau verčiau metus padirbėti ir viską apgalvoti. Gal galėčiau slapčia studijuoti aštuoniolikto amžiaus literatūrą.

Bet juk nemoku stenografuoti, tai ką darysiu?

Galėčiau būti padavėja arba mašinininke. Bet visai nenoriu būti nė viena iš jų.

– Sakei, kad nori gauti dar migdomųjų?

– Taip.

– Bet tie, kuriuos daviau tau praėjusią savaitę, yra labai stiprūs.

– Jie nebeveikia.

Didelės tamsios Teresės akys susimąsčiusios stebėjo mane. Po konsultacijų kabineto langu girdėjau trijų jos vaikų, žaidžiančių sode, balsus. Mano teta Libė ištekėjo už italo, o Teresė yra mano tetos svainė ir mūsų šeimos gydytoja.

Man patinka Teresė. Ji švelni, turi gerą nuojautą.

Tikriausiai dėl to, kad yra italė.

Kurį laiką buvo tylu.

– Kas gi nutiko? – galiausiai paklausė Teresė.

– Negaliu miegoti. Negaliu skaityti, – mėginau kalbėti šaltu ramiu balsu, bet zombis užsliuogė gerkle, ir aš užspringau. Atverčiau rankas delnais į viršų.

– Turbūt, – Teresė išplėšė baltą lapuką iš receptų knygelės ir užrašė vardą bei adresą, – tau reikėtų apsilankyti pas kitą mano pažįstamą gydytoją. Jis galės tau padėti labiau nei aš.

Pažvelgiau į žodžius, bet neįstengiau jų perskaityti.

– Gydytojas Gordonas, – tarė Teresė. – Jis psichiatras.

Vienuoliktas skyrius

Gydytojo Gordono rusvai gelsvas laukiamasis buvo tylus.

Sienos buvo rusvai gelsvos, kilimai – rusvai gelsvi, apvilktos kėdės ir sofos taip pat rusvai gelsvos. Čia nebuvo nei veidrodžių, nei paveikslų, ant sienų kabojo tik įvairių medicinos mokyklų pažymėjimai su lotyniškai užrašyta gydytojo Gordono pavarde. Ant kavos ir žurnalinio staliukų keraminiuose vazonuose augo šviesiai žali susiraitę paparčiai.

Iš pradžių ėmiau svarstyti, kodėl kambarys atrodo toks saugus. Paskui supratau: jame nėra langų.

Nuo oro kondicionieriaus mane ėmė krėsti drebulys.

Vis dar vilkėjau baltus Betsės marškinius ir platų parauktą sijoną. Jie jau buvo kiek apdribę, nes per tris savaites, praleistas namie, nė karto jų neskalbiau. Prakaituota medvilnė skleidė rūgštų, bet gana mielą kvapą.

Be to, tris savaites nesitrinkau galvos.

Septynias naktis nemiegojau.

Motina sakė, kad turėjau miegoti, nes neįmanoma tiek būti nemiegojus, bet jei ir miegojau, tai tik plačiai atmerktomis akimis, sekdama žalias šviečiančias sekundžių, minučių ir valandų rodykles laikrodyje prie lovos. Žiūrėjau, kaip jos suka ratus ir pusračius visas septynias naktis, nepraleisdama nė sekundės, nė minutės, nė valandos.

Neskalbiau drabužių ir netrinkau galvos, nes tai atrodė baisiai kvaila.

Mačiau, kaip metų dienos driekiasi priešais kaip eilė šviesių baltų dėžučių, viena nuo kitos atskirtos miegu tarsi juodu šešėliu. Tačiau ši ilga šešėlių perspektyva staiga nutrūko, ir dienos suspindo priešais mane kaip balta plati tuštutėlė alėja.

Atrodė kvaila praustis vieną dieną, nes kitądien ir vėl tektų tai daryti.

Pavargau net galvoti apie tai.

Norėjau padaryti viską iš karto ir tai užbaigti.

Gydytojas Gordonas vartė sidabrinį pieštuką.

– Tavo motina man sakė, kad esi nusiminusi.

Susirangiau ant įdubusios odinės kėdės ir atsisukau į gydytoją, sėdintį už mylios pločio nublizginto stalo.

Jis laukė, pieštuku bilsnodamas į tvarkingą žalią registracijos žurnalą.

Jo blakstienos buvo tokios ilgos ir storos, kad priminė dirbtines. Juodos plastmasinės nendrės, siūbuojančios prie dviejų žalių ledynmečio tvenkinių.

Gydytojo Gordono bruožai tokie tobuli, kad jį beveik galėjai palaikyti dailiu.

Bet ėmiau nekęsti jo nuo pat tos akimirkos, kai tik įžengiau pro duris.

Įsivaizdavau malonų, bjaurios išvaizdos, intuityvų vyriškį, kuris žvelgs į mane ir drąsindamas kartos: „A!“, tarsi suvokdamas kai ką, ko negaliu suprasti. O tada aš rasiu žodžių ir pasakysiu jam, kaip buvau išsigandusi, lyg būčiau grūdama vis gilyn į juodą beorį maišą be kelio atgal.

Tada jis atsiloš ant kėdės, varnele sudės pirštų galiukus ir paaiškins, kodėl negaliu miegoti, skaityti, valgyti ir kodėl visa tai, ką darom, atrodo baisiai kvaila... Juk galiausiai vis viena turim mirti.

Tikėjausi, kad paskui jis man padės vėl tapti savimi, žingsnis po žingsnio.

Tačiau gydytojas Gordonas visai nebuvo toks. Jis buvo jaunas, dailus, iš karto supratau, kad jis pasipūtėlis.

Ant jo stalo stovėjo nuotrauka, pusiau atsukta į jį, pusiau į odinę kėdę. Tai buvo šeimos nuotrauka; joje virš dviejų šviesiaplaukių vaikučių galvų šypsojosi graži tamsiaplaukė moteris, kuri galėjo būti gydytojo Gordono sesuo.

Man atrodė, kad vienas vaikas – berniukas, o kitas – mergaitė, nors abu vaikai galėjo būti ir berniukai, ir mergaitės, nes sunku atskirti tokio amžiaus vaiko lytį. Regis, nuotraukos apačioje buvo ir šuo – Erdeilio terjeras arba auksinis retriveris, bet ten galėjo būti ir moters sijono raštas.

Kažkodėl ši nuotrauka mane supykdė.

Nesupratau, kodėl ji turi būti pusiau atgręžta į mane. Nebent gydytojas Gordonas norėjo man iš karto parodyti, jog yra vedęs šią kerimą moterį, kad nesumanyčiau jo kabinti.

Tada pagalvojau: kaipgi galės man padėti šis gydytojas, turintis gražią žmoną, gražius vaikus ir gražų šunį, supančius jį tarsi angelai Kalėdų atviruke?

– Turėtum papasakoti man, kas, tavo nuomone, yra negerai.

Įtariai varčiau žodžius kaip apvalius, jūros nuzulintus akmenukus, kurie staiga gali pražioti nasrus ir virsti kuo nors kitu.

Kas, mano nuomone, yra negerai?

Nuskambėjo taip, lyg iš tiesų viskas būtų gerai, tik man pačiai atrodo atvirkščiai.

Vangiu lygiu balsu – norėdama parodyti, kad manęs nepakerėjo nei jo išvaizda, nei jo šeimos nuotrauka, – pasakiau gydytojui Gordonui, kad nemiegu, nevalgau ir neskaitau. Nutylėjau, kad negaliu rašyti ranka, nors dėl to labiausiai nerimavau.

Šį rytą mėginau parašyti laišką Dorinai į Vakarų Virdžiniją. Ketinau paklausti, ar negalėčiau atvažiuoti pagyventi pas ją, o gal net gauti padavėjos ar kitą panašų darbą jos koledže.

Bet kai paėmiau parkerį, mano ranka ėmė vedžioti dideles išklypusias raides, – taip rašo vaikai, – o eilutės slinko puslapiu žemyn iš kairės į dešinę beveik vertikaliai, tarsi virvutės, kurias kažkas atėjęs užkliudė.

Supratau, kad negaliu siųsti tokio laiško, taigi suplėšiau jį į smulkius skutelius ir supyliau į rankinę šalia kosmetinės, jei psichiatras norėtų juos pamatyti.

Žinoma, gydytojas Gordonas nepanoro į juos pasižiūrėti, nes aš apie juos neužsiminiau, net ėmiau džiaugtis, kad esu tokia gudri. Pagalvojau, kad reikia jam sakyti tik tai, ką noriu, nes taip galėsiu sukurti savo paveikslą jo mintyse, šį tą atskleisdama, šį tą nuslėpdama. Bet jis vis viena manys, kad per daug protingas.

Visą laiką, kol kalbėjau, gydytojas Gordonas laikė nuleidęs galvą, tarsi melsdamasis, ir vienintelis garsas, be vangaus lygaus balso, buvo tiktai jo pieštuko tuksenimas į tą pačią žalio registracijos žurnalo vietą.

Kai baigiau, gydytojas Gordonas pakėlė galvą.

– Kurį koledžą sakei lankiusi?

Suglumusi atsakiau jam. Nesupratau, kuo čia dėtas koledžas.

– A! – gydytojas Gordonas atsilošė ant kėdės ir šypsodamas pažvelgė kažkur virš mano peties, tarsi būtų ką prisiminęs.

Tikėjausi, kad dabar jis pasakys diagnozę, kad tikriausiai per daug skubiai ir per prastai jį įvertinau. Bet jis paprasčiausiai tarė:

– Puikiai prisimenu tavo koledžą. Buvau jame per karą. Juk ten buvo Moterų korpuso bazė, tiesa? O gal WAVES*?

Atsakiau, kad nežinau.

– Taip, Moterų korpuso bazė, dabar prisimenu. Dirbau ten gydytoju, kol manęs neišsiuntė į užjūrį. Dievulėliau, ten buvo tikrai gražių mergyčių.

Gydytojas Gordonas nusijuokė.

Paskui lengvai atsistojo ir atžingsniavo prie manęs pro savo stalo kampą. Nenumaniau, ką jis ketina daryti, tad irgi atsistojau.

Ponas Gordonas paėmė mano ranką, kabojusią prie dešinio šono, ir paspaudė ją.

– Taigi susitiksime kitą savaitę.

Tankios vešlios guobos suaugo į šešėlių tunelį virš geltonų ir raudonų plytų fasadų palei Britanijos tautų sandraugos alėją. Troleibusas į Bostoną iškeliavo plonais sidabriniais laidais. Palaukiau, kol jis pravažiavo, ir nuėjau prie pilko ševroleto, stovinčio kitapus gatvės.

Mačiau susirūpinusį ir išgeltusį kaip citrina motinos veidą, žvelgiantį į mane pro priekinį stiklą.

– Na, ką jis pasakė?

Truktelėjau į save mašinos duris. Jos neužsitrenkė. Vėl pastūmiau jas ir užtrenkiau. Jos dusliai klaptelėjo.

– Sakė, kad susitiksime kitą savaitę.

Motina atsiduso.

Gydytojas Gordonas už valandą imdavo po dvidešimt penkis dolerius.

* JAV Karinio jūrų laivyno rezervo moterų poskyris, įkurtas 1942 m.

– Ei, koks tavo vardas?

– Elė Higinbotom.

Jūrininkas prisiderino prie mano žingsnių, aš nusišypsojau. Valgykloje tikriausiai yra tiek jūrininkų, kiek balandžių. Rodos, jie išeina iš pilkšvai rudo naujokų priėmimo pastato aname gale, aplink kurį ant skelbimų lentų prilipdyti mėlynai balti „Stok į karinį laivyną“ plakatai, besipuikuojantys ir ant visų vidaus sienų.

– Iš kur esi, Ele?

– Iš Čikagos.

Nesu buvusi Čikagoje, bet pažįstu porą vaikinų, įstojusių į Čikagos universitetą, ir man atrodo, kad iš ten gali būti kilę nesilaikantys taisyklių pakvaišėliai.

– Iki namų tau tikrai dar ilgas kelias.

Jūrininkas apglėbė ranka man liemenį, ir mes ilgai taip vaikštinėjome po valgyklą. Jūrininkas glostė man šlaunį per žalią platų parauktą sijoną, o aš paslaptingai šypsojausi ir stengiausi nepasakyti ko nors, kas išduotų mane esant iš Bostono, ir galvojau, kad bet kurią akimirką galiu susitikti ponią Vilard ar kokią kitą motinos draugę, kuri užsuko į valgyklą po arbatėlės Beikon Hile ar apsipirkusi Filenos rūsyje.

Pamaniau, kad jei kada nuvyksiu į Čikagą, tikrai pasikeisiu savo vardą – būsiu Elė Higinbotom. Tada niekas taip ir nesužinos, kad atsisakiau stipendijos garsiajame moterų Rytų koledže, kad susimoviau per mėnesį Niujorke ir atsisakiau ištekėti už labai rimto medicinos studento, žadančio vieną dieną tapti JAV medikų asociacijos nariu ir uždirbti kalnus pinigų.

Čikagoje žmonės matys mane tokią, kokia esu.

Būsiu tiesiog Elė Higinbotom, našlaitė. Žmonės pamils mane, nes esu miela ir rami. Jie nelieps man skaityti knygų ir rašyti ilgų darbų apie dvynius Džeimso Džoiso kūryboje. O vieną dieną ištekėsiu už vyriško, bet švelnaus automobilių mechaniko ir turėsiu didelę šventą šeimą kaip Doda Konvėj.

Jei taip jausiuosi.

– Ką nori veikti, kai išeisi iš laivyno? – staiga paklausiau jūrininko.

Tai buvo ilgiausias mano ištartas sakinys, tad vyrukas lyg ir nustebo. Jis pakreipė ant pakaušio baltą apskritą kepuraitę ir pasikasė galvą.

– Kad aš nežinau, Ele, – atsakė. – Galėčiau lankyt savanorių kareivių koledžą.

Patylėjau. Paskui užsiminiau:

– Ar kada nors galvojai atidaryt mašinų taisymo dirbtuvę?

– Nea, – šyptelėjo jūreivis. – Niekad.

Sušnairavau į jį iš padilbų. Rodės, jam ne daugiau kaip šešiolika.

– Ar žinai, kiek man metų? – rūsčiai pasidomėjau.

Jūrininkas man nusišypsojo.

– Ne, ir man tai nerūpi.

Man toptelėjo, kad tas jūrininkėlis išties nepaprastai gražus. Šiaurietiško gymio ir gal dar nekaltas. Rodos, mano kvailumas traukia nekaltus dailius žmones.

– Ką gi, man trisdešimt, – drėbiau ir laukiau jo reakcijos.

– Oho, Ele! Visai taip neatrodai, – jūrininkas suspaudė man šlaunį. Paskui skubiai apsidairė.

– Klausyk, Ele, jei apeitume šiuos laiptus iš kitos pusės, prie paminklo galėčiau tave pabučiuoti.

Tą akimirką pastebėjau rudą figūrą patogiais žemakulniais rudais batais, tapsinčią per valgyklą prie manęs.

Iš tolo neįžiūrėjau bruožų dešimties centų monetos dydžio veide, bet žinojau, kad ten ponia Vilard.

– Gal galėtumėte man pasakyti, kur čia kelias į metro? – garsiai paklausiau jūrininko.

– A?

– Į metro, kuris veža į Elnių salos kalėjimą?

Kai ponia Vilard prieis, apsimesiu, kad jūrininko paprasčiausiai klausiu kelio, o iš tiesų visai jo nepažįstu.

– Patrauk nuo manęs rankas, – sušnypščiau.

– Ei, Ele, kas nutiko?

Moteris priartėjo ir praėjo, nepažvelgusi į mane ir nelinktelėjusi. Žinoma, tai nebuvo ponia Vilard. Ponia Vilard buvo kotedže Adirondekse.

Kerštingai dėbtelėjau į nutolstančios moters nugarą.

– Ei, Ele...

– Pagalvojau, kad tai mano pažįstama, – pasakiau. – Viena ragana iš našlaičių namų Čikagoje.

Jūrininkas vėl mane apkabino.

– Nori pasakyti, kad neturi mamytės ir tėtuko, Ele?

– Ne, – nuvarvinau per skruostą karštą ašarėlę, kuri, rodos, to tik ir laukė.

– Ei, Ele, neverk. Ar ta dama bjauriai su tavimi elgėsi?

– Ji buvo... Ji buvo siaubinga!

Pasipylė ašaros ir, kol jūrininkas guobos pavėsyje laikė mane apkabinęs ir šluostė jas didele švaria balta nosine, galvojau, kokia siaubinga moteris yra ta dama rudu kostiumėliu. Ji, net ir nieko neįtardama, atsako už tai, kad išklydau iš teisingo kelio, ir už viską, kas nutiko vėliau.

– Na, Estera, kaip jautiesi šią savaitę?

Gydytojas Gordonas sūpavo pieštuką kaip mažą sidabrinę kulkelę.

– Taip pat.

– Taip pat? – jis kilstelėjo antakį, tarsi netikėdamas manimi.

Taigi vėl tuo pačiu vangiu lygiu, tik kur kas piktesniu balsu, – atrodė, kad gydytojas per lėtas mane suprasti, – pakartojau, kad keturiolika naktų nemiegojau, kad negaliu nei skaityti, nei rašyti, nei nuryti vieną kitą kąsnį.

Rodės, jam tai nepadarė jokio įspūdžio.

Pasiraususi rankinėje, susiradau laiško Dorinai skutelius. Ištraukiau juos ir pažėriau ant tvarkingo žalio gydytojo Gordono registracijos žurnalo. Jie gulėjo ten nebylūs kaip baltagalvės žiedlapiai vasaros pievoje.

– Na, ir ką apie tai manote? – pasiteiravau.

Pagalvojau, kad ponas Gordonas turi tučtuojau suprasti, kokia dabar yra mano rašysena, bet jis tik pasakė:

– Norėčiau pasikalbėti su tavo motina. Ar tu sutinki?

– Taip, – bet man visai nepatiko mintis, kad jis kalbėsis su motina. Tuomet jis gali jai pasiūlyti mane uždaryti. Surinkau visas laiško Dorinai skiauteles, kad gydytojas Gordonas negalėtų jų sudėti ir nesužinotų, jog ketinu pabėgti, ir, netarusi daugiau nė žodžio, išėjau iš jo kabineto.

Stebėjau, kaip motina vis mažėja ir galiausiai pranyksta už pastato, kuriame įsikūręs ponas Gordonas, durų. Paskui mačiau, kaip ji vis didėja, kol pagaliau grįžo į mašiną.

– Na? – mačiau, kad ji apsiverkusi.

Motina, nežiūrėdama į mane, užvedė mašiną.

Kai jau slydome vėsiu giliu tarsi jūra guobų pavėsiu, ji prabilo:

– Gydytojas Gordonas nemano, kad tau nors kiek pagerėjo. Jam atrodo, kad tave reikėtų gydyti šoku jo privačioje ligoninėje Voltone.

Pajutau aštrų smalsumo dūrį, lyg ką tik būčiau perskaičiusi baisią laikraščio antraštę apie kitą žmogų.

– Jis nori, kad ten gyvenčiau?

– Ne, – atsakė motina. Jai suvirpėjo smakras.

Pamaniau, kad ji meluoja.

– Arba pasakysi man tiesą, arba daugiau niekada gyvenime su tavimi nesikalbėsiu, – pagrasinau.

– Argi aš ne visada sakau tau tiesą? – paklausė motina ir ėmė raudoti.

NUO SEPTINTO AUKŠTO PALANGĖS IŠGELBĖTAS SAVIŽUDIS!

Po dviejų valandų, praleistų ant siauros septinto aukšto palangės virš betoninės stovėjimo aikštelės ir ten susibūrusios minios, ponas Džordžas Polučis leido, kad jį pro šalia esantį langą išgelbėtų seržantas Vilas Kilmartinas iš Čarlio gatvės policijos nuovados.

Sutraiškiau riešutą iš maišiuko už dešimt centų, kurį nupirkau balandžiams lesinti, ir suvalgiau. Jis buvo nekokio skonio, tarsi senos medžio žievės gabalėlio.

Prisitraukiau laikraštį artyn prie akių, norėdama geriau įsižiūrėti į Džordžo Polučio veidą, apšviestą kaip mėnulio pilnatis blyškiame plytų ir juodo dangaus fone. Jaučiau, kad jis turi pasakyti man kai ką nepaprastai svarbaus, ir kad ta žinia įrėžta jo veide.

Tačiau susilieję Polučio bruožai pranyko, kol į juos stebeilijausi, ir virto tamsiais, šviesiais ir vidutinio pilkumo taškeliais.

Juodo tarsi rašalas laikraščio straipsnyje nebuvo pasakyta, kodėl ponas Polučis stovėjo ant palangės, ar ką jam padarė seržantas Kilmartinas, galiausiai įtraukęs jį pro langą.

Kai šoki, ištinka nelaimė, jei tinkamai nepasirenki aukštų skaičiaus – tada, atsitrenkęs į žemę, gali išlikti gyvas. Manau, septyni aukštai – saugus nuotolis.

Sulanksčiau laikraštį ir įkišau jį tarp parko suoliuko lentų. Mano motina vadino jį bulvariniu laikraščiu, kuriame pilna žmogžudysčių, savižudybių, muštynių ir apiplėšimų, ir beveik kiekviename jo puslapyje puikuojasi po pusnuogę damą, kurios krūtys bando išsprūsti pro iškirptę, o kojos išskėstos taip, kad gali pamatyti jos kojinių gumeles.

Nežinau, kodėl anksčiau niekada nepirkdavau tokių laikraščių. Tik juos dabar ir galėjau skaityti. Mažučiai straipsneliai tarp nuotraukų pasibaigdavo, nesuteikdami raidėms galimybės suįžūlėti ir imti rangytis.

Namie mes skaitome tik *Christian Science Monitor*, kurį kas rytą penktą valandą, išskyrus sekmadienius, mums numeta ant slenksčio, ir kuriame apsimetama, kad neegzistuoja nei savižudybės, nei lytiniai nusikaltimai, nei lėktuvų katastrofos.

Didžiulė balta gulbė su būriu mažų gulbiukų prisiartino prie mano suolelio, apėjo miškingą salelę, pilną ančių, ir nutapsėjo atgal po tamsia tilto arka. Aplink, kur tik bepažvelgdavau, atrodė šviesu ir žaisminga.

Tarsi pro durų, kurių negaliu atidaryti, rakto skylutę mačiau save ir jaunesnįjį brolį kojinėmis iki kelių: mudu laikėme balionus su triušio ausimis, lipome į valtį gulbę ant vandens, kuriame plūduriavo riešutų kevalai, ir pešėmės dėl vietos prie krašto. Burnoje pajutau švaros ir mėtų skonį. Jei gerai elgdavomės pas dantistą, motina visada nupirkdavo mums bilietų į valtį gulbę.

Vardydama medžių pavadinimus, sukau ratus Visuomenės sode: ėjau per tiltą, pro melsvai žalius paminklus, pro gėlių lysvę iš Amerikos vėliavos spalvų ir pro įėjimą, kur gali už dvidešimt penkis centus nusifotografuoti baltai juostuotoje oranžinėje palapinėje.

Mano mėgstamiausias medis – beržas svyruoklis. Rodos, jis atvežtas iš Japonijos. O ten žmonės išmano dvasinius klausimus.

Kai kas nors būna negerai, jie perskrodžia save.

Mėginau įsivaizduoti, kaip jie tai daro. Tikriausiai turi ypač aštrų peilį. Ne, tikriausiai du labai aštrius peilius. Tada jie atsisėda ir sukryžiuoja kojas, laikydami po peilį kiekvienoje rankoje. Paskui sukryžiuoja rankas ir beda peilius į abi pilvo puses. Jie turi būti nuogi, nes kitaip peiliai įstrigtų drabužiuose.

Tada greitai greitutėliai, kad nespėtų apsigalvoti, stumteli peilius ir ima sukti juos pusračiais, kol apibrėžia visą ratą. Tada jų pilvo oda atsiskiria tarsi lėkštė, viduriai iškrinta ant žemės, ir jie miršta.

Reikia būti labai drąsiam, kad taip numirtum.

Bėda ta, kad nekenčiu kraujo vaizdo.

Pamaniau, kad galėčiau visai nakčiai pasilikti parke.

Kitą rytą Doda Konvėj veš mane su motina į Voltoną, o jei jau ketinu bėgti, tai reikia daryti dabar, kol dar ne per vėlu. Žvilgtelėjau į savo piniginę ir susikrapščiau iš ten vieną dolerį ir septyniasdešimt devynis centus dešimties, penkių ir vieno cento monetomis.

Neįsivaizduoju, kiek reikia pinigų nuvykti iki Čikagos, be to, nedrįsčiau eiti į banką išsiimti visų savo pinigų: gydytojas Gordonas galėjo įspėti banko tarnautoją sučiupti mane, jei sumanyčiau iškrėsti ką nors panašaus.

Esu balsavusi kelyje ir anksčiau, bet nenutuokiu, kuris Bostono greitkelis veda į Čikagą. Žemėlapyje gana paprasta rasti kryptis, bet kai esi kelyje, daug sunkiau tai padaryti. Kai tik panorėdavau nustatyti, kur yra rytai, o kur vakarai, paaiškėdavo, kad dabar vidurdienis arba debesuota (tai didžiulė kliūtis), o aš išvis nepažįstu žvaigždžių, išskyrus Didžiuosius Grįžulo Ratus bei Kasiopėjos Kėdę. Tai visada liūdindavo ir Badį Vilardą.

Nusprendžiau eiti į autobusų stotį ir paklausti, kiek kainuoja bilietas į Čikagą. Tada galėsiu nueiti į banką ir išsiimti tik tiek pinigų, kiek reikia, nesukeldama įtarimo.

Jau buvau įžengusi pro stiklines stoties duris ir pradėjusi raustis spalvotų kelionių lankstinukų ir tvarkaraščių šūsnyje, kai prisiminiau, jog bankas mano gimtajame mieste bus uždarytas, nes jau gerokai po pietų. Tad iki rytojaus pinigų išsiimti negalėsiu.

Į Voltoną turėjau nuvykti dešimtą valandą.

Ir kaip tik tą akimirką atgijęs garsiakalbis pradėjo pranešinėti išvykti pasiruošusių autobusų, stovinčių stovėjimo aikštelėje, stoteles. Garsiakalbyje, kaip visada, kažkas bliurbsėjo taip, kad negalėjai suprasti nė žodžio. Paskui tarp atmosferos trukdžių aiškiai tarsi la nata, skambinama pianinu, gaudžiant visiems orkestro instrumentams, pasigirdo pažįstamas pavadinimas.

Tai buvo stotelė už dviejų kvartalų nuo mano namų.

Išskubėjau karštą dulkėtą liepos pabaigos popietę, prakaituota ir išdžiūvusia burna, tarsi vėluodama į sunkų interviu, ir įlipau į raudoną burzgiantį autobusą.

Padaviau vairuotojui pinigus, ir durys tyliai užsidarė man už nugaros.

Dvyliktas skyrius

Privati gydytojo Gordono ligoninė stovėjo ant žole apaugusios kalvos, ilgo nuošalaus kelio, kurio pakraščiai buvo nusėti jūrinių moliuskų kiaukutais, gale. Geltonos didelio namo su veranda lentinės sienos žvilgėjo saulėje, o ant žalios apvalios pievelės žmonių nesimatė.

Kai mudvi su motina priartėjome prie namo, mus užgriuvo vasaros karštis; už nugaros, nuo buksmedžio, tarsi žolės pjovimo mašinėlė pradėjo čirkšti cikada. Jos čirškimas tik paryškino didžiulę tylą.

Prie durų mus pasitiko slaugė.

– Gal luktelėtumėte svetainėje? Gydytojas Gordonas netrukus ateis.

Nerimavau. Nors šis namas ir atrodė visai normalus, žinojau, kad čia grūste prigrūsta bepročių. Kiek pastebėjau, ant langų nebuvo grotų, nesigirdėjo jokių laukinių, nerimą keliančių garsų. Saulės spinduliai glostė apdriskusius, bet minkštus raudonus kilimus, o ką tik nupjautos žolės kvapas saldino orą.

Stabtelėjau ant svetainės slenksčio.

Man ji priminė svečių namų poilsio kambarį Meino saloje. Aukštos stiklinės durys įleidžia baltos šviesos pliūpsnius, tolimajame kambario kampe stovi didžiulis pianinas, o žmonės vasariniais drabužiais sėdinėja kreivašoniuose pintuose krėsluose prie kortų staliukų. Tokius krėslus dažnai gali pamatyti varginguose pajūrio kurortuose.

Staiga pastebėjau, kad nė vienas žmogus nejuda.

Įsižiūrėjau atidžiau, mėgindama bent šį tą apčiuopti jų sustingusiose povyzose. Mačiau vyrus ir moteris, vaikinus ir merginas, greičiausiai mano bendraamžius, o jų veidai buvo vienodi, tarsi jie ilgą laiką būtų gulėję ant lentynos, kur nepasiekia saulės šviesa, nugulti blyškių smulkių dulkių klodo.

Paskui įsižiūrėjau, kad kai kurie žmonės vis dėlto juda, tačiau jų judesiai tokie trumpi ir paukštiški, kad iš pradžių net nepastebėjau.

Pilkaveidis vyras skaičiavo kortų malką: viena, dvi, trys, keturios... Rodės, jis nori patikrinti, ar malka visa, tačiau, baigęs skaičiuoti, pradėdavo iš pradžių. Šalia jo stora dama žaidė medinių karoliukų pyne. Ji sustūmė visus karoliukus į vieną virvutės pusę. Paskui leido jiems sukristi vienam ant kito – spragt, spragt, spragt.

Prie pianino jauna mergina vartė natų sąsiuvinį, bet, pamačiusi, kad į ją žiūriu, ji piktai papurtė galvą ir sudraskė lapus.

Motina čiuptelėjo man ranką, ir aš nusekiau paskui ją į kambarį.

Tylėdamos susėdome ant gumbuotos sofos, kuri kaipmat sugirgždėdavo, vos kuriai sujudėjus.

Paskui mano žvilgsnis nuo žmonių nuslydo prie žalumos, kurios žvilgesį galėjai matyti net pro persišviečiančias užuolaidas. Rodės, tarsi sėdėčiau milžiniškos universalinės parduotuvės lange. Tarsi figūros aplink mane būtų ne žmonės, o parduotuvės manekenai, nudažyti taip, kad tik primintų žmones, ir paramstyti taip, kad mėgdžiotų gyvenimą.

Kopiau paskui tamsiašvarkę gydytojo Gordono nugarą.

Apačioje, prieškambaryje, norėjau paklausti, kaip ten mane gydys tuo šoku, bet kai pravėriau burną, žodžiai nėjo lauk, tik akys išsiplėtė ir žiopsojo į besišypsantį pažįstamą veidą, plūduriuojantį priešais mane kaip lėkštė, kupiną įžūlumo.

Laiptų viršuje dingo tamsiai raudonas kilimas. Čia klojėjo tik lygus rudas linoleumas, prikaltas prie grindų; jis driekėsi koridoriumi su išsirikiavusiomis uždarytomis baltomis durimis. Sekiau paskui poną Gordoną, kai kažkur tolumoje atsidarė durys ir išgirdau, kaip rėkia moteris.

Tuoj iš už kampo priešais mus išniro slaugė, vedanti moterį mėlynu chalatu ir susivėlusiais plaukais iki juosmens. Gydytojas Gordonas pasitraukė, o aš prisispaudžiau prie sienos.

Slaugė tempė moterį pro šalį, o ši rangėsi, mojavo rankomis ir kartojo: „Iššoksiu pro langą, iššoksiu pro langą, iššoksiu pro langą“.

Kresna ir raumeninga išverstakė slaugė dėmėta uniforma nešiojo tokius storus akinius, kad, rodės, dėbso į mane visomis keturiomis akimis iš už dviejų apvalių stiklo lęšių. Bandžiau atskirti, kurios akys yra tikros, o kurios ne, kurios iš tikrųjų piktos, o kurios doros, bet slaugė pakėlė galvą, plačiai sąmokslininkiškai nusišypsojo ir sušnypštė, tarsi norėdama mane nuraminti:

– Jai rodos, kad gali iššokti pro langą. Neiššoks, nes jie visi su grotomis!

Ir kai ponas Gordonas nuvedė mane į skurdų kambarėlį namo gale, pamačiau, kad langai šiame sparne išties yra grotuoti, o kambario, tualeto ir spintos durys bei visa, kas tik varstoma, turi rakto skylutes, kad juos būtų galima užrakinti.

Atsiguliau ant lovos.

Sugrįžo išverstakė slaugė. Ji atsegė mano laikrodį ir įsikišo jį kišenėn. Paskui ištraukė visus segtukus man iš plaukų.

Gydytojas Gordonas atrakino spintą. Ištraukęs iš ten staliuką su ratukais ir kažkokį aparatą, privežė jį prie mano galvūgalio. Slaugė ėmė tepti mano smilkinius dvokiančiu tepalu.

Kai ji pasilenkė, norėdama pasiekti arčiau sienos esančią mano galvos pusę, jos didžiulės krūtys užkrito man ant veido tarsi debesis ar pagalvė. Nuo jos odos sklido kažkoks neaiškus vaistų kvapas.

– Nebijok, – nusišypsojo man slaugė. – Pirmą kartą visi mirtinai išsigąsta.

Mėginau nusišypsoti, bet mano oda buvo įsitempusi kaip pergamentas.

Gydytojas Gordonas pritvirtino dvi metalines plokšteles man prie smilkinių, priveržė jas dirželiu, – šis suspaudė man kaktą, – ir davė įsikąsti laidą.

Užsimerkiau.

Akimirką tyloje buvo girdėti, tarsi kažkas prislopintai dūsautų.

Tada kažkas pasilenkė, sučiupo mane ir ėmė purtyti, kaip per pasaulio pabaigą. Vyyyyyyy, žviegė jis, traškėdamas mėlynomis šviesomis ore, ir su kiekvienu žybsniu mane kažkas taip stipriai kresteldavo, kad, rodės, tuoj sulūžinės visi kaulai, o gyvybės syvai ištekės iš manęs kaip iš perskelto medžio.

Ir ką gi tokio baisaus esu padariusi?

Sėdėjau pintame krėsle, laikydama mažą kokteilių stiklinę su pomidorų sultimis. Laikrodis vėl atsidūrė ant riešo, bet atrodė neįprastai. Paskui supratau, kad jis užsegtas ciferblatu žemyn. Jaučiau, kad segtukai plaukuose įsegti taip pat keistai.

– Kaip jautiesi?

Staiga prisiminiau seną metalinę lempą su stovu, vieną iš keleto tėvo studijos daiktų: variniame varpe laikėsi lemputė, o susisukęs dryžuotas laidas leidosi nuo metalinio stovo iki rozetės sienoje.

Vieną dieną nusprendžiau perkelti šią lempą nuo motinos lovos prie savo stalo kitame kambario gale. Laidas buvo ganėtinai ilgas, tad jo neišjungiau. Suėmusi abiem rankom lempos gaubtą ir susiraičiusį laidą, tvirtai juos suspaudžiau.

Tuomet kažkas, mėlynai žybtelėjęs, iššoko iš lempos ir purtė mane tol, kol ėmė barškėti dantys; aš mėginau atitraukti rankas, bet jos prilipo, suklikau, o gal nepažįstamas riksmas tiesiog buvo išplėštas man iš gerklės. Tik girdėjau jį – skriejantį ir virpantį ore kaip kokią sielą, staiga atskirtą nuo kūno.

Paskui rankos atsileido, ir aš parkritau ant motinos lovos. Dešiniajame delne žiojėjo juoda tarsi pieštuko grafitas skylutė.

– Kaip jautiesi?

– Puikiai.

Bet puikiai nesijaučiau. Jaučiausi baisiai.

– Kurį koledžą sakei lankiusi?

Pasakiau.

– A! – pono Gordono veide sušvito lėta, beveik aistringa šypsena. – Juk ten per karą buvo Moterų korpuso bazė, tiesa?

Motinos krumpliai buvo išblyškę kaip numirėlio, tarsi per tą laukimo valandą nuo jų būtų nusilupusi oda. Ji pro mane pažvelgė į gydytoją, ir tikriausiai jis linktelėjo, o gal nusišypsojo, nes jos veidas atlėgo.

– Dar keletas gydymų šoku, ponia Grynvud, – girdėjau jį sakant, – ir, manau, pastebėsite nuostabų pagerėjimą.

Mergina vis dar sėdėjo ant pianino kėdutės, o suplėšyti natų sąsiuvinio lapai išsikėtoję gulėjo po jos kojomis tarsi

negyvas paukštis. Ji dėbsojo į mane, o aš ėmiau dėbsoti į ją. Jos akys susiaurėjo, ir ji iškišo liežuvį.

Motina nusekė paskui gydytoją Gordoną iki durų. Palaukusi, kol jie atsuks nugaras, grįžtelėjau į merginą ir pasukiojau pirštą prie smilkinio. Ji įtraukė liežuvį, o jos veidas suakmenėjo.

Išėjau į saulėkaitą.

Lūkuriuojantis juodas Dodos Konvėj automobilis atrodė tarsi pantera, išmarginta medžių šešėlių.

Jį iš pradžių buvo užsisakiusi turtinga aukštuomenės dama, – juodą, be dėmelės chromo ir su juodu odiniu stogu, – bet kai jį atvežė, ji liko nepatenkinta. Sakė, kad automobilis jai primenąs katafalką (visi kiti manė taip pat), ir niekas jo nepirko, tad Konvėjai parsivežė jį namo už mažesnę kainą ir taip sutaupė porą šimtų dolerių.

Sėdėdama ant priekinės sėdynės tarp Dodos ir motinos jaučiausi atbukusi ir nugalėta. Kai tik mėgindavau susikaupti, mintys tarsi čiuožėjas nuslysdavo į didžiulę tuščią erdvę ir pakrikusios darydavo ten piruetus.

– Nebebendrausiu su tuo gydytoju Gordonu, – pasakiau, kai palikome Dodą ir jos juodą šeimyninį automobilį už pušų. – Gali jam paskambinti ir pasakyti, kad kitą savaitę neatvyksiu.

Motina nusišypsojo.

– Žinojau, kad mano mažytė – ne tokia.

Pažvelgiau į ją.

– Kokia?

– Kaip tie baisūs žmonės. Tie baisūs, negyvi žmonės ligoninėje, – ji patylėjo. – Žinojau, kad pati panorėsi vėl būti sveika.

KINO ŽVAIGŽDĖ MIRĖ PO ŠEŠIASDEŠIMT AŠTUONIŲ KOMOS VALANDŲ

Rankinėje tarp popieriaus skutelių, kosmetinės, riešutų kevalų, dešimties ir penkių centų monetų bei mėlynos dėžutės su devyniolika „Gillette" skutimosi peiliukų galiausiai suradau tą momentinę nuotrauką, kurią dariausi šią popietę baltai juostuotoje oranžinėje palapinėje.

Padėjau ją šalia neryškios mirusios mergaitės fotografijos. Ir lūpos, ir nosys buvo vienodos. Skyrėsi tik akys. Akys momentinėje nuotraukoje buvo atsimerkusios, o laikraštyje – užmerktos. Bet žinojau, kad jei mirusios mergaitės akys būtų plačiai atmerktos, jos žvelgtų į mane tuo pačiu negyvu, juodu tuščiu žvilgsniu kaip ir akys momentinėje nuotraukoje.

Įkišau nuotrauką rankinėn.

„Dar penkias minutes pasėdėsiu saulutėje ant šio parko suoliuko priešais to pastato laikrodį, – pamaniau, – o paskui nueisiu kur nors ir tai padarysiu".

Pažadinau mažą balsų chorą.

Ar tau neįdomus šis darbas, Estera?

Žinai, Estera, tu tikra neurotikė.

Šitaip niekada nieko nepasieksi, šitaip niekada nieko nepasieksi, šitaip niekada nieko nepasieksi.

Kartą karštą vasaros vakarą visą valandą bučiavausi su plaukuotu, į beždžionę panašiu teisės studentu iš Jeilio, nes man buvo gaila jo, kad jis toks bjaurus. Kai baigiau, jis pasakė: „Aš tave perpratau, mažule. Kai sulauksi keturiasdešimties, būsi tikra davatka".

„Dirbtina", – ant mano apsakymo „Didysis savaitgalis" iškraigliojo kūrybinio rašymo profesorius koledže.

Nežinojau, kaip turiu suprasti šį žodį, tad pasižiūrėjau į žodyną.

Dirbtina: nenatūralu, netikra.

Šitaip niekada nieko nepasieksi.

Nemiegojau dvidešimt vieną naktį.

Pamaniau, kad gražiausias dalykas pasaulyje – tai šešėlis, tie milijonai judančių pavidalų, ir dar – šešėlio aklavietė. Šešėlių buvo visur – komodos stalčiuose, spintose ir lagaminuose, šešėlių buvo ir po namais, net medžiais ir akmenimis, taip pat žmonių akyse ir šypsenose, ir mylių mylios šešėlių ten, naktinėje žemės pusėje.

Pažvelgiau į du kūno spalvos tvarsčius, sukryžiuotus ant dešinės blauzdos.

Šį rytą aš ėmiausi...

Užsirakinau vonioje, prisileidau pilną vonią šilto vandens ir išsitraukiau „Gillette“ skutimosi peiliuką.

Kai vieno seno romėnų filosofo paklausė, kaip norėtų mirti, tas atsakė: „Persipjauti venas šiltoje vonioje“. Pamaniau, kad turbūt lengva gulėti vonioje ir žiūrėti, kaip aplink riešus pražysta raudonos gėlės, – jos srūtų į švarų vandenį tol, kol užmigčiau po vandeniu ryški kaip aguona.

Bet kai atėjo laikas, mano riešų oda pasirodė esanti tokia balta ir bejėgė, kad negalėjau to padaryti. Tarsi būčiau norėjusi nužudyti ne tą odą ar plonytę mėlyną pulsuojančią gyslelę, šokinėjančią man po nykščiu, bet ką nors kitą, esantį giliau, slaptesnį ir kur kas sunkiau pasiekiamą.

Prireiks dviejų judesių. Vieną riešą, paskui kitą. Trijų judesių, jei įskaičiuosime tai, jog reikės perdėti peiliuką iš vienos rankos į kitą. Tada įlipsiu į vonią ir atsigulsiu.

Vaikštinėjau priešais vaistų vitriną. Jei, tai darydama, žiūrėsiu į veidrodį, atrodys, kad stebiu ką nors kitą – kokioje knygoje ar pjesėje.

Bet tas asmuo veidrodyje buvo suparalyžiuotas ir per daug kvailas, kad ką nors darytų.

Pagalvojau, kad gal reikėtų pasipraktikuoti ir nuvarvinti šiek tiek kraujo, tad atsisėdau ant vonios krašto ir perrėžiau dešinę kulkšnį, užkeltą ant kairiojo kelio. Paskui pakėliau dešinę ranką su peiliuku, atpalaidavau ją ir leidau jai nukristi tarsi giljotinai ant blauzdos.

Nieko nepajutau. Paskui suvirpėjau kažkur gilumoje, o šviesiai raudona čiurkšlė išsiveržė pro žaizdos kraštus. Susitvenkęs tamsus kaip vaisius kraujas nuriedėjo mano kulkšnimi žemyn, į juodą natūralios odos batą.

Ketinau lipti vonion, bet supratau sugaišusi beveik visą rytą, taigi motina tikriausiai grįžtų namo ir rastų mane, kol dar nebūsiu baigusi.

Taigi susitvarsčiau žaizdą, supakavau „Gillette" skutimosi peiliukus ir išvažiavau vienuoliktos trisdešimt autobusu į Bostoną.

– Atleisk, brangute, į Elnių salos kalėjimą metro nevažiuoja. Tas kalėjimas juk saloje.

– Ne, jis ne saloje, tiksliau, anksčiau jis buvo saloje, bet vandenį užpylė žemėmis, ir dabar ji susijungė su žemynu.

– Ten metro nevažiuoja.

– Privalau ten patekti.

– Ei, – storulis iš bilietų kasos spoksojo į mane pro grotas, – neverk. Ką ten turi, brangute, kokį giminaitį?

Žmonės stumdėsi ir trankėsi į mane dirbtinai apšviestoje tamsoje, skubėdami į traukinius, tai šen, tai ten dardančius žarniniais tuneliais po Skolio skveru. Jaučiau, kaip ašaros man trykšta iš primerktų akių.

– Ten mano tėvas.

Storulis pažvelgė į schemą ant kasos sienos.

– Štai kas, – prabilo jis, – pasigauk pakeleivingą mašiną

štai ten, važiuok į Rytų Aukštumą ir šok į autobusą su užrašu „Kyšulys“, – jis plačiai man nusišypsojo. – Jis nuveš tave tiesiai prie kalėjimo vartų.

– Ei, tu! – jaunuolis mėlyna uniforma pamojavo iš barako.

Pamojavau ir aš ir žingsniavau toliau.

– Ei, tu!

Sustojau, lėtai priėjau prie barako, tarsi apvali svetainė pūpsančio smėlynuose.

– Ei, toliau nebegali eiti. Tai kalėjimo nuosavybė, įsibrovėliams negalima.

– Maniau, kad visur galima vaikščioti po paplūdimį, – atšoviau. – Kol tik laikaisi vandens lygio per potvynius žymos.

Vaikinas valandžiukę pagalvojo. Paskui pasakė:

– Tik ne po šį paplūdimį.

Jo veidas buvo malonus ir skaistus.

– Puikiai čia įsikūrei, – pagyriau. – Primena mažą namelį.

Jis atsisukęs pažiūrėjo į kambarį su juostuotu kilimu ir kartūninėmis užuolaidomis. Nusišypsojo.

– Turime net kavinuką.

– Anksčiau gyvenau netoliese.

– Turbūt juokauji. Aš pats gimiau ir užaugau šiame mieste.

Per smėlynus pažvelgiau į stovėjimo aikštelę ir grotuotus vartus, už kurių į anksčiau buvusią salą vedė siauras takelis, iš abiejų pusių skalaujamas vandenyno.

Raudonų plytų kalėjimo pastatai atrodė draugiški, tarsi pajūrio koledžas. Iš kairės žalioje vejoje išvydau judant mažus baltus taškelius ir kiek didesnius rausvus taškus. Kai paklausiau sargo, kas ten, jis paaiškino:

– Kiaulės ir viščiukai.

Įsisvajojau: jei būčiau apsisprendusi toliau gyventi tame

sename mieste, galbūt būčiau sutikusi šį kalėjimo sargą dar mokykloje, ištekėjusi už jo ir dabar jau turėčiau daug vaikučių. Būtų gera gyventi šalia jūros su daugybe vaikučių, kiaulių ir viščiukų, vilkėti nesitraukiančias sukneles, kaip jas vadino mano senelė, sėdėti virtuvėje su šviesiu linoleumu ir storose rankose laikyti puodelį kavos.

– Kaip patekti į šį kalėjimą?

– Reikia turėti leidimą.

– Ne, ką reikia padaryti, kad tave uždarytų?

– O, – nusijuokė sargas, – pavok mašiną arba apiplėšk parduotuvę.

– Ar čia yra žudikų?

– Ne. Žudikai vežami į didelį valstybinį kalėjimą.

– Kas dar čia sėdi?

– Na, pirmą žiemos dieną mums atveža senus Bostono bastūnus. Jie plyta išdaužia kokį langą, tada juos suima ir čia jie praleidžia žiemą, nebijodami šalčio, sotūs ir su televizoriumi. Savaitgaliais jie net žaidžia krepšinį.

– Tai bent!

– Tai bent! Jei tau tai patinka, – atšovė sargas.

Atsisveikinau ir ėmiau eiti tolyn, tik vieną kartą žvilgtelėjusi atgal per petį. Sargas vis dar stovėjo ant stebėjimo būdelės slenksčio, o kai atsisukau, atsisveikindamas pamojo man ranka.

Rąstas, ant kurio sėdėjau, buvo sunkus kaip švinas ir dvokė degutu. Tvirto, pilko vandens bokšto cilindro, iškilusio ant kalvos, papėdėje į jūrą driekėsi smėlio sekluma. Per didelį potvynį ji būdavo visiškai užliejama.

Puikiai prisiminiau seklumą. Savo vingyje ji slėpdavo kiaukutus, kokių negalėjai rasti daugiau niekur paplūdimyje.

Kiaukutai būdavo stori, lygūs, dideli kaip nykščio sąnariai ir dažniausiai balti, nors kartais pasitaikydavo ir rausvų arba persiko spalvos. Jie priminė savotiškas kuklias kriaukles.

– Mamyte, ta mergina vis dar ten sėdi.

Tingiai pakėliau galvą ir pamačiau smėlėtą vaikiūkštį, palei jūrą tempiamą liesos paukščiaakės moters raudonais šortais ir baltu raudonai taškuotu maudymosi kostiumėlio viršumi.

Niekada nepamaniau, kad paplūdimį gali kada užtvindyti vasarotojai. Per tuos dešimt metų, kol čia nebuvau, puošnios mėlynos, rausvos ir šviesiai žalios trobelės išdygo iš lygaus Kyšulio smėlio kaip daugybė beskonių grybų, o sidabrinius lėktuvus ir cigarų formos dirižablius užgožė reaktyviniai lėktuvai, kurie garsiai riaumodami pakildavo iš oro uosto, esančio už paplūdimio, ir skraidydavo virš stogų.

Buvau vienintelė mergina paplūdimy su sijonu ir aukštais kulniukais, tad pamaniau, kad tikriausiai išsiskiriu iš kitų. Po kurio laiko nusiaviau į smėlį grimztančius tikros odos batelius. Buvo malonu įsivaizduoti, kaip jie po mano mirties gulės ant sidabrinio rąsto, atsukti nosimis į jūrą, tarsi sielos kompasas.

Rankinėje užčiuopiau skutimosi peiliukų dėžutę.

Tada supratau, kokia esu kvailė. Turiu peiliukų, bet nėra šiltos vonios.

Svarsčiau, ar nereikėtų išsinuomoti kambario. Tarp šių vasarnamių turi būti ir pensionas. Bet aš neturiu bagažo. O tai įtartina. Be to, pensionuose visi žmonės nori pasinaudoti vonia. Vargu ar turėsiu laiko tai atlikti įlipusi į vonią: kas nors būtinai ims belsti į duris.

Seklumos gale kirai ant medinių kojūkų sukniaukė kaip katės. Paskui vienas po kito, vilkintys pelenų spalvos švarkelius, ėmė plasnoti aplink mano galvą ir klykti.

– Ei, ponia, geriau čia nesėdėkit, juk tuoj prasidės potvynis.

Mažas berniukas tupėjo už kelių pėdų. Jis paėmė apvalų purpurinį akmenuką ir sviedė jį vandenin. Vanduo prarijo skambiai pliumptelėjusį akmenį. Paskui berniukas ėmė ieškoti kito akmens, ir išgirdau, kaip sausi akmenukai daužosi vieni į kitus tarsi monetos.

Jis sviedė plokščią akmenį lygiu žaliu paviršiumi, ir akmenukas prieš nuskęsdamas šoktelėjo viršun septynis kartus.

– Kodėl neini namo? – paklausiau.

Berniukas paleido kitą, sunkesnį, akmenį. Šis nuskendo, pašokęs vos porą kartų.

– Nenoriu.

– Turbūt motina tavęs ieško.

– Ne, – rodės, jis sunerimo.

– Jei eisi namo, duosiu tau saldainį.

Berniukas pasislinko arčiau.

– Kokį?

Net ir nedirstelėjusi į rankinę, puikiausiai žinojau, kad joje – tik riešutų kevalai.

– Duosiu tau pinigų, kad nusipirktum saldainių.

– Artūrai!

Moteris išties ėjo per seklumą, slydinėdama ir, be abejonės, keikdamasi, nes jos lūpos krutėjo tarp garsių, įsakmių šūksnių.

– Artūrai!

Ji prisidengė akis ranka, tarsi taip geriau galėtų įžvelgti mus pro tirštėjančias jūros sutemas.

Jaučiau, kaip berniuko susidomėjimas slūgsta, ir jis pasiduoda motinos įtakai. Vaikas ėmė apsimetinėti, kad manęs nepažįsta. Nuspyrė keletą akmenukų, tarsi ko ieškodamas, ir nukulniavo šalin.

Suvirpėjau.

Po mano basomis kojomis gulėjo šalti dideli akmenys. Ilgesingai pagalvojau apie juodus batelius pakrantėje. Banga atsitraukė kaip ranka, paskui vėl priartėjo ir palietė man kojas.

Rodės, it mane būtų pasiglemžęs pats jūros dugnas, kur aklos baltos žuvys plaukioja savo pačių šviesoje didžiuliame poliariniame šaltyje. Mačiau ryklių dantis ir banginių ausis, netvarkingai išsibarsčiusius ten kaip antkapius.

Laukiau, tarsi jūra būtų galėjusi priimti sprendimą už mane.

Antra banga sudužo man prie kojų, pabučiavo baltomis putomis, ir vėsuma persmelkė mano kulkšnis mirtinu skausmu.

Mano kūnas susigūžė, išsigandęs tokios mirties.

Paėmiau rankinę ir ėmiau kopti atgal per šaltus akmenis ten, kur violetinėje šviesoje budėjo mano batai.

Tryliktas skyrius

– Aišku, jį nužudė motina.

Pažvelgiau į vaikino lūpas. Džodė norėjo, kad su juo susitikčiau. Jo lūpos buvo storos, rausvos, o kūdikišką veidelį slėpė šviesiai gelsvi šilkiniai plaukai. Jis buvo vardu Kelas; man pasirodė, kad tai trumpinys, tik negalėjau sumesti kieno, – gal kokios Kalifornijos.

– Kaip gali būti įsitikinęs, kad motina jį nužudė?

Kelas tikriausiai labai protingas, o Džodė telefonu sakė, kad jis mielas ir man patiks. Svarsčiau, ar jis man patiktų, jei būčiau tokia kaip anksčiau.

Negalėjau atsakyti į šį klausimą.

– Na, iš pradžių ji sakė: „Ne, ne, ne“, o paskui sakė: „Taip“.

– Bet vėliau vėl sakė: „Ne, ne“.

Mudu su Kelu gulėjome vienas šalia kito ant oranžiniais ir žaliais dryžiais išmarginto rankšluosčio purviname paplūdimyje už Lino pelkių. Džodė maudėsi su Marku, vaikinu, kurį viliojo. Kelas nenorėjo maudytis, jis norėjo verčiau pasikalbėti, ir mes diskutavome apie tą pjesę, kurioje jaunuolis sužino sergąs smegenų uždegimu dėl to, kad jo tėvas kvailiojo su nepadoria moterimi. Galiausiai jo smegenys, visą laiką minkštėjusios, visiškai atsisako veikti, ir jo motina svarsto, nužudyti jį ar ne.

Įtariau, kad motina paskambino Džodei ir maldavo, kad ši pakviestų mane pasivaikščioti, kad tik aš kiaurą dieną nesėdėčiau kambaryje, užsitraukusi naktines užuolaidas. Iš pradžių nenorėjau eiti, maniau, jog Džodė pastebės, kaip esu pasikeitusi, ir kad bet kuris žmogus, vos tik užmetęs akį, pamatys, kad visai neturiu smegenų.

Bet visą laiką, važiuodama į šiaurę, o vėliau į rytus, Džodė juokavo, kvatojosi, tarškėjo ir, rodos, jai visai nerūpėjo, kad aš tik aikčiojau ir linkčiojau galva.

Paplūdimyje ant bendrų kepimo krosnelių mes pasiskrudinome bandelių su dešrelėmis; aš, net ir labai atidžiai stebėdama Džodę su Marku ir Kelu, sugebėjau kepti savo bandelę deramą laiko tarpą: nesudeginau jos, neįmečiau į liepsną, nors ir bijojau, kad taip gali nutikti. Paskui, kai niekas nematė, užkasiau ją smėlyje.

Kai pavalgėme, Džodė su Marku, susikibę už rankų, nubėgo maudytis, o aš atsiguliau ir ėmiau žiopsoti į dangų, kol Kelas be paliovos tarškėjo apie tą pjesę.

Vienintelė priežastis, dėl kurios prisimenu šią pjesę, ta, kad joje pasakojama apie beprotį. Visa tai, ką kada nors skaičiau apie bepročius, įstrigdavo mano galvoje, o visa kita išlėkdavo, nepalikę jokio įspūdžio.

– Bet juk svarbu „Taip“, – tvirtino Kelas. – Galiausiai ji grįžta prie „Taip“.

Pakėliau galvą ir pašnairavau į šviesiai mėlyną jūros lėkštę – šviesiai mėlyną lėkštę purvinais kraštais. Aukšta apvali pilka uola, tarsi viršutinė kiaušinio lukšto pusė, kyšojo iš vandens maždaug už mylios nuo akmenuoto kyšulio.

– Kaip ji ketino jį nužudyti? Pamiršau.

Nebuvau pamiršusi. Puikiai prisiminiau, bet norėjau išgirsti, ką pasakys Kelas.

– Morfijaus milteliais.

– Gal sakysi, kad Amerikoje rasi morfijaus miltelių?

Kelas valandžiukę galvojo. Paskui atsakė:

– Gal ir ne. Juk tai – baisiai senamadiška.

Apsiverčiau ant pilvo ir pažvelgiau į priešingą pusę, Lino link. Veidrodinė migla kilo nuo liepsnojančių kepimo krosnelių ir įkaitusio kelio, o pro miglą tarsi pro skaidraus vandens užuolaidą įžvelgiau neryškius dujų rezervuarų, gamyklų kaminų, gręžimo bokštų ir tiltų kontūrus.

Visa tai priminė pragarą.

Vėl apsiverčiau ant nugaros ir atsainiai paklausiau:

– Jei ketintum nusižudyti, kaip tai padarytum?

Kelas atrodė pamalonintas.

– Dažnai apie tai galvoju. Ištaškyčiau šautuvu sau smegenis.

Nusivyliau. Taip vyriška padaryti tai šautuvu. Tikrai niekada jo negausiu. O net jei ir gaučiau, nemoku šaudyti.

Esu skaičiusi laikraščiuose apie žmones, kurie mėgino nusišauti, tačiau jie tik persišaudavo svarbius nervus, ir juos suparalyžiuodavo. Kitąsyk iš jų veidų likdavo tik kruvina masė, bet chirurgai per stebuklą juos išgelbėdavo nuo staigios mirties.

Smarkiai rizikuoji, mėgindamas nusišauti.

– Kokiu šautuvu?

– Savo tėvo šratiniu. Jis laiko jį užtaisytą. Man tereikėtų vieną dieną įeiti į jo kabinetą, ir, – Kelas, pridėjęs pirštą prie smilkinio, komiškai išviepė veidą, – spust! – jis pažvelgė į mane plačiomis šviesiai pilkomis akimis.

– Gal tavo tėvas gyvena netoli Bostono? – tingiai pasiteiravau.

– Ne. Klektone prie jūros. Jis anglas.

Susikibę rankomis, atbėgo Džodė su Marku, purtydamiesi ir taškydami vandens lašelius nuo savęs kaip du įsimylėję šunyčiai. Pamaniau, kad dabar čia jau bus per daug žmonių, tad atsistojau ir apsimečiau, kad žiovauju.

– Eisiu išsimaudyti.

Buvimas su Džode, Marku ir Kelu ėmė mane slėgti, tarsi kas būtų padėjęs sunkią medinę dėžę ant pianino klavišų. Bijojau, kad kurią akimirką galiu nebesusivaldyti ir imsiu lementi negalinti nei skaityti, nei rašyti. Kad tikriausiai esu vienintelis po mėnesio nemigos likęs gyvas žmogus.

Rodės, nuo mano nervų kaip nuo kepimo krosnelių ir saulės įkaitinto kelio rūksta dūmai. Visas peizažas – paplūdimys, kyšulys, jūra ir uola – virpėjo priešais mano akis kaip kokios teatro dekoracijos.

Svarsčiau, kuriame gi erdvės taške lėkšta, apgaulinga dangaus mėlynė pajuodo.

– Juk tu irgi plaukioji, Kelai, – Džodė žaismingai stumtelėjo jį.

– Ochh, – Kelas paslėpė veidą rankšluostyje. – Per šalta.

Nuėjau prie vandens.

Kažkodėl išsklidusioje vidurdienio šviesoje vanduo be šešėlių atrodė kviečiantis ir bičiuliškas.

Pagalvojau, kad tikriausiai maloniausia mirti skęstant, o baisiausia – sudegti. Badis Vilardas sakė, kad kai kurie iš tų jo parodytų vaikiukų stiklainiuose turėjo žiaunas. Jie plaukiojo gimdose kaip žuvys.

Šlykšti saldainių popieriukų, apelsino žievelių ir jūržolių bangelė apsupo man kojas.

Išgirdau už nugaros girgždantį smėlį, priėjo Kelas.

– Plaukime prie tos uolos, – mostelėjau ranka.

– Ar išprotėjai? Iki jos bus kokia mylia.

– Ką? Kinkos dreba? – pasišaipiau.

Kelas paėmė mane už alkūnės ir įgrūdo vandenin. Kai jau įbridome iki juosmens, jis stumtelėjo mane po vandeniu. Išnirau taškydamasi, akis graužė druska. Gelmėje vanduo buvo žalias ir pusiau matinis kaip kvarco gabalas.

Pradėjau plaukti šuniuku, atsigręžusi į uolą. Kelas lėtai yrėsi krauliu. Po kurio laiko jis iškėlė galvą ir ėmė plaukti stačiomis.

– Negebėsiu, – sušvokštė jis.

– Okei. Grįžk.

Nusprendžiau plaukti tolyn tol, kol būsiu pernelyg pavargusi grįžti. Kapsčiausi, o širdis ausyse daužėsi kaip koks motoras.

Esu esu esu.

Šįryt mėginau pasikarti.

Vos tik motina išėjo į darbą, pasiėmiau šilkinį diržą nuo jos geltono chalato ir gintarinėje miegamojo šviesoje ėmiau rišti iš jo slankiojantį mazgą. Užtrukau ilgai, nes nelabai išmaniau mazgų rišimo meną ir neįsivaizdavau, kaip jį surišti.

Paskui ėmiau žvalgytis, kur galėčiau pririšti virvę.

Bėda ta, kad mūsų name netinkamos lubos. Jos žemos, baltos ir lygiai nutinkuotos, nėra jokios armatūros ar medinių sijų. Ilgesingai pagalvojau apie senelės namą, kurį ji pardavė ir persikėlė gyventi pas mus, o vėliau pas tetą Libę.

Senelės namas buvo pastatytas gražiu devyniolikto amžiaus stiliumi: ten aukšti kambariai, tvirti sietynai ir aukštos spintos tvirtais turėklais, taip pat palėpė, kur niekas niekada neužeidavo, pilna lagaminų, papūgų narvelių, siuvėjo manekenų, o virš galvos buvo storos kaip laivo špantai sijos.

Bet tai buvo senas namas. Senelė jį pardavė, ir aš daugiau neturiu pažįstamų, gyvenančių tokiuose namuose.

Kurį laiką nusiminusi slampinėjau su šilkiniu diržu, karančiu man ant kaklo kaip geltona katės uodega, ir niekaip neradau vietos, kur galėčiau jį pritvirtinti, tad atsisėdau ant motinos lovos krašto ir pamėginau užveržti kilpą.

Bet vos tik smarkiau ją užverždavau, ausyse pajusdavau ūžesį, o į veidą suplūstant kraują, rankos irgi tuoj nusilpdavo ir veikiai atleisdavo kilpą, – ir tada aš vėl pasijusdavau gerai.

Pamačiau, kad mano kūnas atlieka visus triukus, kad tik išsigelbėčiau, pavyzdžiui, lemiamą akimirką suglemba rankos. Dar... darkart. Jei tik turėčiau galimybę spręsti pati, viskas būtų baigta akimirksniu.

Paprasčiausiai privalau užpulti kūną iš pasalų, pasitelkdama man dar likusią išmintį. Antraip jis beprasmiškai įkalins mane kvailame narve penkiasdešimčiai metų. Ir kai žmonės pastebės, jog mano protas dingo, o anksčiau ar vėliau tai pastebės, tada, nepaisant gerai pagaląsto mano motinos liežuvio, jie įtikins ją įkišti gydyti mane į beprotnamį.

Deja, mano liga neišgydoma.

Nusipirkau keletą vadovėlių apie psichopatologiją ir palyginau savo simptomus su aprašytais knygose. Savaime suprantama, buvau beviltiškiausias ligonis.

Be bulvarinių laikraščių, galėjau skaityti tik jas – psichopatologijos knygas. Tarsi kas būtų palikęs siaurą angelę, kad galėčiau sužinoti viską, ką man reikia sužinoti apie savo ligą, ir kad deramai visa užbaigčiau.

Po kartuvių fiasko svarsčiau, ar man nereikėtų tiesiog pasiduoti ir kreiptis į gydytojus, bet paskui prisiminiau poną Gordoną ir jo šoko aparatą. Jei tik būsiu uždaryta, jie nuolat galės jį naudoti.

Svajojau, kaip kasdien mane lankys motina, brolis ir draugai, vildamiesi, jog pasveiksiu. Paskui jie, netekę vilties, ims lankytis rečiau. Pasens. Pamirš mane.

Be to, nuskurs.

Iš pradžių jie norės, kad manimi būtų kuo geriau rūpinamasi, tad sukiš visus pinigus privačiai ligoninei, tokiai kaip gydytojo Gordono. Galiausiai, kai visi pinigai bus išleisti, mane perkels į valstybinę ligoninę su šimtais į mane panašių žmonių, į didelį narvą rūsyje.

Kuo beviltiškesnė, tuo labiau esi slepiama.

Kelas apsisuko ir ėmė plaukti į krantą.

Stebėjau, kaip jis lėtai lipa iš jūros, – vandens jam buvo iki kaklo, – akimirką jo kūną pusiau kaip baltą kirminą perskyrė chaki spalvos smėlis ir žalios pakrantės bangelės. Paskui jis visiškai išsliaužė iš žalumos ant chaki spalvos ir pasimetė tarp tuzino kitų kirminų, kurie raičiojosi ar tiesiog drybsojo tarp jūros ir dangaus.

Taškiau rankomis vandenį ir spardžiausi. Rodės, kiaušinio formos uola visai nepriartėjo nuo tos akimirkos, kai mudu su Kelu žvelgėme į ją nuo kranto.

Paskui supratau, kad beprasmiška plaukti iki uolos, nes mano kūnas pasinaudos proga užkopti ant jos ir atsigulti saulutėje, kaupdamas jėgas grįžt.

Tad reikėjo nuskęsti čia ir dabar.

Lioviausi judėjusi.

Priglaudžiau rankas prie krūtinės, pakišau galvą po vandeniu ir ėmiau nerti, rankomis stumdama vandenį į šonus. Vanduo spaudė ausų būgnelius ir širdį. Grimzdau žemyn, bet, man dar nespėjus susivokti, kur esu, vanduo išspjovė mane į saulę, ir pasaulis sužvilgo aplink mane kaip mėlyni, žali ir geltoni pusbrangiai akmenys.

Nusibraukiau vandenį nuo akių.

Švokščiau kaip po sunkių pastangų, nors plūduriavau nė nesistengdama.

Nėriau vis ir nėriau ir kas kartą iššokdavau į paviršių kaip kamštis.

Pilka uola šaipėsi iš manęs, besisupdama ant vandens taip lengvai kaip gelbėjimosi plūduras.

Žinojau, kad esu nugalėta.

Pasukau atgalios.

Gėlės linkčiojo tarsi linksmi pažįstami vaikučiai, kol vežiau jas į prieškambarį.

Jaučiausi kvailai su pilkšvai žalia savanorės uniforma ir nereikalinga, ne taip kaip gydytojai ir slaugės – baltomis – ar net valytojos – rudomis – uniformomis. Šios, netardamos nė žodžio, praeidavo pro mane, nešinos skudurais ir purvino vandens kibirais.

Jei man būtų nors kruopelę mokėję, galėčiau bent manyti, kad atlieku gerą darbą, tačiau už tai, kad visą rytą vežioju žurnalus, saldainius ir gėles, gaudavau tik nemokamus priešpiečius.

Motina sakė, kad galiu atsikratyti pernelyg įkyrių minčių apie save padėdama tiems, kam dar blogiau nei man, taigi Teresė įrašė mane kaip savanorę mūsų vietos ligoninėje. Buvo sunku ja tapti čia, nes savanorėmis norėjo būti visos Jaunimo lygos moterys, bet, laimei, daugelis jų dabar atostogavo.

Maniau, kad mane nusiųs į palatą, kur tikrai sunkūs ligoniai, ir jie pro mano bereikšmį, sugrubusį veidą įžvelgs, kad linkiu jiems gero, ir bus dėkingi. Tačiau savanorių viršininkė, mūsų bažnyčios bendruomenės dama, vos pažvelgusi į mane, tarė:

– Eisi į gimdymo namus.

Taigi tris aukštus užvažiavau elevatoriumi į gimdymo skyrių ir prisistačiau vyriausiajai seselei. Ji davė man vežimėlį su gėlėmis, o aš turėjau neklysdama pamerkti jas reikiamose vazose prie reikiamų lovų.

Bet, dar nepriėjusi pirmos palatos durų, pastebėjau, kad dauguma gėlių apvytusios, žiedai parudavę. Pamaniau, kad moteris, ką tik pagimdžiusi vaikelį, nusimins, pamačiusi, kaip jai prieš nosį nutėškiama didelė puokštė nuvytusių gėlių, tad nuvairavau vežimėlį prie prausyklės koridoriaus nišoje ir išrinkau visas nuvytusias gėles.

Paskui išėmiau visas, pradėjusias vysti.

Netoliese nebuvo šiukšlių kibiro, taigi sumaigiau gėles ir padėjau jas į gilią baltą kriauklę. Ji buvo šalta kaip kapas. Nusišypsojau. Tikriausiai šitaip suguldomi lavonai ligoninės lavoninėje. Savo veiksmais tapau panaši į gydytojus ir slauges.

Pastūmusi atidariau pirmos palatos duris ir įėjau, tempdama vežimėlį. Pora slaugių pašoko, o aš sumišusi apžvelgiau lentynas ir vaistų spinteles.

– Ko nori? – rūsčiai paklausė viena slaugė. Negalėjau jų atskirti: tokios jos buvo panašios.

– Išvežioju gėles.

Slaugė padėjo ranką man ant peties ir išstūmė iš kambario, vairuodama vežimėlį laisva, patyrusia ranka. Ji stumtelėjo į abi puses atsidarančias gretimos palatos duris ir įvedė mane vidun. Paskui pranyko.

Tolumoje girdėjau kikenant, paskui durys užsidarė, ir garsai nuslopo.

Palatoje buvo šešios lovos, kiekvienoje – po moterį. Visos jos sėdėjo ir mezgė arba vartė žurnalus, šukavosi plaukus ir čiulbėjo kaip papūgos.

Tikėjausi jas išvysti miegančias arba ramiai gulinčias ir išblyškusias. Taip būčiau visai nesirūpindama ant pirštų galų apėjusi palatą, sutikrinusi lovų numerius su skaičiais, užrašytais ant pleistrų prie vazų, bet, man dar nespėjus susiorientuoti, ranka pamojo šviesi smagi blondinė smailiu trikampiu veiduku.

Priėjau prie jos, palikusi vežimėlį vidury kambario, bet ji nekantriai mostelėjo ranka; supratau, kad ji nori, jog pristumčiau ir vežimėlį.

Paslaugiai šypsodama, pristūmiau vežimėlį prie jos lovos.

– Ei, kur mano pentiniai? – stambi suglebusi dama iš kito palatos galo varstė mane erelio žvilgsniu.

Smailiaveidė blondinė pasilenkė prie vežimėlio.

– Čia mano geltonos rožės, – burbtelėjo, – bet jos sumaišytos su tais šlykščiais vilkdalgiais.

Kiti balsai – pikti, garsūs ir nepatenkinti – pritarė pirmoms dviem moterims.

Pravėriau lūpas, norėdama paaiškinti, kad išmečiau nuvytusių pentinių puokštę į kriauklę ir kad keletas mano sutvarkytų vazų gal ir atrodo per daug skurdžiai, – ten buvo likusios vos kelios gėlelės, mat aš sudėjau keletą puokščių į krūvą, – bet atsivėrė durys ir įtykino slaugė, norėdama sužinoti, kodėl kilo šis sąmyšis.

– Klausyk, slauge, juk turėjau didelę pentinių puokštę, kurią Laris nupirko vakar vakare.

– Ji sugadino mano geltonas rožes.

Bėgdama atsisagsčiau žalią uniformą ir pakeliui sugrūdau ją į kriauklę su nuvytusiomis gėlėmis. Paskui nušokčiojau tuščiais laiptais į gatvę, nesutikusi nė gyvos dvasios.

– Kaip nueiti į kapines?

Italas juodos odos švarku stabtelėjo ir parodė alėjos link, už baltos metodistų bažnyčios. Prisiminiau šią bažnyčią.

Pirmuosius devynerius savo gyvenimo metus buvau metodistė*, paskui, kai mirė mano tėvas, mes persikraustėme ir virtome unitoriais**.

Motina, prieš tapdama metodiste, buvo katalikė. O seneliai su teta Libe taip ir liko katalikai. Teta atsiskyrė nuo katalikų bažnyčios tuo pačiu metu kaip ir motina, bet vėliau ji pamilo italą kataliką ir sugrįžo atgal.

Vėliau ir aš svarsčiau, ar nevertėtų eiti į katalikų bažnyčią. Žinojau, kad, pagal katalikų tikėjimą, savižudybė yra baisi nuodėmė. Jei taip, gal jie galėtų mane įtikinti nesižudyti.

Žinoma, aš netikiu pomirtiniu gyvenimu, nekaltuoju prasidėjimu ar inkvizicija bei tuo, kad į beždžionę panašus popiežius niekada neklysta, bet juk man nebūtina to pasakoti kunigui, galiu tiesiog susikaupti ir susimąstyti apie savo nuodėmę, o jis padės man atlikti atgailą.

Tik gaila, kad bažnyčia, net ir katalikų, – dar ne visas tavo gyvenimas. Kad ir kiek klūpotum ir melstumeis, vis viena privalai valgyti tris kartus per dieną, dirbti ir gyventi šiame pasaulyje.

Įdomu, kiek laiko reikia būti katalike, kad taptum vienuole? Paklausiau savo motinos manydama, kad ji viską žino geriausiai.

Motina išjuokė mane.

– Gal manai, kad jie tučtuojau priims tokią kaip tu? Juk privalai išmanyti katekizmą, mokėti tikėjimo išpažinimą, tikėti, užsidaryti ir atsiskirti. Kaip tau tai šovė į galvą!

Vis dėlto įsivaizdavau, kaip einu pas kurį nors Bostono kunigą, – būtent Bostono, nes nenoriu, kad kuris nors mano

* Metodistai – krikščionys protestantai. Metodizmui būdinga misionieriavimas, rūpinimasis socialine gerove; čia ypač pabrėžiamas asmeninis tikinčiojo santykis su Dievu.

** Unitoriai – krikščionys, tikintys į vienasmenį Dievą ir atmetantys Trejybės dogmą.

gimtojo miesto kunigas sužinotų, jog ketinau nusižudyti. Kunigai – baisūs liežuvautojai.

Apsirengsiu juodai, mano veidas bus mirtinai išblyškęs, parklupsiu prie kunigo kojų ir prašysiu:

– Ak, tėve, padėk man.

Bet apie tai galvojau dar tada, kai žmonės nevarstė manęs keistais žvilgsniais, kaip tos slaugės ligoninėje.

Buvau tikra, kad katalikai nepriims į vienuoles beprotės. Tetos Libės vyras kartą papasakojo anekdotą apie vienuolę, kurią vienuolynas atsiuntė pas Teresę pasitikrinti. Vienuolė girdėdavo arfų skambesį ir balsą, vis kartojantį: „Aleliuja!“ Tik ji, kruopščiai apklausta, negalėjo pasakyti, ar tas balsas sakė „Aleliuja“, ar „Arizona“. Mat ji buvo gimusi Arizonoje. Tikriausiai ji baigė savo dieneles kokiame nors beprotnamyje.

Prisidengiau veidą juodu šydu ir įžengiau pro metalinius vartus. Kaip keista... Nuo pat tos akimirkos, kai tėvas buvo palaidotas šiose kapinėse, niekas iš mūsų jo neaplankė. Motina neleido mums eiti į laidotuves, nes tada dar buvome vaikai, tad kapinės ir net jo mirtis visada man atrodė netikros.

Paskutiniu metu troškau atsilyginti tėvui už visus tuos metus, kai nekreipėme į jį dėmesio, ir ėmiau prižiūrėti jo kapą. Visada buvau tėčio mylimiausia dukrytė, taigi, rodės, bus teisinga, jei aš vilkėsiu gedulą, net jei mano motinai tai ir nerūpi.

Maniau, jei tėvas nebūtų numiręs, jis būtų mane išmokęs visko apie vabzdžius – tai buvo jo dėstomasis dalykas universitete. Be to, būtų išmokęs mane vokiečių, graikų ir lotynų kalbų, kurias pats mokėjo, ir tikriausiai būčiau liuteronė. Tėvas Viskonsine buvo liuteronas; Naujojoje Anglijoje tai buvo laikoma senamadiška, tad jis atsimetė nuo tikėjimo ir, kaip sakė mano motina, virto nuožmiu ateistu.

Kapinės mane nuvylė. Jos buvo įkurtos miesto pakrašty, žemumoje, kone sąvartyne, ir aš, vaikštinėdama kapinių takeliais, užuodžiau tolumoje plytinčias sūrias pelkes.

O senosios kapinės man visai patiko – tie aptrupėję plokšti akmenys ir apkerpėję paminklai; bet veikiai supratau, kad mano tėvas tikriausiai palaidotas naujosiose kapinėse, kur laidojama nuo 1940-ųjų.

Akmenys jose buvo šiurkštūs ir pigūs, šen bei ten kapus supo marmurinės tvorelės, primenančios pailgas purvo pilnas vonias, o ties negyvėlių bambomis stūksojo surūdiję metaliniai konteineriai, prikimšti plastmasinių gėlių.

Iš pilko dangaus ėmė lašnoti, ir man pasidarė labai liūdna.

Niekaip negalėjau rasti tėvo.

Žemi pasišiaušę debesys uždengė horizontą jūroje, tyvuliuojančioje už pelkių ir paplūdimio lūšnelių, ir lietaus lašai nutamsino juodą lietpaltį, kurį nusipirkau šįryt. Šalta drėgmė sunkėsi man į odą.

Kai pirkau lietpaltį, paklausiau pardavėjos, ar jis atsparus vandeniui.

O ji atsakė, kad nebūna vandeniui atsparių lietpalčių. Jie būna neperšlampami.

Kai paklausiau jos, kuo gi neperšlampamas skiriasi nuo atsparaus vandeniui, ji pasiūlė man nusipirkti skėtį.

Bet skėčiui man neužteko pinigų. Nusipirkus autobuso bilietą priekin ir atgal, riešutų, laikraščių, psichopatologijos brošiūrų bei kelionę į savo seną gimtąjį miestą prie jūros, Niujorko fondai bemaž išseko.

Buvau nusprendusi nusižudyti tada, kai mano banko sąskaitoje nebeliks pinigų, o šįryt aš kaip tik paskutinius centus išleidau juodam lietpalčiui.

Staiga pamačiau tėvo kapą.

Jis buvo priremtas prie kito kapo iš dešinės taip, kaip žmonės sugrūdami labdaros įstaigos palatose, kai trūksta vietos. Tai buvo dėmėtas rausvas marmuro luitas, primenantis konservuotą lašišą, o ant jo buvo tik mano tėvo pavardė, po ja dvi datos, atskirtos brūkšneliu.

Akmens papėdėje padėjau lietaus nuprausta glėbį azalijų, kurių pasiskyniau nuo krūmo, augančio ties kapinių vartais. Paskui man sulinko kojos, ir aš susmukau ant šlaputėlės žolės. Niekaip negalėjau suprasti, kodėl taip graudžiai raudu.

Paskui prisiminiau, kad taip niekada ir neapverkiau tėvo mirties.

Motina irgi neverkė. Ji tik šypsojosi ir sakė, kad Dievas jo pasigailėjo, leisdamas jam numirti, nes jei jis būtų išgyvenęs, būtų likęs luošas visam gyvenimui. To jis nebūtų pakėlęs, tad jam geriau buvę numirti.

Padėjau veidą ant lygaus marmuro ir bliovau dėl savo netekties šaltame sūriame lietuje.

Jau žinojau, kaip turiu elgtis.

Vos tik mašinos padangos nugirgždėjo keliuku ir nutilo motoro burzgimas, iššokau iš lovos, skubiai apsivilkau baltus marškinius, žalią margą sijoną ir juodą lietpaltį. Jis vis dar buvo drėgnas nuo vakar, bet netrukus tai nebeteks prasmės.

Nulipau žemyn, paėmiau šviesiai mėlyną voką nuo valgomojo stalo ir ant atvarto didelėmis raidėmis uoliai iškraigliojau: „Einu pasivaikščioti. Ilgam“.

Padėjau laiškelį ten, kur motina jį pamatys, vos įžengusi pro duris.

Nusijuokiau.

Ne. Pamiršau svarbiausią dalyką.

Užbėgau viršun ir pristūmiau kėdę prie motinos spintos. Užlipusi ant kėdės, pasiėmiau žalią seifą nuo viršutinės lentynos. Galėjau metalinį viršų nuplėšti plikomis rankomis, nes spyna buvo labai išklerusi, bet norėjau elgtis ramiai ir tvarkingai.

Atidariau dešinį motinos stalo stalčių ir ištraukiau mėlyną brangenybių dėžutę iš slėptuvės po iškvėpintomis airiškomis lininėmis nosinėmis. Atsegiau raktelį nuo tamsaus aksomo. Atrakinau seifą ir išsiėmiau naują tablečių buteliuką. Jų buvo daugiau, nei tikėjausi.

Jų buvo bent penkiasdešimt.

Jei būčiau laukusi, kol motina kas vakarą mane jomis šelps, būčiau užtrukusi penkiasdešimt vakarų, kad ganėtinai sutaupyčiau. O po penkiasdešimties naktų atvers duris koledžas, grįš mano brolis iš Vokietijos, ir bus per vėlu.

Vėl prisegiau rakčiuką brangenybių dėžutėje tarp pigių grandinėlių ir žiedų, įdėjau dėžutę atgal į stalčių po nosinėmis, o seifą į spintos lentyną ir pastačiau kėdę ant kilimo būtent ten, iš kur ją paėmiau.

Nulipau žemyn ir nupėdinau į virtuvę. Atsukusi čiaupą, prisipyliau didelę stiklinę vandens. Su ja ir tablečių buteliuku nusileidau į rūsį.

Blanki povandeninė šviesa skverbėsi pro rūsio langų plyšius. Už žibalo lempos, maždaug pečių aukštyje, sienoje žiojėjo tamsi skylė, urvas vedė pastogės tarp namo ir garažo link. Pastogė buvo pristatyta prie namo jau po to, kai buvo iškastas rūsys: ją iškėlė virš šio slapto žemėje iškasto plyšio.

Keletas senų pūvančių židinio rąstų užstojo visą angą. Stumtelėjau juos į šalį. Pastačiau stiklinę su vandeniu ir tablečių buteliuką greta ant vieno rąsto plokščio paviršiaus ir ėmiau lipti.

Gana ilgai užtrukau, kol įsigrūdau į plyšį, bet galiausiai, keletą kartų pamėginus, man tai pavyko, ir aš nušliaužiau tamsia anga kaip trolis.

Po mano basomis kojomis žemė rodės maloni, bet šalta. Svarsčiau, kada gi šis žemės lopinėlis paskutinį kartą matė saulę.

Paskui vienu po kito sunkiais dulkėtais rąstais užstūmiau angą. Tamsa nusileido ant manęs švelniai kaip aksomas. Paėmiau stiklinę ir buteliuką ir atsargiai, keturpėsčia, palenkusi galvą, nušliaužiau prie tolimiausios sienos.

Lengvi kaip kandys voratinkliai brūkštelėjo man per veidą. Įsisupusi į juodą lietpaltį, kaip į savo pačios mielą šešėlį, atsukau tablečių buteliuką ir ėmiau lėtai jas ryti vieną po kitos, vieną po kitos, vis užsigerdama vandeniu.

Iš pradžių nieko keista neatsitiko, bet kai pasiekiau buteliuko dugną, man prieš akis ėmė žybčioti raudonos ir mėlynos švieselės. Buteliukas išslydo iš pirštų, atsiguliau.

Tyla atsitraukė, pridengdama mano gyvenimo akmenis, kiaukutus ir visus menkus griuvėsius. Paskui ji užplūdo mane kaip vizija ir užliejusi privertė užmigti.

Keturioliktas skyrius

Buvo visiškai tamsu.

Jaučiau tik tamsą. Buvau tarsi kirminas, keliantis galvą. Kažkas aimanavo. Tada didžiulė sunki našta užgriuvo man ant skruostų kaip akmeninė siena, ir aimanavimas nuslopo.

Vėl sugrįžo tyla, nurimdama taip, kaip nurimsta juodo vandens paviršius po to, kai į jį kas nors įmeta akmenį.

Padvelkė vėsus vėjelis. Mane milžinišku greičiu nešė tuneliu į žemės gelmę. Paskui vėjas nurimo. Tolumoje ėmė murmėti daugybė prieštaraujančių ir besiginčijančių balsų. Bet ir jie vėliau nutilo.

Kaltas trinktelėjo man prie akies, ir pro plyšį tarsi pro angą ar žaizdą įspindo šviesa, kol tamsa vėl jos neužgožė. Norėjau nusisukti nuo šviesos, bet rankos buvo prikibusios prie šlaunų, – gulėjau tarsi sutvarstyta mumija, – tad negalėjau pajudėti.

Rodės, esu požeminėje kameroje, apšviesta akinamų šviesų, ir kad kambaryje pilna žmonių, kurie kažkodėl laiko mane prispaudę.

Paskui kaltas vėl trinktelėjo, šviesa šoktelėjo galvon, ir pro storą šiltą lyg kailiukas tamsą pasigirdo klyksmas:

– Mama!

Padvelkė oras ir ėmė sūkuriuoti man virš veido.

Jaučiau aplink esančio kambario formą, didelio kambario su atidarytais langais. Po galva prigludo pagalvė, o kūnas, niekieno neslegiamas, plūduriavo tarp plonų paklodžių.

Paskui tarsi ranką ant veido pajutau šilumą. Tikriausiai guliu saulėkaitoje. Jei atsimerksiu, pamatysiu spalvas ir formas, palinkusias virš manęs tarsi slaugės.

Atsimerkiau.

Buvo visiškai tamsu.

Kažkas kvėpavo šalia manęs.

– Nieko nematau, – pasiskundžiau.

Iš tamsos atsklido linksmas balsas:

– Pasaulyje yra daugybė aklų žmonių. Vieną dieną imsi ir ištekėsi už mielo aklo vyruko.

Vyras su kaltu grįžo.

– Kas tau rūpi? – paklausiau. – Tai beprasmiška.

– Neturi taip kalbėti, – jo pirštai grabinėjo didelį skausmingą guzą virš kairiosios mano akies. Paskui jis kažką atrišo, ir tarsi skylė sienoje pasirodė nelygus šviesos plyšys. Pro jo kraštą pasirodė vyro galva.

– Ar matai mane?

– Taip.

– Ar matai dar ką nors?

Staiga prisiminiau.

– Nieko nematau, – plyšys susiaurėjo ir aptemo. – Aš akla.

– Nesąmonė! Kas tau tai sakė?

– Slaugė.

Vyras sušnarpštė. Jis vėl aprišo tvarsčiu man akį.

– Tau labai pasisekė. Regėjimas beveik nepažeistas.

– Kai kas nori tave pamatyti, – sučiauškėjo slaugė ir pranyko.

Motina šypsodama priėjo prie kojūgalio. Ji vilkėjo suknelę su violetiniais vežimo ratais ir atrodė baisiai.

Su ja atėjo stambus aukštas bernas. Iš pradžių jo nepažinau, – galėjau tik mažumėlę pramerkti akį, – bet paskui pažinau savo brolį.

– Man sakė, kad norėjai mane pamatyti.

Motina pritūpė ant lovos kraščiuko ir padėjo ranką man ant kojos. Ji atrodė mylinti ir priekaištaujanti, o aš troškau, kad ji išeitų.

– Kad, rodos, nieko nesakiau.

– Jie sakė, kad manęs šaukeisi, – atrodė, ji tuoj pravirks. Jos veidas susiraukšlėjo ir ėmė virpėti kaip šviesi želė.

– Kaip sekasi? – paklausė brolis.

Pažvelgiau motinai į akis.

– Taip pat, – atsakiau.

– Turi lankytoją.

– Nenoriu lankytojų.

Slaugė iškurnėjo lauk ir su kažkuo ėmė šnibždėtis koridoriuje. Paskui grįžo.

– Jis labai norėtų tave pamatyti.

Pažvelgiau į geltonas kojas, kyšančias iš nepažįstamos balto šilko pižamos, kuria buvau aprengta. Kai judėjau, oda atrodė suglebusi, tarsi po ja nebūtų raumenų, be to, ji buvo apaugusi trumpa stora juodų plaukų ražiena.

– Kas ten?

– Tavo pažįstamas.

– Kuo jis vardu?

– Džordžas Beikvelas.

– Nepažįstu jokio Džordžo Beikvelo.

– Jis sakė, kad tave pažįsta.

Paskui slaugė išėjo, o kažkur matytas vaikinukas įėjęs pasakė:

– Ar neprieštarausi, jei prisėsiu ant tavo lovos krašto?

Jis vilkėjo baltą švarką. Mačiau jam iš kišenės kyšantį stetoskopą. Pamaniau, kad tai kuris iš mano pažįstamų, apsirengęs gydytoju.

Ketinau prisidengti kojas, jei kas nors įeitų, bet jau buvo per vėlu, taigi leidau joms kyšoti tokioms, kokios jos buvo, – šlykščioms ir bjaurioms.

„Tai aš, – pamaniau, – štai kokia esu“.

– Juk prisimeni mane, tiesa, Estera?

Sveikosios akies plyšeliu stebėjau vaikino veidą. Dar negalėjau atmerkti kitos akies, bet akių gydytojas sakė, kad po kelių dienų viskas bus gerai.

Vaikinas, vos tvardydamas juoką, žiūrėjo į mane taip, tarsi būčiau egzotiška zoologijos sodo naujiena.

– Juk prisimeni mane, tiesa, Estera? – jis kalbėjo lėtai, taip kaip kalbama su kvailu vaiku. – Esu Džordžas Beikvelas. Lankau tavo bažnyčią. Kartą Emherste ėjai į pasimatymą su mano kambarioku.

Atrodo, galiausiai prisiminiau vaikino veidą. Jis miglotai sklandė kažkur atminties pakrašty, – niekados nerūpėjo, kad reikia duoti tokiam veidui dar ir vardą.

– Ką čia veiki?

– Atlieku gydytojo praktiką šioje ligoninėje.

„Kaip galėjo šis Džordžas Beikvelas staiga tapti gydytoju?“ – svarsčiau aš. Be to, iš tikrųjų jis manęs nepažįsta. Jis tiesiog norėjo pasižiūrėti, kaip atrodo ta kvaiša, norėjusi nusižudyti.

Nusisukau į sieną.

– Dink iš čia, – liepiau. – Eik lauk ir negrįžk.

– Noriu pasižiūrėti į veidrodį.

Slaugė tylutėliai niūniuodama atidarinėjo vieną stalčių po kito, kaišiodama naujus apatinius, marškinius, sijonus ir pižamas, kurias mano motina atnešė juodame tikros odos lagaminėlyje.

– Kodėl negaliu pasižiūrėti į veidrodį?

Buvau apsivilkusi pilkai ir baltai dryžuota kaip čiužinio apvalkalas suknele su plačiu žibančiu raudonu diržu, mane buvo pasodinę į fotelį.

– Kodėl?

– Todėl, kad geriau nereikia, – slaugė užtrenkė lagaminėlio dangtį.

– Kodėl?

– Nes neatrodai labai graži.

– O, leiskit man pažiūrėti.

Slaugė atsiduso ir atidarė viršutinį stalo stalčių. Išėmusi didelį veidrodį mediniais rėmais, priderintais prie stalo medienos, padavė jį man.

Iš pradžių nesupratau, kur čia šuo pakastas. Čiagi visai ne veidrodis, o paveikslas.

Negalėjai pasakyti, ar tas žmogus paveiksle vyras ar moteris, nes jo plaukai buvo nuskusti ir dygo kaip viščiuko spaigliai ant visos galvos. Viena žmogaus veido pusė pūpsojo beformė ir purpurinė, o pakraščiai buvo žali, toliau ši spalva perėjo į geltoną. Žmogaus burna buvo šviesiai ruda su rožių spalvos opomis kampučiuose.

Baisiausia veide buvo tas antgamtinis šviesių spalvų derinys.

Nusišypsojau.

Burna veidrodyje irgi išsiviepė.

Išgirdusi dūžtančio stiklo garsą, įbėgo kita slaugė. Ji žvilgtelėjo į sudužusį veidrodį, į mane, stovinčią prie nieko nebe-

atspindinčių baltų gabalėlių, ir ištempė jauną slaugutę iš kambario.

– Ar aš tau nesakiau, – girdėjau ją sakant.

– Bet aš tik...

– Ar aš tau nesakiau!

Klausiausi be susidomėjimo. Bet kas gali išmesti veidrodį. Nesuprantu, ko čia taip jaudintis.

Kita, vyresnė, slaugė grįžo į kambarį. Ji stovėjo sukryžiavusi rankas ir rūsčiai žiūrėjo į mane.

– Septyneri nelaimių metai.

– Ką?

– Sakiau, – slaugė pakėlė balsą, lyg šnekėdamasi su kurčiuoju, – septyneri nelaimių metai.

Jaunoji slaugė grįžo su semtuvėliu ir šepečiu ir ėmė šluoti žvilgančias šukes.

– Juk tai tik prietaras, – pamėginau prieštarauti.

– Cha! – karktelėjo antroji slaugė klūpančiajai, tarsi manęs čia nebūtų. – Žinia, kur ja bus pasirūpinta!

Pro galinį greitosios langą mačiau, kaip pažįstamos gatvės viena po kitos lekia į vasariškai žalias tolumas. Prie vieno mano šono sėdėjo motina, prie kito – brolis.

Apsimečiau nesuprantanti, kodėl mane perkelia iš gimtojo miestelio ligoninės į miesto ligoninę, norėdama išgirsti, ką jie pasakys.

– Jie norėjo, kad gulėtum specialioje palatoje, – pareiškė motina. – Tokios palatos šioje ligoninėje nėra.

– Man čia patiko.

Motina sučiaupė lūpas.

– Vadinasi, turėjai geriau elgtis.

– Kaip?

– Reikėjo nedaužyti to veidrodžio. Gal tau tada būtų leidę pasilikti.

Bet aš tikrai žinojau, kad veidrodis čia niekuo dėtas.

Atsisėdau lovoje, užsikvempus antklodę iki pasmakrės.

– Kodėl negaliu keltis? Aš nesergu.

– Dabar ligonių vizitacija, – atkirto slaugė. – Negali keltis per ligonių vizitaciją, – ji vėl užtraukė lovos užuolaidas ir priėjo prie storos jaunos italės kitoje lovoje.

Italė buvo juodaplaukė garbanė; garbanos, uždengusios kaktą ir kalnu pakilusios į viršugalvį, krito jai ant nugaros. Kai ji sujudėdavo, didžiulė plaukų kupeta, tarsi iš šiurkštaus juodo popieriaus, irgi sujudėdavo.

Moteris pažvelgė į mane ir sukikeno.

– Kodėl tu čia?

Ji tučtuojau atsakė:

– Esu čia dėl savo prancūzės anytos iš Kanados. – Ji vėl sukikeno. – Mano vyras žino, kad negaliu jos pakęsti, vis dėlto jis leido jai mus aplankyti. Kai ji ateina, aš imu kaišioti liežuvį, – tiesiog negaliu susivaldyti. Jie iškvietė greitąją ir atvežė mane čia, – ji patylino balsą, – pas pakvaišėlius. – Paskui pridūrė: – O kas tau nutiko?

Atsisukau į ją visu grožiu, su užtinusia purpurine ir žalia akimis.

– Mėginau nusižudyti.

Moteris įsistebeilijo į mane. Paskui skubiai stvėrė kino žurnalą nuo naktinio staliuko ir apsimetė, kad skaito.

Atsivėrė durys priešais mano lovą, ir užėjo grupė jaunų vaikinų ir merginų baltais chalatais bei vyresnis žilaplaukis vyriškis. Visi jie, dirbtinai šypsodami, sustojo mano kojūgalyje.

– Ir kaip jaučiatės šįryt, panele Grynvud?

Mėginau apsispręsti, su kuriuo iš jų kalbėti. Nekenčiu kalbėtis su žmonių grupe. Kai tai neišvengiama, visada išsirenku iš jų vieną ir šneku su juo, nors kalbėdama visą laiką jaučiu, kad kiti dėbso į mane ir nesąžiningai tampa pranašesni. Be to, negaliu pakęsti, kai žmonės linksmai klausia, kaip jautiesi; nors žino, kad jautiesi šūdinai, tikisi, kad atsakysi: „Puikiai".

– Jaučiuosi šlykščiai.

– Šlykščiai. Hmmm, – kažkas pasakė, o vaikinas šyptelėjęs linktelėjo galvą. Kitas kažką užsirašė ant lapo. O vienas, atkišęs dorą rimtą veidą, pasiteiravo:

– O kodėl šlykščiai jaučiatės?

Greičiausiai keletas vaikinų ir merginų iš šios grupės draugauja su Badžiu Vilardu. Jie žino, kad jį pažinojau, jiems buvo smalsu mane pamatyti. Paskui tarpusavyje jie aptarinės mane. Norėjau būti ten, kur neateitų nė vienas mano pažįstamas.

– Negaliu miegoti...

– Bet seselė sako, kad praeitą naktį miegojote, – nutraukė jie mane. Apžvelgiau gaivių svetimų veidų pusratį.

– Negaliu skaityti, – pakėliau balsą. – Negaliu valgyti. – Man toptelėjo, kad vos atsigavusi kimšte kimšau maistą.

Grupė nusisuko nuo manęs ir ėmė kažką murmėti vieni kitiems. Galiausiai į priekį išėjo žilaplaukis vyriškis.

– Dėkoju jums, panele Grynvud. Nuo šiol jus prižiūrės personalo gydytojas.

Paskui grupė perėjo prie italės lovos.

– O kaip jūs šiandien jaučiatės, ponia... – kažkas tarė. Pavardė buvo ilga ir pilna raidžių l, – lyg ir ponia Tomolilo.

Ji sukikeno.

– O, jaučiuosi puikiai, gydytojau. Tiesiog puikiai, – paskui ji tyliai sušnibždėjo kažką, ko neišgirdau. Pora žmonių iš grupės žvilgtelėjo į mane. Paskui kažkas pasakė:

– Gerai, ponia Tomolilo.

Vienas jų žengė priekin ir tarsi baltą sieną užtraukė tarp mūsų lovos užuolaidą.

Sėdėjau ant medinio suoliuko krašto žole apaugusiame skverelyje tarp keturių plytinių ligoninės sienų. Motina, vilkinti suknelę su purpuriniais vežimo ratais, sėdėjo kitame krašte. Ji slėpė veidą tarp delnų, įrėmusi smilių į skruostą ir parėmusi smakrą nykščiu.

Ant gretimo suoliuko sėdėjo ponia Tomolilo su keliais tamsiaplaukiais kvatojančiais italais. Vos mano motina sujudėdavo, ponia Tomolilo imdavo ją mėgdžioti. Dabar ir ji sėdėjo įbedusi smilių į skruostą, nykščiu prilaikydama smakrą.

– Nejudėk, – šnibžtelėjau mamai. – Ta moteris tave mėgdžioja.

Motina atsisuko, bet ponia Tomolilo skubiai sunėrė storas baltas rankas sterblėje ir ėmė gyvai šnekučiuotis su draugais.

– Ką tu, nemėgdžioja, – nuramino mane mama. – Ji net nekreipia į mus jokio dėmesio.

Bet vos motina vėl atsisuko į mane, ji taip sunėrė pirštus, kaip ką tik padarė motina, ir nuvėrė mane pagiežingu pašaipiu žvilgsniu.

Pievutė baltavo nuo gydytojų.

Visą tą laiką, kol sėdėjome su motina, apšviestos menkučių saulės spindulių, prasiskverbusių pro aukštas plytų sienas, gydytojai vis ėjo prie manęs ir prisistatinėjo:

– Esu gydytojas Toksirtoks, esu gydytojas Toksirtoks.

Kai kurie atrodė pernelyg jauni, ir aš žinojau, jog jie negali būti tikri gydytojai, o vieno iš jų pavardė buvo labai keista, –

lyg ir gydytojas Sifilis, – tad ėmiau ieškoti įtartinų, suklastotų pavardžių. Tamsiaplaukis vaikinas, labai panašus į poną Gordoną, tik jis buvo ne baltaodis kaip šis, o juodaodis, priėjęs pasakė:

– Esu gydytojas Kasa, – ir paspaudė man ranką.

Prisistatę jie sustojo netoliese, kad galėtų mus girdėti. Aš negalėjau pasakyti motinai, jog jie seka kiekvieną mūsų ištartą žodį, taip, kad jie neišgirstų, tad pasilenkiau ir sušnibždėjau jai į ausį.

Motina skubiai atsitraukė.

– Ak, Estera, norėčiau, kad bendradarbiautum. Man sakė, kad nesistengi. Sakė, kad nesikalbi su gydytojais ir nieko neveiki per terapijos seansus...

– Turiu iš čia išeiti, – reikšmingai pasakiau. – Tada viskas bus gerai. Tu mane čia įkišai, tu turi ir ištraukti, – pridėjau.

Jei tik įtikinčiau motiną pasiimti mane iš ligoninės, pasinaudodama jos užuojauta, kaip tas pjesės berniukas, sirgęs smegenų uždegimu, galėčiau jau tada ir įkalbėti ją, ką geriausia būtų daryti.

Didelei mano nuostabai, motina tarė:

– Gerai, pamėginsiu tave ištraukti, na, gal į kokią geresnę vietą. Jei tai padarysiu, – ji padėjo ranką man ant kelio, – ar pasižadi būti gera?

Atsisukau ir pažiūrėjau tiesiai į gydytoją Sifilį, stovintį man prie alkūnės ir kažką besižymintį mažutėje, beveik nepastebimoje užrašų knygutėje.

– Pažadu, – garsiai atsakiau, norėdama atkreipti į save dėmesį.

Negras įstūmė maisto vežimėlį į ligoninės valgomąjį. Psichiatrijos skyrius šioje ligoninėje buvo mažas – vos du L formos koridoriai, kabinetai ir lovos nišose už terapijos palatos, kur gulėjau aš, bei mažytis plotelis su stalu ir keletu kėdžių prie lango kampe, – tai buvo mūsų svetainė ir valgomasis.

Paprastai mums maistą atveždavo sudžiūvęs senis, baltasis, bet šiandien tai darė negras. Jį lydėjo moteris mėlynais smailiakulniais bateliais. Ji nurodinėjo jam, ką reikia daryti, o negras tiktai vaipėsi ir kvailai kikeno.

Paskui jis atnešė padėklą prie mūsų stalo, ant jo jau buvo trys sriubinės su dangčiais. Jis ėmė jomis žvanginti. Moteris išėjo iš kambario ir užrakino duris. Visą laiką, žvangindamas ir dėliodamas sidabrinius įrankius bei storas balto porceliano lėkštes, jis dėbsojo į mus didelėmis besivartančiomis akimis.

Lažinuosi, kad jis pirmą kartą pamatė bepročius.

Niekas prie stalo nesujudėjo, kad nukeltų dangčius nuo sriubinių, o mums už nugarų stovinti slaugė laukė, kol kas nors pakels dangčius, jai dar nespėjus to padaryti. Paprastai ponia Tomolilo nukeldavo dangčius ir kaip motinėlė išdalydavo visiems maistą, bet dabar ji jau išsiųsta namo, ir, atrodo, niekas nenorėjo užimti jos vietos.

Buvau išbadėjusi, taigi tada aš ėmiau ir nukėliau pirmo dubens dangtį.

– Šaunuolė, Estera, – pagyrė mane slaugė. – Gal gali įsidėti pupelių ir perduoti dubenį kitiems?

Įsikroviau porciją žalių vijoklinių pupelių ir pasisukusi perdaviau dubenį stambiai raudongalvei moteriai, sėdinčiai dešinėje. Jai pirmą kartą leido sėstis prie stalo. Vieną kartą mačiau ją pačiame L formos koridoriaus gale, ji stovėjo priešais atviras duris, kurių langelis buvo grotuotas.

Pro šalį einant gydytojams, ji šiurkščiai rėkavo, kvatojo ir pliaukšėjo sau per šlaunis, o baltašvarkis tarnautojas, prižiūrintis žmones tame skyriaus gale, atsirėmęs į koridoriaus radiatorių, irgi kikeno kaip beprotis.

Raudongalvė moteris, stvėrusi dubenį iš manęs, apvertė jį dugnu aukštyn į savo lėkštę. Pupelės išbiro priešais ją – nukrito jai į sterblę ir ant grindų kaip šiurkštūs žali šiaudai.

– Ponia Moul, – liūdnai atsiduso slaugė, – šiandien jūs valgysite savo kambaryje.

Ji sudėjo beveik visas pupeles atgal į dubenį ir padavusi jį žmogui, sėdėjusiam šalia ponios Moul, nusivedė ją. Eidama koridoriumi į savo kambarį, ponia Moul vis atsisukinėjo ir, bjauriai kriuksėdama, šnairavo į mus. Negras grįžo ir ėmė rankioti tuščias žmonių, dar nespėjusių įsidėti pupelių, lėkštes.

– Mes dar nebaigėm, – pasakiau jam. – Galite palaukti.

– Aha, aha, – negras išplėtė pašaipias, nustebusias akis. Apsižvalgė. Slaugė dar nebuvo grįžusi iš ponios Moul palatos. Negras įžeidžiai man nusilenkė. – Panelė Mėšluotoji Mėšlė, – sušnibždėjo.

Pakėliau antro dubens dangtį ir pamačiau ledo šaltumo makaronus, sulipusius į kibią krūvą. Trečiame, paskutiniame, dubenyje buvo grūste prigrūsta keptų pupelių.

Puikiai žinau, kad niekada nepatiekiama dviejų rūšių pupelių. Pupos su morkom, pupos su žirniais, bet kad pupos su pupom – niekada. Negras bandė mus, kiek ištversime.

Grįžo slaugė, ir negras pasitraukė tolėliau. Suvalgiau tiek keptų pupelių, kiek tik tilpo. Paskui pakilau nuo stalo, paėjau į šoną taip, kad slaugė matytų tik mano liemenį ir galvą, ir priėjau negrui už nugaros. Jis valė purvinas lėkštes. Atsivėdėjau ir iš visų jėgų spyriau jam į blauzdą.

Negras klyktelėjęs pašoko ir išvertė į mane akis.

– O panele, o panele, – aimanavo jis, trindamas koją, – jums nederėjo taip elgtis, nederėjo, tikrai nederėjo.

– Tu to nusipelnei, – atšoviau, žiūrėdama tiesiai į jį.

– Argi šiandien nenori keltis?

– Ne, – aš dar giliau įsirausiau į patalus ir užsitraukiau antklodę ant galvos. Paskui pakėliau antklodės kraščiuką ir įdėmiai pažiūrėjau pro plyšį. Slaugė kratė termometrą, ką tik ištrauktą man iš burnos.

– Matote, ji normali, – spėjau pažiūrėti į jį, dar prieš jai ateinant jo paimti, kaip ir visada. – Matote, ji normali, tai kam ją matuojate?

Norėjau jai pasakyti, kad viskas gerai, jei serga tik mano kūnas, geriau jau jis nei galva. Bet mintis pasirodė tokia paini ir įkyri, kad nutylėjau ir dar labiau pasislėpiau po antklode.

Paskui per antklodę pajutau lengvą, erzinantį spaudimą į koją. Žvilgtelėjau. Slaugė pasidėjo padėklą su termometrais ant mano lovos ir, atsukusi nugarą, ėmė čiuopti moters, gulinčios šalia manęs, ponios Tomolilo vietoje, pulsą.

Venos ėmė erzinamai dilgčioti, tai priminė ištraukto danties gėlimą. Nusižiovavau, sujudėjau, lyg ketindama apsiversti ant kito šono, ir ištraukiau koją iš po padėklo.

– Oi! – suklykė slaugė, tarsi šaukdamasi pagalbos, ir tučtuojau įbėgo kita. – Žiūrėk, ką padarei!

Iškišau galvą iš po apklotų ir pažvelgiau per lovos kraštą. Aplink apverstą emaliuotą padėklą žvilgėjo termometro šukės, o gyvsidabrio rutuliukai virpėjo kaip dangiška rasa.

– Atsiprašau, – tariau. – Aš netyčia.

Antroji slaugė grėsmingai dėbtelėjo į mane.

– Tyčia tai padarei. Aš mačiau.

Ji išskubėjo, beveik tučtuojau atlėkė du tarnautojai ir nuvežė mane su visa lova į senąjį ponios Moul kambarį, bet aš spėjau nutverti gyvsidabrio rutuliuką.

Netrukus jie užrakino duris, mačiau, kaip už grotelių iškyla negro veidas, melasos spalvos mėnulis, bet apsimečiau, kad jo nepastebiu.

Atgniaužiau pirštus kaip ką nors slepiantis vaikas ir nusišypsojau sidabriniam rutuliukui delne. Jei jį numesčiau, jis subyrėtų į milijoną tikslių kopijų, o jei priglausčiau jas vieną prie kitos, jos be jokių plyšiukų vėl taptų vieniu.

Šypsojausi ir šypsojausi sidabriniam rutuliukui.

Bet nenutuokiau, ką jie padarė poniai Moul.

Penkioliktas skyrius

Juodas Filomenos Gvinėjos kadilakas slinko tirštu penktos valandos srautu kaip katafalkas. Netrukus jis privažiuos vieną arkinį tiltuką, tada aš nė negalvodama atidarysiu dureles ir per tą transporto maišalynę pulsiu prie tilto turėklų. Vienas šuolis, ir vanduo užsitrauks man virš galvos.

Pirštais vangiai suglamžiau popierinę nosinaitę į mažutį gniužuliuką ir laukiau savo progos. Sėdėjau užpakalinės kadilako sėdynės vidury, motina iš vienos pusės, brolis iš kitos, abu mažumą pasilenkę priekin tarsi skersiniai užtvarai, dengiantys abejas mašinos dureles.

Priešais save mačiau rausvą vairuotojo kaklą, įspraustą tarp mėlynos kepuraitės ir mėlyno švarko, o šalia – tarsi egzotišką paukštį žilus plaukus ir smaragdinėmis plunksnomis papuoštą Filomenos Gvinėjos, garsios rašytojos, skrybėlaitę.

Nelabai žinau, kodėl čia pasirodė ponia Gvinėja. Aš tik girdėjau, kad ji domėjosi mano liga, be to, ji pati karjeros viršūnėje buvo uždaryta į beprotnamį.

Motina sakė, kad ponia Gvinėja atsiuntė jai telegramą iš Bahamų, kur perskaitė apie mane Bostono laikraštyje. Ponia Gvinėja rašė: „Ar čia neįveltas vaikinas?“

Jei būtų įveltas vaikinas, ji, žinoma, niekaip negalėtų padėti.

Bet motina parašė: „Ne, kaltas Esteros rašymas. Ji mano, kad niekada nebegalės rašyti“.

Tad ponia Gvinėja parskrido į Bostoną ir ištraukė mane iš ankštos miesto ligoninės palatos, o dabar vežė mane į privačią ligoninę, kur yra žemės, golfo laukai ir sodai, žodžiu, ligoninė labiau primena kaimo klubą. Ji pažadėjo mokėti už mane, – tai bus tarsi stipendija, – kol jos pažįstami gydytojai padės man išsikrapštyti iš ligos.

Motina sakė man, kad turėčiau jaustis dėkinga. Ji sakė, kad išnaudojau beveik visus jos pinigus, ir kad jei ne ponia Gvinėja, ji nežino, kur dabar būčiau. Tačiau aš žinau, kur dabar būčiau. Būčiau didelėje valstybinėje ligoninėje, o ne šioj privačioj vietelėj.

Žinojau, kad turėčiau jausti dėkingumą poniai Gvinėjai, bet dėkingumo nejaučiau. Net jeigu ji būtų padovanojusi man bilietą į Europą ar kruizą aplink pasaulį, man tai būtų nė motais. Kur besėdėčiau, – laivo denyje ar gatvės kavinukėje Paryžiuje ar Bankoke, – vis viena būčiau po tuo pačiu stikliniu gaubtu, leipėdama nuo gaižaus oro.

Virš upės prasivėrė mėlyno dangaus skliautas, o joje mirguliavo burės. Pasiruošiau, bet tučtuojau motina su broliu uždėjo rankas ant durų rankenėlių. Padangos sugaudė ant tilto grotelių. Vanduo, burės, mėlynas dangus ir kybantys kirai pralėkė pro šalį tarsi keistas atvirukas, ir štai mes jau už upės.

Nugrimzdau pilkoje pliušinėje sėdynėje ir užsimerkiau. Oras stikliniame gaubte susigumuliavo aplink mane, tad negalėjau nė pajudėti.

Vėl turiu savo kambarį.

Jis man primena gydytojo Gordono ligoninės kambarį – lova, komoda, spinta, stalas ir kėdė. Langas su tinkleliu, bet be grotų. Mano kambarys pirmame aukšte, o pro langą už pušų spygliais nukloto žemės lopinėlio matosi miškingas kiemelis, supamas raudonos plytų sienos. Jei nušokčiau, net kelių nenusibrozdinčiau. Aukštos sienos paviršius atrodė lygus kaip stiklas.

Kelionė per tiltą atėmė iš manęs visas jėgas.

Praleidau tiesiog tobulą progą. Upės vanduo pratekėjo pro mane kaip nepaliestas gėrimas. Įtariu, kad net jei motinos ir brolio nebūtų buvę šalia, vis viena nebūčiau ryžusis iššokti.

Kai užsiregistravau pagrindiniame ligoninės pastate, priėjo liekna jauna moteris ir prisistatė:

– Esu gydytoja Nolan. Gydysiu Esterą.

Nustebau, gavusi moterį. Nemaniau, kad būna moterų psichiatrių. Ji buvo Mirnos Loi ir mano motinos mišinys, vilkėjo baltus marškinius ir laisvą sijoną, o liemenį buvo apsijuosusi plačiu odiniu diržu. Ant nosies pūpsojo stilingi pusmėnulio formos akiniai.

Bet kai slaugė mane per pievutę nuvedė į niūrų plytų pastatą, vadinamą Kaplanu, kur turėsiu gyventi, gydytoja Nolan neatėjo manęs pasitikti, vietoj jos atėjo daug svetimų vyrų.

Gulėjau lovoje po stora balta antklode, o jie vienas po kito ėjo į mano kambarį ir prisistatinėjo. Negalėjau suprasti, kodėl jų čia tiek daug ir kodėl jie nori su manimi susipažinti. Nepatikliai pamaniau, gal jie mane bando, ar pastebėjau, kad jų per daug.

Pagaliau įėjo gražus baltaplaukis gydytojas ir pasisakė esąs ligoninės direktorius. Paskui pradėjo kalbėti apie piligrimus ir indėnus, ir apie tuos, kurie užėmė žemes po jų, ir kokios upės teka netoliese, kas pastatė pirmą ligoninę, kaip ji sudegė, kas pastatė kitą ligoninę... Rodės, jis laukia, kol jį nutrauksiu ir pasakysiu žinanti tas nesąmones apie upes ir piligrimus.

Bet paskui persigalvojau: gal kai kas ir tiesa, tad bandžiau atskirti tiesą nuo melo, bet, man dar nepradėjus, jis atsisveikino.

Palaukiau, kol tolumoje nutilo gydytojų balsai. Tada nusiklojau baltą antklodę, apsiaviau ir išėjau į koridorių. Niekas manęs nesustabdė, tad, pasukusi už savo koridoriaus kampo, ilgesniu koridoriumi priėjau atvirą valgomąjį.

Kambarinė žalia uniforma dengė stalus vakarienei. Stalai buvo užtiesti baltomis lininėmis staltiesėmis, ant jų stovėjo stiklinės, gulėjo popierinės servetėlės. Tarsi voverė, slepianti riešutą, savo minčių kamputyje išsaugojau vaizdą, jog tai tikro stiklo stiklinės. Miesto ligoninėje gerdavome iš popierinių puodelių ir neturėjome peilių mėsai pjaustyti. Ją visada taip pervirdavo, kad galėdavome gnaibyti šakute.

Galiausiai atėjau į didelį poilsio kambarį su aptriušusiais baldais ir nusitrynusiu kilimu. Fotelyje sėdėjo mergina apvaliu papurtusiu veidu ir trumpais juodais plaukais. Ji skaitė žurnalą. Mergina man priminė vieną mano kadaise pažintą skaučių vadovę. Pažvelgiau į jos kojas. Aišku, ji avėjo plokščius rudus odinius batelius. Raukšlėti jų liežuvėliai buvo ištraukti aukštai, tarsi sportbačių, o ant raištelių galiukų buvo priklijuoti netikri giliukai.

Mergina pakėlė galvą ir nusišypsojo.

– Aš Valerija. O tu?

Apsimečiau neišgirdusi ir iš poilsio kambario pasukau į kitą sparno galą. Pakeliui praėjau vartelius sulig juosmeniu, už kurių išvydau keletą slaugių.

– Kur visi?

– Išėję, – slaugė kažką vis rašė ant mažų lipnios juostelės skiautelių. Pasilenkiau per vartelius pažiūrėti, ką ji rašo. Ji rašė: „E. Grynvud, E. Grynvud, E. Grynvud, E. Grynvud, E. Grynvud.“

– Kur?

– Į terapijos seansus, golfo treniruotes ar žaidžia badmintoną.

Šalia slaugės ant kėdės pastebėjau drabužių krūvą. Tai buvo tie patys drabužiai, kuriuos slaugė pirmojoje ligoninėje sudėjo į odinį lagaminą, kai aš sudaužiau veidrodį. Slaugė ėmė klijuoti etiketes prie drabužių.

Grįžau į poilsio kambarį. Taip ir nesupratau, ką veikia tie žmonės – žaidžia badmintoną ar golfą? Tikriausiai jie visai neserga, jei gali žaisti.

Atsisėdau šalia Valerijos ir ėmiau įdėmiai ją stebėti. „Taip, – pamaniau, – tokia puikiausiai galėtų sėdėti skaučių stovykloje“. Mergina labai susidomėjusi skaitė pigią *Vogue* kopiją. „Po velnių, ką ji čia veikia? – svarsčiau. – Juk ji visai neserga“.

– Ar neprieštarausi, jei užsirūkysiu? – gydytoja Nolan atsilošė fotelyje šalia mano lovos.

Pasakiau, kad ne, man patinka dūmų kvapas. Pamaniau, jei gydytoja Nolan rūkys, gal pasiliks čia ilgėliau. Ji pirmą kartą atėjo su manimi pasikalbėti. Jai išėjus, aš paprasčiausiai nugrimsiu į seną tuštumą.

– Papasakok apie gydytoją Gordoną, – staiga paprašė ji. – Ar jis tau patiko?

Įtariai žvilgtelėjau į gydytoją. Maniau, kad gydytojai labai vieningi ir kad kažkur šioje ligoninėje, slaptame užkampyje,

turi pasistatę tokį patį aparatą, kokį turėjo gydytojas Gordonas, ir yra pasiruošę iškratyti mane iš odos.

– Ne, – atsakiau. – Jis man visai nepatiko.

– Įdomu. Kodėl?

– Man nepatiko tai, ką jis man darė.

Papasakojau gydytojai Nolan apie aparatą, mėlynus blyksnius, kratymą ir triukšmą. Kol viską jai pasakojau, ji keistai tylėjo.

– Tai buvo klaida, – galiausiai tarė. – Neturi taip būti.

Įsistebeilijau į ją.

– Jei viskas atliekama gerai, – pridūrė ji, – pacientas tarsi užmiega.

– Jei kas nors man vėl tai padarys, aš nusižudysiu.

– Čia tavęs negydysime šoku, – tvirtai pasakė gydytoja Nolan. O jei gydysime, – pasitaisė, – pranešiu tau iš anksto, ir pažadu, kad tai nebus taip baisu kaip pono Gordono ligoninėje. Be to, – baigė ji, – kai kuriems tai netgi patinka.

Kai gydytoja Nolan išėjo, ant palangės atradau degtukų dėžutę. Ji buvo neįprasto dydžio – labai labai maža. Atidariau ją ir pamačiau baltų pagaliukų rausvais galiukais eilę. Pabandžiau vieną uždegti, bet jis sutrupėjo tarp pirštų.

Neįsivaizduoju, kodėl gydytoja Nolan taip kvailai ją paliko. Gal norėjo sužinoti, ar grąžinsiu ją. Atsargiai paslėpiau žaislinius degtukus po naujo vilnonio chalato apsiuvu. Jei ji paprašys atiduoti degtukus, sakysiu pamaniusi, jog tai saldainiai, ir juos suvalgiusi.

Į gretimą kambarį įsikėlė nauja moteris.

Ji tikriausiai vienintelė naujokė šiame pastate be manęs, tad priešingai nei kiti, nežino, kad labai sergu. Pagalvojau, kad galėčiau užeiti ir susidraugauti su ja.

Moteris gulėjo lovoje purpurine suknele, kurią ties kaklu prilaikė kamėjos segė; suknelė siekė jai šlaunų vidurį. Rūdžių spalvos plaukai buvo surišti į kuodą tarsi mokytojos, o plonyčiai akiniai sidabriniais rėmeliais juodu elastiku buvo pritvirtinti prie kišenės ant krūtinės.

– Labas, – draugiškai pasisveikinau ir atsisėdau ant lovos kraščiuko. – Aš Estera, o kuo tu vardu?

Moteris nesujudėjo, tiesiog spoksojo į lubas. Įsižeidžiau. Pamaniau, gal Valerija ar kas nors kitas jau spėjo jai pasakyti, kokia aš kvaila.

Slaugė įkišo galvą pro duris.

– O, štai kur tu, – tarė ji man. – Lankai panelę Noris. Kaip miela! – ji vėl pranyko.

Nežinau, kiek laiko čia sėdėjau, stebėdama moterį purpurine suknele ir svarstydama, ar prasivers jos sučiauptos rausvos lūpos, o jei prasivers, ką pasakys.

Galiausiai, nekalbėdama ir nežiūrėdama į mane, panelė Noris įkišo kojas į aukštus juodus batus su sagutėmis, stovėjusius kitoje lovos pusėje, ir išėjo iš kambario. Atrodė, kad ji mėgina subtiliai manęs atsikratyti. Ramiai, laikydamasi šiokio tokio atstumo, nusekiau paskui ją koridoriumi.

Priėjusi valgomojo duris, panelė Noris stabtelėjo. Visą kelią iki valgomojo ji nuėjo tiksliai statydama pėdas į patį kopūstinių rožių centrą kilimo raštuose. Akimirką luktelėjo, paskui vieną po kitos perkėlė kojas per slenkstį ir įžengė į valgomąjį, tarsi lipdama per nematomą lipynę sulig kulkšnimis.

Atsisėdusi prie vieno apvalaus staltiese užtiesto stalo, išlankstė servetėlę ant kelių.

– Dar valandą nebus vakarienės, – šūktelėjo virėja iš virtuvės.

Bet panelė Noris neatsakė. Ji tik mandagiai žiūrėjo tiesiai priešais save.

Pasistačiau kėdę prie stalo priešais ją ir išlanksčiau servetėlę. Mes nesikalbėjome, tiesiog sėdėjome, seseriškai tylėdamos, kol koridoriuje nuskambėjo gongas, kviečiantis vakarienės.

– Atsigulk, – paragino seselė. – Suleisiu tau dar vieną injekciją.

Apsiverčiau ant pilvo lovoje ir pasikėliau sijoną. Paskui nusmaukiau šilkinės pižamos kelnes.

– Dievulėliau, ką jūs visos velkatės po sijonais?

– Tai pižama. Nereikia visą laiką vilktis pirmyn atgal.

Slaugė pliaukštelėjo liežuviu. Paskui pasakė:

– Į kurią pusę?

Tai senas pokštas.

Pakėliau galvą ir per petį pažvelgiau į plikus sėdmenis. Jie buvo nusagstyti purpurinėmis, žaliomis ir mėlynomis mėlynėmis nuo ankstesnių injekcijų. Kairė pusė atrodė tamsesnė už dešinę.

– Į dešinę.

– Kaip nori, – slaugė įbedė adatą, o aš krūptelėjau, mėgaudamasi nestipriu skausmu. Kiekvieną dieną slaugės po tris kartus leisdavo man vaistus ir, praėjus maždaug valandai po kiekvienos injekcijos, duodavo man saldžių vaisių sulčių ir stovėdavo šalia, stebėdamos, kaip jas geriu.

– Tu laiminga, – pasakė man Valerija. – Tau leidžia insuliną.

– Nieko nejaučiu.

– O, pajusi. Man jau leido. Pasakyk, kai įvyks reakcija.

Bet atrodė, kad neįvyks jokia reakcija. Aš tik storėjau. Naujieji per dideli drabužiai, kuriuos man nupirko motina, jau veržė per siūles, o kai pažvelgdavau į išsipūtusį pilvą ir storas šlaunis, galvodavau: „Kaip gerai, kad ponia Gvinėja manęs tokios nemato. Atrodau taip, tarsi netrukus gimdyčiau“.

– Ar matei mano randus?

Valerija praskleidė juodus karčiukus ir parodė dvi blyškias žymes abiejose kaktos pusėse, tarsi kažkada jai būtų pradėję dygti ragai, bet ji juos nusipjovė.

Mudvi vaikštinėjome su sporto terapeutu beprotnamio sode. Dabar man vis dažniau leisdavo eiti pasivaikščioti. O panelės Noris išvis niekada neišleisdavo į lauką.

Valerija sakė, kad ji turėtų būti ne Kaplane, bet pastate labiau sergantiems žmonėms, kuris vadinamas Vimarku.

– Ar žinai, kokie čia randai? – neatlyžo Valerija.

– Ne. Kokie?

– Man darė lobotomiją.

Pagarbiai pažiūrėjau į Valeriją, pirmą kartą įvertindama jos nuolatinę bejausmę ramybę.

– Kaip jautiesi?

– Puikiai. Aš nebepykstu. Anksčiau nuolat pykdavau. Prieš tai buvau Vimarke, o dabar esu Kaplane. Galiu su slauge išeiti į miestą, parduotuves ar į kiną.

– Ką darysi, kai išeisi?

– O, aš neišeisiu, – nusijuokė Valerija. – Man čia patinka.

– Kraustymosi diena!

– Kodėl turėčiau persikraustyti?

Slaugė nerūpestingai varstė stalčius, ištuštino spintą ir sudėjo mano daiktus į juodą lagaminėlį.

Pamaniau, kad mane pagaliau perkelia į Vimarką.

– Ne, tu tik persikelsi į namo priekį, – linksmai pasakė slaugė. – Tau ten patiks. Ten kur kas dažniau šviečia saulė.

Kai išėjome į koridorių, pamačiau, kad panelė Noris irgi perkeliama. Jauna linksma slaugė kaip ir maniškė stovėjo ant panelės Noris kambario slenksčio, padėdama jai apsivilkti purpurinį paltą su siaura voverės kailiuko apykakle.

Valanda po valandos sėdėdavau šalia jos lovos, atsisakydama malonių terapijos seansų, pasivaikščiojimų, badmintono varžybų ir net savaitgalio kino seansų, kurie man patiko ir kuriuose niekada nesilankė panelė Noris. Paprasčiausiai mąstydavau šalia jos blyškių nekalbančių lūpų.

Kaip bus smagu, jei ji pravers lūpas ir prabils, o aš išbėgsiu į koridorių ir pranešiu tai slaugėms! Jos pagirs mane už tai, kad padrąsinau panelę Noris, ir man tikriausiai leis išeiti į miestą apsipirkti ir į kiną, ir tada aš galėsiu pasprukti.

Bet per visas mano budėjimo valandas panelė Noris neištarė nė žodžio.

– Kur persikeli? – paklausiau jos.

Slaugė prilietė panelės Noris alkūnę, ir ji sujudėjo kaip lėlė ant ratukų.

– Ji perkeliama į Vimarką, – sušnibždėjo man slaugė. – Deja, panelė Noris persikelia ne ten, kur tu.

Stebėjau, kaip ji perkelia kojas per nematomą lipynę, užstojančią durų slenkstį.

– Turiu tau staigmeną, – pasakė slaugė, įvedusi mane į saulėtą kambarį priekiniame sparne, pro jo langą matėsi žalios golfo aikštelės. – Šiandien ateis tavo pažįstama.

– Mano pažįstama?

Slaugė nusijuokė.

– Nežiūrėk į mane taip. Tai ne policininkė, – paskui, man nieko neatsakius, ji pridūrė: – Ji sako, kad yra sena tavo draugė. Gyvena šalia. Kodėl gi jos neaplankai?

Pamaniau, kad slaugė juokauja, ir, jei pasibelsiu į gretimas duris, tai atsakymo neišgirsiu. Įėjusi pamatysiu panelę Noris, apvilktą purpuriniu paltu su voverės kailio apykaklaite, ji gulės lovoje, o jos burna žydės tylioje kūno vazoje kaip rožės pumpuras.

Vis dėlto išėjau ir pabeldžiau į gretimas duris.

– Užeikite! – pakvietė linksmas balsas.

Pravėriau duris ir pro plyšį pažvelgiau į kambarį. Sėdinti prie lango stambi arkliško veido mergina, apsivilkusi jojikės kelnėmis, man plačiai nusišypsojo.

– Estera! – sušvokštė ji, tarsi būtų bėgusi ilgut ilgiausią distanciją ir ką tik stabtelėjusi pailsėti. – Malonu tave matyti. Man pasakė, kad esi čia.

– Džoana? – nedrąsiai paklausiau. – Džoana! – sušukau, negalėdama tuo patikėti.

Džoana nusišypsojo; jos dantys buvo dideli, žvilgantys, tikri.

– Tai tikrai aš. Žinojau, kad nustebsi.

Šešioliktas skyrius

Džoanos kambarys su spinta, komoda, stalu, kėde ir balta antklode, paženklinta didele melsva raide C, buvo veidrodinis mano kambario atvaizdas. Man toptelėjo, kad Džoana, sužinojusi, kur esu, per apgavystę gavo kambarį beprotnamyje, norėdama iškrėsti pokštą. Tada paaiškėtų, kodėl ji pasakė slaugei, kad esu jos draugė. Juk aš nepažįstu Džoanos, tik kartais matydavau ją iš tolo.

– Kaip čia patekai? – susirangiau ant Džoanos lovos.

– Skaičiau apie tave, – atsakė Džoana.

– Ką?

– Perskaičiau apie tave ir pabėgau.

– Kaip? – ramiai paklausiau.

– Taigi, – Džoana atsirėmė į gėlėtu kartūnu apmušto fotelio atlošą, – vasarą dirbau tokios brolijos skyriaus vadovui, na, kaip masonų, bet jie buvo ne masonai. Jaučiausi siaubingai. Man ant didžiojo kojos piršto atsivėrė skaudulys, vos galėjau paeiti... Paskutinėmis dienomis eidama į darbą turėjau apsiauti kaliošus vietoj batų, taigi įsivaizduok, kaip tai paveikė mano nuotaiką...

Pagalvojau, kad Džoana arba pati yra beprotė, kad audavosi kaliošus į darbą, arba ji mėgina nustatyti mano kvailumo laipsnį: žiūri, ar visu tuo patikėsiu. Be to, tik seniems žmonėms atsiveria skauduliai ant pirštų. Nusprendžiau apsimesti tikinti, jog ji beprotė, o visą laiką tik pataikavau jai.

– Be batų visada jaučiuosi šlykščiai, – dviprasmiškai nusišypsojau. – Ar tau labai skaudėjo koją?

– Baisiai. O mano viršininkas, – jis ką tik išsikraustė iš savo žmonos namų, nes negalėjo paprasčiausiai išsiskirti, to neleidžia jo draugijos įstatai, – viršininkas man skambindavo kas minutę, o vos tik pajudėdavau, koją imdavo velniškai skaudėti. Kai tik vėl atsisėsdavau prie stalo, suzvimbdavo skambutis, ir jis liepdavo man atnešti dar ką nors iš jo iždo...

– Kodėl neišėjai?

– Na, beveik išėjau. Gavau nedarbingumo lapelį ir nėjau į darbą. Niekur neišeidavau. Su niekuo nesusitikdavau. Įkišau telefoną į stalčių ir niekada neatsakinėdavau į skambučius... Paskui mano gydytojas nusiuntė mane pas psichiatrą į šią didelę ligoninę. Turėjau su juo susitikti dvyliktą. Jaučiausi baisiai. Pagaliau pusę pirmos išėjo registratorė ir pasakė, kad gydytojas išėjo priešpiečių. Ji paklausė, ar norėčiau palaukti, ir aš pasakiau: „Taip“.

– Ar jis grįžo? – buvo labai panašu, kad Džoana muilina man akis, bet aš leidau jai tęsti, norėdama pasižiūrėti, kas iš to išeis.

– O, taip. Žinai, aš ketinau nusižudyti. Sakiau: „Jei šiam gydytojui nepavyks, tai galas“. Ką gi, registratorė nuvedė mane ilgu koridoriumi, o kai priėjome prie durų, ji pasisuko į mane ir paklausė: „Ar neprieštarausi, jei su gydytoju bus keletas studentų?“ Ką galėjau pasakyti? „Ak, ne“, – atsakiau. Įėjusi pamačiau į mane įbestas devynias poras akių. Devynias! Aštuoniolika atskirų akių. Taigi jei ta registratorė būtų

man pasakiusi, kad tame kambaryje bus devyni žmonės, būčiau tučtuojau išėjusi. Bet įėjus į vidų, buvo per vėlu ko nors imtis. Tai va, tą dieną aš vilkėjau kailinius...

– Rugpjūtį?

– Na, buvo šalta, drėgna diena, o aš pamaniau, tai mano pirmas psichiatras... Šiaip ar taip, visą laiką, kol su juo kalbėjau, gydytojas dėbsojo į kailinius, ir mačiau, ką jis galvoja apie mano prašymą, kaip studentei, padaryti nuolaidą apžiūrai. Jo akyse mačiau dolerius. Na, nežinau, ko jam ten priplepėjau – ir apie skaudulius, ir apie telefoną stalčiuje, ir apie tai, kad norėjau nusižudyti, – o tada jis paprašė, kad palaukčiau už durų, kol jis aptars mano atvejį su kitais. Kai jis vėl mane pasišaukė, žinai, ką pasakė?

– Ką?

– Jis sunėrė rankas ant krūtinės, pažiūrėjo į mane ir tarė: „Panele Džiling, mes nutarėme, kad jums labiausiai tiks grupinė terapija“.

– Grupinė terapija? – pagavau save kalbant nenuoširdžiai, – turbūt priminiau aidą, bet Džoana visai nekreipė į tai dėmesio.

– Taip jis ir pasakė. Ar gali įsivaizduoti: aš norėjau nusižudyti, ir štai einu apie tai pasišnekučiuoti su gauja nepažįstamųjų, kurių daugelis jaučiasi ne geriau už mane...

– Tai beprotystė, – nenorom susidomėjau. – Juk tai nežmoniška.

– Kaip tik taip ir pasakiau. Parėjusi namo, parašiau tam gydytojui laišką. Parašiau jam gražų laišką ir išdėsčiau, kad tokie žmonės tikrai neturėtų teikti pagalbos sergantiesiems...

– Ar gavai atsakymą?

– Nežinau. Kaip tik tądien perskaičiau apie tave.

– Kaip?

– Na, – atsiduso Džoana, – atseit policija galvojo, jog esi

mirusi ir taip toliau. Kažkur turiu krūvą iškarpų, – ji sunkiai pakilo, o nuo jos pasklido toks arklių tvaikas, kad man pradėjo perštėti nosį. Džoana buvo jojimo per kliūtis lenktynių čempionė vietos koledže, ir aš svarsčiau, ar kartais ji nemiega arklidėse.

Džoana pasirausė atidarytame lagamine ir ištraukė gniužulą iškarpų.

– Štai, pasižiūrėk.

Pirmoje iškarpoje buvo padidinta nuotrauka. Ji vaizdavo išsiviepusią mergaitę juodais akių šešėliais ir juodomis lūpomis. Neįsivaizdavau, iš kur jie ištraukė tokią vulgarią nuotrauką, kol nepamačiau Blumingdeilio auskarų ir vėrinio, ryškiai spindinčių tarsi žvaigždės.

DINGO STIPENDININKĖ. MOTINA NERIMAUJA. Straipsnyje po nuotrauka buvo pasakojama, kad ši mergina dingo iš namų rugpjūčio septynioliktą, kad ji vilkėjo žalią sijoną ir baltus marškinius bei paliko raštelį pranešdama, kad išėjo pasivaikščioti. Ilgam. *„Kai mis Grynvud negrįžo iki vidurnakčio,* – buvo rašoma čia, – *jos motina paskambino miesto policijai“.*

Kitoje iškarpoje buvo motinos, brolio ir mano nuotrauka. Mes stovėjome drauge užpakaliniame kieme ir šypsojomės. Negalėjau pasakyti, kas mus ten nufotografavo, kol nepamačiau, kad vilkiu kombinezoną ir aviu baltus sportbačius. Tada prisiminiau, kad taip rengiausi špinatų skynimo vasarą, tada užsuko Doda Konvėj ir vieną karštą popietę nufotografavo keletą šeimyniškų mūsų trijulės kadrų. *„Ponia Grynvud prašė, kad išspausdintume šią nuotrauką, vildamasi, kad jos duktė panorės grįžti namo“.*

BAIMINAMASI, KAD MERGINA IŠSINEŠĖ MIGDOMUOSIUS

Tamsi nuotrauka su tuzinu apskritaveidžių žmogėnų miške vidurnaktį. Žmonės eilės gale atrodė keisti ir neįprastai

maži, bet paskui įsižiūrėjau, jog ten ne žmonės, o šunys. *„Dingusios mergaitės paieškai pasitelkti šunys pėdsekiai. Policininkas seržantas Bilas Hindlis sako: „Nieko gero“.*

MERGINA RASTA GYVA!

Paskutinėje nuotraukoje policininkas į greitąją kėlė ilgą, suglebusį, į antklodę suvyniotą kūną su bebruože kopūstine galva. Po ja buvo parašyta, kaip motina skalbė rūsyje ir išgirdo silpnas aimanas iš nenaudojamos angos...

Padėjau iškarpas ant balto lovos apkloto.

– Pasilaikyk jas, – pasiūlė Džoana. – Įsisek į iškarpų albumą.

Sulanksčiau jas ir įsidėjau kišenėn.

– Perskaičiau apie tave, – tęsė Džoana, – bet ne tai, kaip jie tave rado, o viską iki to... Tada pasiėmiau visus pinigus ir pirmu lėktuvu išskridau į Niujorką.

– Kodėl į Niujorką?

– Na, pamaniau, kad Niujorke bus lengviau nusižudyti.

– Ką darei?

Džoana susigėdusi nusišypsojo ir ištiesė priekin rankas delnais į viršų. Baltoje jos riešų odoje iškilo dideli raudoni randai, primenantys miniatiūrinę kalnų grandinę.

– Kaip tu tai padarei? – pirmą kartą man toptelėjo, kad mes su Džoana turime šį tą bendra.

– Išgrūdau kumščiais kambariokės langą.

– Kokios kambariokės?

– Senos, iš koledžo. Ji dirbo Niujorke, o aš nežinojau, kur dar apsistoti, be to, man beveik neliko pinigų, tad apsistojau pas ją. Ten mane ir rado tėvai: ji jiems parašė, kad keistai elgiuosi, tad tėvas tučtuojau atskrido ir parsitempė mane atgal.

– Bet dabar gerai jautiesi, – pareiškiau.

Džoana stebėjo mane šviesiomis pilkomis akimis.

– Tikriausiai, – atsakė. – O tu ne?

Po vakarienės užmigau.

Mane pažadino garsus balsas. *Ponia Banister, ponia Banister, ponia Banister, ponia Banister.* Kai išsibudinau, supratau, jog trankau į lovos atlošą rankomis ir šaukiu. Priešais akis sušmėžavo ryški kuprota naktinės slaugės ponios Banister figūra.

– Ei, nenorime, kad jį sudaužytum.

Ji atsegė man laikrodį.

– Kas yra? Kas nutiko?

Ponia Banister nusišypsojo.

– Tau reakcija.

– Reakcija.

– Taip, kaip jautiesi?

– Keistai. Kažkaip lengva ir tuščia.

Ji padėjo man atsisėsti.

– Dabar tau bus geriau. Labai greitai pasidarys geriau. Ar norėtum išgerti šilto pieno?

– Taip.

Ir kai ponia Banister pridėjo puodelį man prie lūpų, aš sulaikiau pieną ant liežuvio, o nurijusi mėgavausi juo, kaip vaikas mėgaujasi motina.

– Ponia Banister man sakė, kad tau buvo reakcija, – gydytoja Nolan atsisėdo į fotelį prie lango ir išsitraukė degtukėlių dėžutę. Ji atrodė lygiai tokia pat kaip ta, kurią paslėpiau už chalato atvarto, ir akimirką svarsčiau, gal slaugė ją ten rado ir slapčia grąžino gydytojai Nolan.

Ji brūkštelėjo degtuku per dėžutės šoną, o aš stebėjau, kaip gyva geltona liepsnelė lyžčioja cigaretę.

– Ponia B. sakė, kad jautiesi geriau.

– Kurį laiką buvo geriau. Dabar vėl jaučiuosi kaip seniau.

– Turiu tau naujienų.

Laukiau. Kasdien, – jau nežinau, kiek dienų, – rytais, po pietų ir vakarais sėdėdavau susisupusi į baltą antklodę ant kėdės nišoje, apsimesdama, kad skaitau. Miglotai nujaučiau, kad gydytoja Nolan skyrė man tam tikrą dienų skaičių ir kad ji tučtuojau pasakys kaip tik tai, ką sakė gydytojas Gordonas: „Gaila, bet tau nepagerėjo. Dabar gydysime tave šoku...“

– Na ką, argi nenori išgirsti, kokios jos?

– Kokios? – niūriai paklausiau ir įsitempiau.

– Kurį laiką tavęs niekas nebelankys.

Nustebusi pažiūrėjau į ją.

– Juk tai nuostabu.

– Taip ir maniau, kad būsi patenkinta, – nusišypsojo ji.

Paskui mes abi žvilgtelėjom į šiukšlių krepšį šalia mano komodos. Iš jo kyšojo kraujo raudonumo ilgakočių rožių pumpurai. Čia jų buvo dvylika.

Šią popietę manęs atėjo aplankyti motina.

Ji nebuvo vienintelė ilgoje lankytojų eilėje... Lankėsi buvusi darbdavė, dama krikščionė mokslininkė, kuri vaikštinėjo su manimi pievele ir kalbėjo apie biblinį rūką, kylantį tiesiai iš žemės, apie tai, kad rūkas – klaida, kad visi mano būties rūpesčiai – tai tik tikėjimas tuo rūku, ir kai tik liausiuosi juo tikėjusi, jis pranyks, o aš pamatysiu, kad visada jaučiausi gerai. Lankėsi ir vidurinės mokyklos anglų kalbos mokytojas, kuris atėjo išmokyti mane žaisti žodžių loto, manydamas, kad galbūt taip atgis mano senasis susidomėjimas žodžiais. Buvo ir pati Filomena Gvinėja, kuriai visai nepatiko gydytojų veiksmai, ir ji nuolat tai jiems kartojo.

Nekenčiau tų vizitų.

Sėdėdavau nišoje ar savo kambaryje, staiga įšokdavo besišypsanti slaugė ir pranešdavo apie vieną ar kitą lankytoją. Kartą atėjo net unitorių bažnyčios dvasininkas, o jo tai aš niekada nemėgau. Jis visą laiką baisiai nervinosi. Atrodo, jis mane laikė pamišėle, nes pasakiau jam, kad tikiu pragaru, ir kad tam tikri žmonės, tokie kaip aš, turi gyventi pragare dar nenumirę: taip jie galėtų praleisti tą pakopą po mirties, nes netiki pomirtiniu gyvenimu. Juk kiekvienam žmogui po mirties nutinka tai, kuo jis tikėjo.

Nekenčiau tų vizitų, nes jaučiau, kad lankytojai stebi mano riebaluotus nutįsusius plaukus, galvoja, kokie jie buvo anksčiau ir kokie turėtų būti. Žinojau, kad jie išeina visiškai suglumę.

Jei jie paliktų mane ramybėje, gal truputį nusiraminčiau.

Motina buvo blogiausia iš jų. Ji niekada manęs neplūdo, tik, nutaisiusi gailestingą išraišką, maldaudavo, kad pasakyčiau, ką ji padarė blogai. Ji esanti įsitikinusi, jog gydytojai mano, kad ji kažką darė ne taip, nes jie vis uždavinėja daugybę klausimų, klausia, kaip ji mane mokė naudotis tualetu, o juk aš juo išmokau naudotis dar ankstyvame amžiuje ir niekada nekėliau jokių rūpesčių.

Šią popietę motina atnešė man rožių.

– Pasaugok jas mano laidotuvėms, – pasiūliau.

Motinos veidas išpurto, rodės, ji tuoj apsižliumbs.

– Bet, Estera, argi neprisimeni, kokia šiandien diena?

– Ne.

Pamaniau, kad galbūt šiandien Švento Valentino diena.

– Tavo gimtadienis.

Kaip tik tada ir įgrūdau rožes į šiukšlių krepšį.

– Ji pasielgė kvailai, – paaiškinau gydytojai Nolan.

Ji linktelėjo. Atrodė, ji supranta, ką noriu pasakyti.

– Aš jos nekenčiu, – pridūriau ir laukiau smūgio.

Bet gydytoja Nolan tik nusišypsojo man, tarsi būtų kažkuo labai patenkinta, ir atsakė:

– Tikriausiai nekenti.

Septynioliktas skyrius

– Šiandien tau pasisekė.

Jauna slaugė nuėmė pusryčių padėklą ir paliko mane, susuktą baltoje antklodėje, tarsi keleivę, kvėpuojančią jūros oru laivo denyje.

– Kodėl pasisekė?

– Na, nesu tikra, ar jau turėtum tai žinoti, bet šiandien tave perkelia į Belsaizą, – slaugė susidomėjusi pažvelgė į mane.

– Į Belsaizą? – pakartojau. – Negaliu ten persikelti.

– Kodėl?

– Nesu pasiruošusi. Nesu dar sveika.

– Aišku, kad esi. Nesijaudink, tavęs neperkeltų, jei nebūtum dar sveika.

Kai slaugė išėjo, mėginau suprasti šį naują gydytojos Nolan poelgį. Ką ji mėgina įrodyti? Aš nepasikeičiau. Niekas nepasikeitė. O Belsaizas – geriausias namas iš visų. Iš Belsaizo žmonės grįžta į darbą, į mokyklą ir į namus.

Džoana bus Belsaize. Džoana su fizikos knygomis, golfo lazdomis, badmintono raketėmis ir kvėpčiojančiu balsu. Džoana, kuri tarsi praraja tarp manęs ir tikrai sveikų žmonių.

Nuo tada, kai ji paliko Kaplaną, aš sekiau jos progresą pro beprotnamio vynuogienojus.

Džoana galėjo eiti pasivaikščioti, apsipirkti, galėjo išeiti į miestą. Surinkau visas žinias apie ją į karčią krūvelę ir, ką nors apie ją išgirdusi, apsimesdavau besidžiaugianti. Ji buvo spinduliuojanti mano geresniojo „aš" antrininkė, tarsi sukurta, kad sekiotų man iš paskos ir mane kankintų.

Gal Džoana bus jau išvykusi, kai ateisiu į Belsaizą.

Na, Belsaize bent jau galėsiu pamiršti gydymą šoku. Kaplane daugelį moterų gydydavo šoku. Galėjau pasakyti, kurias, nes jos negaudavo pusryčių padėklų drauge su mumis. Kol pusryčiaudavome kambariuose, jas gydydavo šoku, o paskui jos, ramios ir prislopusios, atslinkdavo į poilsio kambarį: jas tarsi vaikus vesdavosi už rankų slaugės, čia jos ir suvalgydavo pusryčius.

Kas rytą, kai išgirsdavau, kaip pasibeldžia slaugė su padėklu, man nežmoniškai palengvėdavo, nes žinodavau tądien išvengusi pavojaus. Niekaip nesupratau, kaip gydytoja Nolan gali teigti, jog užmiegi per gydymą šoku, jei jos pačios niekada šoku negydė. Kaip ji gali suprasti, kad žmogus tik atrodo miegantis, o iš tiesų visą laiką viduje jaučia mėlynus voltus ir triukšmą?

Koridoriaus gale skambėjo pianino muzika.

Per vakarienę sėdėjau ramiai ir klausiausi Belsaizo moterų čiauškėjimo. Visos jos buvo madingai apsirengusios ir dailiai pasidažiusios, kelios jų ištekėjusios. Kai kurios apsipirkdavo mieste, o kitos išeidavo aplankyti draugų, ir visą vakarienę jos pokštavo tarpusavyje.

– Užeičiau pas Džeką, – kalbėjo moteris, vardu DiDi, – tik bijau, kad jo nebus namie. Tačiau žinau, kur galėčiau jį rasti.

Ir čia prajuko maža žvitri blondinė, sėdinti prie mano staliuko.

– Šiandien gydytojas Loringas buvo beveik ten, kur norėjau, – ji išplėtė nustebusias mėlynas akutes kaip lėlytė. – Būčiau ne prieš iškeisti senį Persį į naują modelį.

Kitame kambario gale Džoana kimšo konservuotą kiaulieną ir keptus pomidorus už abiejų žandų. Rodės, kad ji tarp šių moterų jaučiasi sava, o su manimi elgėsi atsainiai, tarsi niekindama, kaip su kokia žemesne ar vos pažįstama būtybe.

Tuoj po vakarienės nuėjau į lovą, bet paskui, išgirdusi pianino garsus, ėmiau įsivaizduoti, kaip Džoana, DiDi ir Lubelė, ta blondinė, ir visos kitos juokiasi ir šnabždasi apie mane svetainėje man už akių. Jos kalba, kaip baisu turėti tokių žmonių kaip aš Belsaize ir kad geriau mane reikėtų nugrūsti į Vimarką.

Nusprendžiau padėti tašką jų bjaurioms šnekoms.

Lengvai užsimetusi antklodę ant pečių, tarsi šerpę, nužingsniavau koridoriumi šviesos ir linksmų balsų link.

Likusį vakarą klausiausi, kaip DiDi barškino kažkokias savo daineles dideliu pianinu, o kitos moterys sėdėjo rateliu, lošė bridžą ir tarškėjo, tarsi būtų koledžo bendrabutyje, nepaisant to, kad dauguma jų koledžą turėjo baigti jau prieš dešimt metų.

Viena jų, aukšta stambi, žilaplaukė moteris, gaudžianti bosu, vardu ponia Savaž, buvo kilusi iš Vasaro. Iš karto galėjau pasakyti, kad ji aukštuomenės dama, nes kalbėjo tik apie debiutantes. Rodos, ji turėjo dvi ar tris dukteris, ir šiais metais jos visos turėjo debiutuoti baliuose. Tik ji jų debiutinį balių sugadino – pateko į beprotnamį.

DiDi sukūrė vieną dainą, kurią pavadino „Pienininkas“, ir visos kalbėjo, kad jai reikėtų tą dainą išleisti, ir ji bus hitas.

Pirmiausia DiDi pirštais subildindavo melodijūkštę klavišais, tarsi kanopomis lėtai tuksėtų ponis, paskui įsiterpdavo kita melodija, primenanti švilpaujantį pienininką, o galiausiai abi melodijos susiliedavo.

– Labai gražu, – draugiškai pagyriau.

Džoana buvo atsirėmusi į vieną pianino kampą ir vartė naują madų žurnalą, o DiDi šypsojosi jai taip, tarsi jos abi turėtų kokią paslaptį.

– O, Estera, – staiga pasakė Džoana, laikydama žurnalą, – ar čia tu?

DiDi liovėsi groti.

– Duokš pažiūrėti, – ji pažiūrėjo į žurnalo puslapį, kurį jai parodė Džoana, o paskui į mane.

– O, ne, – atkirto DiDi. – Aišku, kad ne, – ji vėl pažiūrėjo į žurnalą, paskui į mane. – Niekada!

– Bet čia Estera, argi čia ne Estera? – neatlyžo Džoana.

Lubelė ir misis Savaž priplaukė prie jos, ir aš, apsimesdama, kad viską suprantu, su jomis priėjau prie pianino.

Žurnalo nuotraukoje buvo mergina pūkuotos baltos medžiagos vakarine suknele be petnešėlių, išsišiepusi iki ausų, o prie jos lankstėsi visa krūva berniukų. Mergina laikė stiklą su perregimu gėrimu, ir atrodė, kad jos akys nukreiptos į kažką, stovintį man už nugaros, – ji spoksojo man per petį, kiek į kairę nuo manęs. Ant kaklo pajutau kažkieno alsavimą. Apsisukau.

Nepastebėta įėjo naktinė slaugė, tapsėdama minkštais guminiais padais.

– Eik sau, – cyptelėjo ji. – Negi čia tikrai tu?

– Ne, čia ne aš. Džoana apsiriko. Čia kita mergina.

– Pasakyk, kad čia tu! – suklykė DiDi.

Bet apsimečiau, kad jos neišgirdau, ir nusisukau.

Paskui Lubelė paprašė, kad slaugė pabūtų ketvirta bridžo partijoje, o aš prisitraukiau kėdę, norėdama pažiūrėti, nors visai nieko neišmaniau apie bridžą – nebuvo laiko išmokti žaisti koledže taip, kaip išmoko visos turtingos merginos.

Spoksojau į plokščius neišraiškingus karalių, valetų ir damų veidus ir klausiausi, kaip slaugė pasakoja apie sunkų savo gyvenimą.

– Jūs, damos, nežinote, ką reiškia plėšytis per du darbus, – aiškino ji. – Naktimis būnu čia, prižiūriu jus...

Lubelė sukikeno.

– O, mes gerutės. Mes geriausios iš visų, jūs tai žinote.

– Jūs visai nieko, – slaugė pasiuntė aplink mėtinės gumos pakelį, paskui pati išvyniojo rausvą gabalėlį. – Jūs visai nieko, tik kad mane nugainioja tos bukagalvės valstybinėje ligoninėje.

– Vadinasi, dirbate abiejose vietose iš karto? – staiga susidomėjau.

– Tai jau taip, – slaugė nuvėrė mane žvilgsniu, ir supratau, kad ji mano, jog man visai nėra ką veikti Belsaize. – Jums ten visai nepatiktų, ledi Džeine.

Man buvo keista, kad slaugė pavadino mane ledi Džeine, nors puikiai žinojo, kuo aš vardu.

– Kodėl? – neatlyžau.

– O, tai visai ne tokia jauki vietelė kaip ši. Čia paprasčiausias kaimo klubas. O ten nėra nieko. Nei terapijos, nei pasivaikščiojimų...

– Kodėl ten žmonės neina pasivaikščioti?

– Nėra pakankamai dar-buo-to-jų, – slaugė susižėrė kirtį, o Lubelė sunkiai atsiduso. – Patikėkit manim, ponios, kai surinksiu pakankamai do-re-mi, kad nusipirkčiau mašiną, dingsiu iš ten.

– Ar iš čia irgi išeisite? – norėjo sužinoti Džoana.

– Tai jau. Nuo tol tik privačiai prižiūrėsiu ligonius. Kai taip jaučiuosi...

Bet aš nebesiklausiau.

Jaučiau, kad slaugei nurodyta pranešti man apie galimybes. Arba man pagerės, arba krisiu vis žemyn žemyn, tarsi liepsnojanti, o paskui sudegusi žvaigždė, iš Belsaizo į Kaplaną, į Vimarką ir galiausiai, kai gydytoja Nolan ir ponia Gvinėja pasiduos, į greta esančią valstybinę ligoninę.

Apsivyniojau antklode ir atstūmiau kėdę.

– Sušalai? – šiurkščiai paklausė slaugė.

– Taip, – atsakiau, išeidama į koridorių. – Suledėjau.

Atsibudau baltame kokone, sušilusi ir nusiraminusi. Blyškūs žiemiški saulės spinduliai akino mane iš veidrodžio, stiklinių ant komodos ir metalinių durų rankenų. Kitoje koridoriaus pusėje, virtuvėje kambarinės, kaip visada, anksti ryte tarškino indus, ruošdamos pusryčių padėklus.

Išgirdau, kaip slaugė pasibeldė į gretimo kambario duris, tolimajame koridoriaus gale. Sugriaudėjo mieguistas ponios Savaž balsas, ir slaugė įėjo pas ją, žvangindama padėklu. Su pasitenkinimu pagalvojau apie garuojantį mėlyno porceliano ąsotėlį su kava, tokį pat puoduką bei storo mėlyno porceliano ąsotį su baltomis saulutėmis.

Ėmiau su viskuo susitaikyti.

Jei krisiu, bent laikysiuosi įsitvėrusi šių mažų patogumų, kol tik galėsiu.

Slaugė pabeldė į mano duris ir įplaukė vidun, nepalaukusi, kol atsakysiu.

Tai buvo nauja slaugė – jos vis keitėsi, – liesu smėlio spalvos veidu ir smėlio spalvos plaukais, o ant kaulėtos nosies ryškėjo didelės strazdanos. Kažkodėl, pamačius šią slaugę, man pasidarė negera, ir tik tada, kai nuėjo per kambarį ir atitraukė žalias naktines užuolaidas, supratau, kodėl ji atrodė keistai: ji atėjo tuščiomis rankomis.

Pravėriau lūpas paklausti, kur mano pusryčių padėklas, bet tučtuojau susičiaupiau. Gal slaugė mane su kuo nors supainiojo. Naujos slaugės nuolat klysta. Gal kokia man nepažįstama moteris Belsaize gydoma šoku, ir slaugė, savaime suprantama, mane su ja sumaišė.

Laukiau. Slaugė apėjo mano kambarį, šį tą patapšnodama, šį tą ištiesindama, šį tą patvarkydama, paskui nunešė padėklą Lubelei, kurios palata buvo tolėliau.

Tada apsiaviau šlepetes, tempdama su savimi paklodę, – rytas buvo skaistus, bet labai šaltas, – ir greitai nuėjau į virtuvę. Kambarinė rausva uniforma pilstė eilę mėlynų porcelianinių kavos ąsotėlių iš didelio, apdaužyto katilo ant viryklės.

Su meile pažvelgiau į išrikiuotus laukiančius padėklus – baltos popierinės servetėlės, traškiai sulankstytos į lygiašonius trikampius, kiekviena po sidabrine šakute, blyškūs minkštai virtų kiaušinių kupolai mėlynuose kiaušinių dubenėliuose, stikliniai indeliai su apelsinų marmeladu. Man tik reikia ištiesti ranką, pasiimti savo padėklą, ir pasaulis vėl taps toks, koks buvo.

– Įvyko klaida, – tyliu, konfidencialiu balsu pranešiau kambarinei, pasilenkusi prie bufeto. – Naujoji slaugė šiandien pamiršo atnešti man pusryčių padėklą.

Išspaudžiau linksmą šypseną, rodydama, kad nepykstu.

– Kokia pavardė?

– Grynvud. Estera Grynvud.

– Grynvud, Grynvud, Grynvud, – karpotas slaugės pirštas slydo per Belsaizo pacientų pavardžių sąrašą, prisegtą prie virtuvės sienos. – Grynvud šiandien pusryčių negauna.

Abiem rankom įsitvėriau į bufeto kraštą.

– Tai tikriausiai klaida. Ar esate tikra, kad tai Grynvud?

– Grynvud, – ryžtingai atšovė kambarinė, įėjus slaugei.

Slaugė klausiamai žvelgė tai į mane, tai į kambarinę.

– Panelė Grynvud norėjo savo padėklo, – paaiškino kambarinė, vengdama mano žvilgsnio.

– O, – nusišypsojo man slaugė, – šįryt savo padėklą gausite vėliau, panele Grynvud. Jūs...

Bet nebesiklausiau slaugės. Tarsi akla nuklibikščiavau į koridorių. Ne į savo kambarį, nes ten jie ateis manęs pasiimti, bet į nišą, kur kas mažesnę nei Kaplane, bet vis dėlto tai buvo niša ramiame koridoriaus kamputyje, kur neateis nei Džoana, nei Lubelė, nei DiDi, nei ponia Savaž.

Susirangiau tolimiausiame nišos kamputyje, antklode uždengiau galvą. Mane sukrėtė ne tai, kad gydys šoku, bet akivaizdi gydytojos Nolan išdavystė. Mėgau gydytoją, mylėjau ją, ir ji tvirtai pažadėjo įspėti iš anksto, jei kada privalės gydyti mane šoku.

Jeigu ji būtų man pasakiusi iš vakaro, žinoma, būčiau visą naktį nemiegojusi, bijojusi ir mane kankinusi bloga nuojauta, bet ryte būčiau susikaupusi ir pasiruošusi. Pereičiau koridoriumi, lydima dviejų slaugių, pro DiDi ir Lubelę, pro ponią Savaž ir Džoaną, žengčiau išdidžiai, tarsi žmogus, ramiai susitaikęs su egzekucija.

Slaugė pasilenkė prie manęs ir pašaukė vardu.

Atsitraukiau ir susigūžiau dar tolimesniame kampe. Slaugė pranyko. Žinojau, kad ji grįš po akimirkos su dviem stambiais vyrukais, ir jie neš mane staugiančią ir besiblaškančią pro besišypsančias žiūroves, susirinkusias poilsio kambaryje.

Gydytoja apkabino mane ir priglaudė tarsi motina.

– Sakei, kad praneši man! – sušukau jai pro sutaršytą antklodę.

– Klausyk, – atsiliepė ji, – specialiai atėjau anksti, kad tau pasakyčiau, ir pati tavęs imuosi.

Pažvelgiau į ją pro užtinusių akių plyšelius.

– Kodėl nepasakei man vakar?

– Maniau, kad tada nemiegosi. Jei būčiau žinojusi...

– Sakei, kad man pasakysi.

– Klausyk, Estera, – prabilo gydytoja Nolan. – Būsiu su tavimi. Būsiu su tavimi visą laiką, tad viskas bus gerai – taip, kaip pažadėjau. Būsiu ten, kai tu pabusi, ir palydėsiu tave atgal.

Pažvelgiau į ją. Atrodė labai nusiminusi.

Valandžiukę luktelėjau. Paskui pareikalavau:

– Pažadėk, kad būsi ten.

– Pažadu.

Gydytoja Nolan išsitraukė baltą nosinaitę ir nušluostė man veidą. Paskui paėmė mane už parankės tarsi sena draugė, padėjo atsikelti, ir mudvi nužingsniavome koridoriumi. Antklodė painiojosi man tarp kojų, tad leidau jai nukristi, bet, rodės, gydytoja Nolan to nė nepastebėjo. Mes ėjome pro Džoaną, išdygusią iš savo kambario, ir aš nuvėriau ją reikšmingu žvilgsniu ir niekinamai nusišypsojau. Ši atšoko ir palaukė, kol mudvi nueisime.

Tada gydytoja Nolan atrakino duris koridoriaus gale, nusivedė mane laiptais žemyn į paslaptingus rūsio koridorius, sudėtingu tunelių ir urvų voratinkliu siejančius visus ligoninės pastatus.

Sienos buvo šviesios, o juodose lubose tam tikrais intervalais buvo įtaisyti balti prausyklių kokliai su plikomis lemputėmis. Prie šnypščiančių, gurgiančių vamzdžių, kurie driekėsi ir painiai sukiojosi palei žvilgančias sienas, šen bei ten stovėjo neštuvai ir invalidų vežimėliai. Pakibau ant gydytojos

Nolan parankės tarsi negyvėlė, o ji vis drąsindama suspausdavo man ranką.

Galiausiai sustojome prie žalių durų, ant kurių juodomis raidėmis buvo užrašyta: ELEKTROTERAPIJA. Atšokau, gydytoja Nolan laukė. Paskui pasakiau:

– Užbaikime viską, – ir mudvi įėjome.

Vieninteliai žmonės laukiamajame, be jos ir manęs, buvo mirtinai išblyškęs vyriškis apdriskusiu kaštoniniu chalatu ir jį lydinti slaugė.

– Gal nori prisėsti? – gydytoja parodė į medinį suoliuką, bet mano kojos tarsi suakmenėjo, vien pagalvojus, kaip sunku bus atsikelti nuo jo, kai įeis žmonės, gydantys šoku.

– Geriau pastovėsiu.

Pagaliau pro vidines duris į kambarį įėjo aukšta išblyškusi tarsi lavonas moteris baltu chalatu. Tikėjausi, kad ji prieis ir paims vyrą kaštoniniu chalatu, nes jis buvo pirmas, bet nustebau, kai ji atėjo prie manęs.

– Labas rytas, gydytoja Nolan, – pasisveikino moteris ir padėjo ranką man ant peties. – Ar čia Estera?

– Taip, panele Hjui. Estera, čia panelė Hjui, ji tinkamai tavimi pasirūpins. Aš jai apie tave pasakojau.

Rodės, ta moteris kokių septynių pėdų ūgio. Ji maloniai pasilenkė prie manęs, ir pamačiau, kad jos veidas su atsikišusiais triušio dantimis baisiausiai išmargintas spuogų. Jis priminė mėnulio kraterių žemėlapį.

– Turbūt galime tave pirmiau paimti, Estera, – tarė panelė Hjui. – O ponas Andersonas gali palaukti. Tiesa, pone Andersonai?

Jis nieko neatsakė, tad įėjau į gretimą kambarį, jausdama panelės Hjui ranką ant peties. Gydytoja Nolan atėjo iš paskos.

Pro akių plyšelius, – nes nedrįsau visiškai atsimerkti, juk, pamačiusi viską, galiu numirti iš baimės, – mačiau aukštą lovą su balta užtempta paklode, aparatą už lovos, o anapus jo – žmogų su kauke (tik nesupratau, vyras tai ar moteris). Greta lovos, iš abiejų pusių, stovėjo ir daugiau kaukėtų žmonių.

Panelė Hjui padėjo man užlipti ir atsigulti ant nugaros.

– Kalbėkite su manimi, – paprašiau.

Panelė Hjui ėmė kalbėti tyliu raminamu balsu, tepdama balzamu man smilkinius ir pritaisydama mažyčius elektros mygtukus ant abiejų galvos pusių.

– Viskas bus gerai, nieko nepajusi, tik įsikąsk... – ir ji įkišo kažką man ant liežuvio, aš karštligiškai įsikandau, ir tamsa nutrynė mane kaip kreidą nuo lentos.

Aštuonioliktas skyrius

– Estera.

Budau iš gilaus, sunkaus miego ir pirmiausia priešais save pamačiau plaukiojantį gydytojos Nolan veidą, – jis kartojo:

– Estera, Estera.

Nerangiai pasitryniau ranka akis.

Už gydytojos mačiau moterį, vilkinčią juodai baltą languotą chalatą. Ji atrodė tarsi iš didelio aukščio užmesta ant lovos. Bet man dar nespėjus susivokti, gydytoja Nolan išvedė mane pro duris į gaivų orą. Virš galvos plytėjo mėlynas dangus.

– Juk buvo taip, kaip tau sakiau, tiesa? – paklausė ji, kai drauge ėjome atgal į Belsaizą, o po kojomis šiugždėjo rudi lapai.

– Taip.

– Ką gi, taip bus visada, – rimtai pasakė ji. – Tave gydys šoku tris kartus per savaitę – antradienį, ketvirtadienį ir šeštadienį.

Aš trūkčiodama įtraukiau daugiau oro.

– Kiek laiko?

– Tai priklauso nuo tavęs ir manęs, – paaiškino gydytoja.

Paėmiau sidabrinį peilį ir nupjoviau kiaušinio viršūnėlę. Paskui padėjau jį ir nužvelgiau. Mėginau spėti, už ką mėgau peilius, bet mintys atsikratė proto gniaužtų ir tarsi paukščiai pakibo ir ėmė suptis tuščiame ore.

Džoana su DiDi sėdėjo šalia viena kitos ant pianino kėdutės: DiDi mokė Džoaną skambinti apatinę „Valgomųjų lazdelių" partiją, o pati skambino viršutinę.

Man pasidarė labai gaila, jog Džoanos veidas toks arkliškas – jos tokie dideli dantys, o akys primena du pilkus apvalius akmenukus. Ką gi, ji net neišsaugojo tokio vaikino kaip Badis Vilardas. O DiDi vyras, aišku, gyvena su kokia nors meilužе ir niekina ją kaip seną sukriošusią raganą.

– Gavau laiš-ką, – sudainavo Džoana, įkišusi sušiauštą galvą pro mano duris.

– Tau gerai, – spoksojau į knygą.

Kai po trumpų penkių seansų baigėsi gydymas šoku, jau ir aš galėdavau išeiti į miestą. Džoana ėmė sukiotis aplink mane kaip didelė uždususi vaisinė muselė, tarsi galėtų iščiulpti syvus vien skraidydama kur nors netoliese. Iš jos atėmė visas fizikos knygas, krūvas dulkėtų, smulkiai prirašytų sąsiuvinukų, kūpsojusių jos kambaryje. Jai vėl nebeleisdavo niekur išeiti.

– Ar nenori sužinoti, iš ko jis?

Džoana įsmuko kambarin ir atsisėdo ant mano lovos. Norėjau pasakyti, kad nešdintųsi po velnių, kad nuo jos mane krečia šiurpas, bet negalėjau.

– Gerai, – įkišau pirštą tarp lapų ir užverčiau knygą. – Iš ko?

Džoana ištraukė šviesiai mėlyną voką iš sijono kišenės ir erzindama juo pamojavo.

– Ką gi, tai bent sutapimas! – tarstelėjau.

– Koks dar sutapimas?

Nuėjau prie komodos, paėmiau šviesiai mėlyną voką ir pamojavau juo Džoanai tarsi nosinaite prieš kelionę.

– Aš irgi gavau laišką. Įdomu, ar tik jie ne vienodi.

– Jam geriau, – tarė Džoana. – Jį išrašo iš ligoninės.

Stojo tyla.

– Gal ketini už jo tekėti?

– Ne, – atsakiau. – O tu?

Džoana išsisukinėdama šyptelėjo.

– Šiaip ar taip, jis man nelabai patiko.

– Šit kaip?

– Man patiko tik jo šeima.

– Turi galvoje ponus Vilardus?

– Taip, – Džoanos balsas ėjo man pagaugais per nugarą. – Aš juos mylėjau. Jie buvo labai mieli, labai laimingi, visai nepanašūs į mano tėvus. Nuolat eidavau pas juos į svečius, – ji patylėjo. – Tol, kol neatsiradai tu.

– Man labai gaila, – atsiliepiau ir pridūriau: – Kodėl ir toliau nesilankei pas juos, kad jau taip juos mėgai?

– Negalėjau, – atsakė Džoana. – Juk tu vaikščiojai į pasimatymus su Badžiu. Tai būtų atrodę... Na, nežinau, keistai.

– Tikriausiai, – pagalvojusi murmtelėjau.

– Ar tu, – Džoana dvejojo, – leisi jam atvažiuoti?

– Nežinau.

Iš pradžių pamaniau, kad būtų siaubinga, jei Badis atvažiuotų manęs aplankyti į šią prieglaudą... Tikriausiai jis atvyktų tik piktdžiugiauti ir susidraugauti su kitais gydytojais. Bet paskui pamaniau, kad tai būtų pažanga – prisiminčiau jį, atsižadėčiau jo, nors ir nieko neturiu... Pasakyčiau Badžiui, kad nėra jokio sinchroninio vertimo specialisto – nieko, bet kad jis man netinka ir nebesilaikau jo įsikibusi.

– O tu?

– Taip, – atsiduso Džoana. – Gal jis atsiveš savo motiną. Ketinu jo paprašyti, kad ją atsivežtų...

– Savo motiną?

Džoana nutaisė rūgščią miną.

– Man patinka ponia Vilard. Ji – nuostabiausia moteris pasaulyje. Ji man buvo kaip tikra motina.

Įsivaizdavau ponią Vilard margo tvido kostiumėliu, žemakulniais batais ir išmintingomis motiniškomis sentencijomis. Ponas Vilardas buvo jos mažasis berniukas, o jo balsas – aukštas ir skambus – kaip mažo berniuko. Džoana ir ponia Vilard. Džoana... Ir ponia Vilard...

Tą rytą pasibeldžiau į DiDi duris, norėdama pasiskolinti keletą gaidų keturioms rankoms. Luktelėjau keletą minučių, paskui, neišgirdusi atsakymo ir pamaniusi, kad DiDi tikriausiai išėjusi, o aš galėčiau pasiimti gaidas nuo jos komodos, pastūmiau duris ir įėjau į kambarį.

Belsaize, net ir Belsaize, durys turėjo užraktus, nors pacientai neturėjo raktų. Uždarytos durys reiškė privatumą: tai buvo tas pats, lyg jos būtų ir užrakintos. Žmonės porą kartų pasibelsdavo ir nueidavo šalin. Prisiminiau tai, kai stovėjau gilioje muskusinėje kambario tamsoje ir, apakinta koridoriaus šviesos, beveik nieko negalėjau įžvelgti.

Kai akyse prašviesėjo, pamačiau, kaip nuo lovos kyla šešėlis. Paskui kažkas dusliai sukikeno. Šešėlis pasitaisė plaukus, o dvi blyškios akys akmenėliai įsidėbsojo į mane iš prieblandos. DiDi vėl atsigulė ant pagalvių, nuogomis kojomis, kyšančiomis iš po žalios vilnos chalato. Ji kiek pašaipiai stebėjo mane. Tarp dešinės rankos pirštų žiburiavo cigaretė.

– Tik norėjau... – pratariau.

– Žinau, – atsakė DiDi. – Gaidų.

– Labas, Estera, – pasisveikino Džoana. Vos nesusivėmiau, išgirdusi švokščiantį balsą. – Palauk manęs, Estera, ateisiu su tavim skambinti tos apatinės partijos.

Paskui ji ryžtingai tarė:

– Man niekada iš tikrųjų nepatiko Badis Vilardas. Jis manė esąs visažinis. Manė, kad viską žino apie moteris...

Pažvelgiau į Džoaną. Nepaisant šiurpių jausmų ir senos, įsiėdusios antipatijos, Džoana mane pakerėjo. Tarsi būčiau stebėjusi marsietę ar ypač karpotą rupūžę. Jos mintys nebuvo mano ir jos jausmai nebuvo mano, tačiau mudvi buvome tokios artimos, kad jos mintys ir jausmai atrodė kaip iškreiptas, juodas mano pačios atvaizdas.

Kartais svarstydavau, ar ne aš sukūriau Džoaną. O kartais mąstydavau, ar ji ir toliau iššoks kiekvienoje mano gyvenimo krizėje, kad primintų man, kas aš buvau, ką patyriau, ir toliau išgyventų man panosėje asmenines krizes, tokias panašias į manąsias.

– Nesuprantu, ką viena moteris mato kitoje moteryje, – pasakiau gydytojai Nolan per pokalbį tą popietę. – Ką ji mato kitoje moteryje ir ko negali matyti vyro asmenyje?

Gydytoja Nolan patylėjo. Paskui pasakė:

– Švelnumą.

Teko užsikimšt.

– Man tu patinki, – sakė Džoana. – Patinki labiau už Badį.

O kai ji, kvailai šypsodama, išsitiesė ant mano lovos, prisiminiau menkutį skandalą mūsų koledžo bendrabutyje, kai storulė paskutinio kurso studentė, negraži kaip senutė, šventeiviška religijos specialistė matronos krūtine, ir aukšta nerangi pirmakursė, jau po kelių akimirkų išradingai paliekama aklų pasimatymų vaikinų, pradėjo per dažnai matytis. Jos visada būdavo kartu, o kartą kažkas pamatė, kaip jos glėbesčiuojasi. Viskas vyko storulės kambaryje.

– Bet ką jos darė? – klausiau aš. Kai galvodavau apie vyrus su vyrais ar moteris su moterimis, niekaip negalėdavau įsivaizduoti, ką gi jie ten daro.

– Na, – atsakė šnipė, – Milė sėdėjo ant kėdės, Teodora gulėjo ant lovos, ir Milė glostė Teodorai plaukus.

Nusivyliau. Maniau, kad sužinosiu kai ką ypač nuodėmingo. Svarsčiau, ar visos moterys tiesiog gulinėja ir glėbesčiuojasi su kitomis moterimis.

Aišku, žymi poetė mano koledže gyveno su kita moterimi – kresna sena klasike trumpai kirptais plaukais. O kai pasakiau jai, kad vieną dieną gal ištekėsiu ir turėsiu krūvą vaikučių, ji pasibaisėjusi pažiūrėjo į mane. „Bet kaipgi tavo karjera?“ – suriko ji.

Man įskaudo galvą. Kodėl traukiu tas keistas senas moteris? Buvo įžymi poetė, Filomena Gvinėja, Džei Si ir krikščionė scientologė, ir dar dievai žino kas. Ir visos norėjo mane kaip nors pasisavinti: turėjau tapti jų atvaizdu todėl, kad jos manimi rūpinosi ir darė man įtaką.

– Tu man patinki.

– Bėda ta, Džoana, – pasakiau imdama knygą, – kad tu man nepatinki. Jei nori žinoti, nuo tavęs mane verčia vemti.

Ir išėjau iš kambario, o Džoana suglebusi kaip sena kumelė liko gulėti ant mano lovos.

Laukiau gydytojo svarstydama, ar nevertėtų pabėgti. Žinojau, kad tai, ką darau, nelegalu, – bent jau Masačiūsetse, nes valstijoje pilnut pilna katalikų, – bet gydytoja Nolan sakė, kad jis – senas jos draugas, išmintingas vyras.

– Dėl ko jūs susitinkate? – norėjo žinoti žvitri registratorė balta uniforma, padėdama varnelę prie mano pavardės bloknoto sąraše.

– Kaip suprasti, dėl ko? – maniau, kad niekas manęs to neklaus, tik pats gydytojas. Bendrame laukiamajame buvo pilna kitų pacienčių, laukiančių savo gydytojų, daugelis jų nėščios ar su vaikais, ir jaučiau, kaip jų akys varsto mano plokščią skaistų pilvą.

Registratorė pažvelgė į mane, ir aš nuraudau.

– Apsauga, tiesa? – maloniai paklausė ji. – Tik norėjau pasitikslinti, kiek iš tavęs paimti. Ar tu studentė?

– Taaip.

– Tada bus tik pusė kainos. Penki doleriai vietoj dešimties. Ar išrašyti tau sąskaitą?

Jau norėjau pasakyti namų adresą, kur tikriausiai būsiu tuo metu, kai atsiųs sąskaitą, bet paskui pagalvojau, kad motina, atplėšusi sąskaitą, pamatys, už ką ji. Vienintelis kitas mano adresas buvo nepavojingas pašto dėžutės numeris, kuriuo naudodavosi žmonės, nenorėdami reklamuotis, jog gyvena beprotnamyje. Bet pabūgau, jog registratorė atpažins dėžutės numerį, tad pasakiau:

– Geriau sumokėsiu dabar, – ir ištraukiau penkių dolerių banknotą iš ritinėlio piniginėje.

Penki doleriai buvo dalis sumos, kurią man atsiuntė Filomena Gvinėja kaip kokią „Linkime pasveikti“ dovanėlę. Kažin, ką ji pamanytų, jei sužinotų, kam leidžiu jos pinigus.

Žinojo ar ne, bet ji, Filomena Gvinėja, pirko man laisvę.

– Nekenčiu minties, kad būsiu po vyro padu, – paaiškinau gydytojai Nolan. – Vyras visiškai niekuo nesirūpins, o man virš galvos tarsi didelė lazda kybos kūdikis, sulaikantis mane, kad neišklysčiau iš doros kelio.

– Ar elgtumeis kitaip, jei nereikėtų jaudintis dėl kūdikio?

– Taip, – atsakiau, – bet... – ir papasakojau jai apie ištekėjusią moterį advokatę ir jos straipsnį „Už susilaikymą“.

Gydytoja Nolan laukė, kol baigsiu. Paskui prapliupo juoktis.

– Propaganda! – burbtelėjo ir ant recepto užrašė šio gydytojo pavardę ir adresą.

Nervingai varčiau leidinuką „Kūdikių šneka“. Putlūs skaistūs kūdikių veidukai spoksojo į mane iš visų puslapių – pliki kūdikiai, šokolado spalvos kūdikiai, kūdikiai Eizenhauerio veidu, pirmą kartą apsivertę kūdikiai, siekiantys barškučių, valgantys pilną kieto maisto šaukštą ir atliekantys visus veiksmus, kuriuos daro augdami, žingsnis po žingsnio pereidami į kupiną rūpesčių ir nerimą keliantį pasaulį.

Užuodžiau sugižusio pieno ir sūriomis menkėmis dvokiančių vystyklų kvapus ir pajutau beužplūstant gailestį ir švelnumą. Kaip lengva, rodos, turėti vaikų mane supančioms moterims! Kodėl aš tokia nemotiniška ir nepritampu? Kodėl negaliu svajoti, kaip aukojuosi vienam vaikui po kito – taip kaip Doda Konvėj?

Jei turėčiau praleisti su kūdikiu kiaurą dieną, išprotėčiau.

Pažvelgiau į kūdikį priešais sėdinčios moters sterblėje. Neįsivaizdavau, kokio jis amžiaus, – niekada to nesuprantu, – tik mačiau, kad jis be paliovos čiauška, o už putnių rausvų lūpyčių matyti dvidešimt dantų. Jis laikė svirduliuojančią galvytę ant pečių, – rodos, neturėtų kaklo, – ir stebėjo mane išmintinga, Platono verta išraiška.

Kūdikio motina šypsojosi ir šypsojosi, laikydama jį tarsi pirmąjį pasaulio stebuklą. Stebėjau juos svarstydama, kodėl jie abu tokie patenkinti, bet, man dar nespėjus nieko suvokti, gydytojas pasikvietė mane vidun.

– Jums reikia apsaugos, – linksmai tarė jis.

Su palengvėjimu pamaniau, kad jis bent ne iš tų gydytojų, uždavinėjančių šlykščius klausimus. Žadėjau jam pasakyti, jog ketinu ištekėti už jūrininko, vos tik jo laivas prisišvartuos

Čarlztauno uoste, o sužadėtuvių žiedo neturiu todėl, kad skurstame. Tačiau paskutinę akimirką atsisakiau smagios istorijos ir paprasčiausiai atsakiau:

– Taip.

Užlipau ant kėdės galvodama: „Lipu į laisvę, laisvę nuo baimės, nuo vedybų tik dėl sekso su netinkamu žmogumi, tokiu kaip Badis Vilardas, laisvę nuo Florensės Kritenden prieglaudos, kur eina visos vargšės mergaitės, kurias reikėjo apsaugoti kaip ir mane, nes jos vis viena būtų dariusios tą pat, ką darė, nepaisydamos..."

Kai važiavau atgal į prieglaudą su dėžute, įvyniota į lygų rudą popierių, po pažasčia, atrodžiau kaip kokia nors ponia Kasnors, grįžtanti po dienos mieste su Šrafto pyragėliu senmergei tetulei ar su Filenos rūsio skrybėlaite. Netrukus įtarimai, kad katalikai turi rentgeno akis, pranyko, ir aš pajutau palengvėjimą. Tariau sau, kad puikiai pasinaudojau privilegija apsipirkti.

Buvau savarankiška moteris.

Kitas žingsnis – susirasti tinkamą vyrą.

Devynioliktas skyrius

– Ketinu tapti psichiatre, – kaip visada, entuziastingai prašvokštė Džoana. Mes gėrėme obuolių sidrą Belsaizo poilsio kambaryje.

– O, kaip miela, – šaltai atsakiau.

– Ilgai kalbėjausi su gydytoja Kvin. Jai atrodo, jog tai visai įmanoma.

Gydytoja Kvin, šviesiaplaukė gudri netekėjusi dama, buvo Džoanos psichiatrė, ir aš dažnai pagalvodavau, kad jei būčiau paskirta jai, tikriausiai vis dar gyvenčiau Kaplane ar, dar labiau tikėtina, Vimarke. Gydytoja Kvin buvo sunkiai perkandama, ir tai tiko Džoanai, bet mane nuo jos krėtė šiurpas.

Džoana tarškėjo apie Ego ir Id, o aš ėmiau galvoti apie visai ką kita – apie rudą neišvyniotą ryšulėlį apatiniame savo komodos stalčiuje. Su gydytoja Nolan niekada nesikalbėdavau apie Ego ir Id. Iš tiesų nė nežinau, apie ką mudvi ten kalbėdavomės.

– ...ketinu įgyvendinti tai dabar.

Atsisukau į Džoaną.

– Kur? – pasiteiravau, mėgindama nuslėpti pavydą.

– Gydytoja Nolan pasakė, kad, jai rekomenduojant, mano koledžas priims mane antram semestrui, o Filomena Gvinėja skirs stipendiją, bet kadangi gydytojai uždraudė man kol kas gyventi su motina, turėsiu likti prieglaudoje, kol prasidės žiemos semestras.

Vis dėlto jaučiau, kad nesąžininga, jog Džoana nugalės mane išeidama.

– Kur? – neatstojau. – Juk tau neleis gyventi savarankiškai, tiesa?

Džoanai tik šią savaitę vėl leido vaikščioti į miestą.

– O, ne, žinoma, ne. Gyvensiu Kembridže su slauge Kenedi. Jos kambario draugė ką tik ištekėjo, ir jai reikia su kuo nors dalytis buto nuomą.

– Sveikinu, – pakėliau obuolių sidro taurę, ir mudvi susidaužėme. Nors širdies gilumoje kirbėjo abejonės, pagalvojau, kad visada branginsiu Džoaną. Tarsi mus būtų suvedusi tokia visagalė aplinkybė kaip karas ar maras, padalijęs mūsų pasaulį. – Kada išvyksti?

– Pirmą mėnesio dieną.

– Šaunu.

Džoana nuliūdo.

– Juk aplankysi mane, tiesa, Estera?

– Žinoma.

Bet pagalvojau: „Tikriausiai ne“.

– Skauda, – pasiskundžiau. – Ar turi skaudėti?

Irvinas tylėjo. Paskui burbtelėjo:

– Kartais skauda.

Susitikau Irviną ant Vaidnerio bibliotekos laiptų. Stovėjau viršutinėje laiptų aikštelėje, apžiūrinėdama raudonų plytų pastatus, supančius snieginą keturkampį kiemą, ir ruošiausi, įli-

pusi į troleibusą, grįžti į prieglaudą, kai prie manęs priėjo aukštas jaunuolis gana bjauriu ir akiniuotu, bet protingu veidu, ir paklausė:

– Gal galėtumėte pasakyti, kiek valandų?

Pažiūrėjau į laikrodį.

– Penkios po keturių.

Vyriškis apglėbė knygų krūvą, kurią nešėsi priešais save kaip pietų padėklą. Atsidengė kaulėtas riešas.

– Ei, tu pats turi laikrodį!

Vyriškis gailiai pažiūrėjo į savo laikrodį. Pakėlė ranką ir prisidėjo ją prie ausies.

– Jis sustojęs, – žaviai nusišypsojo. – Kur eini?

Norėjau pasakyti: „Atgal į beprotnamį“, bet vyras atrodė daug žadantis, tad apsigalvojau.

– Namo.

– Gal norėtum iš pradžių su manimi išgerti kavos?

Dvejojau. Į prieglaudą turėjau grįžti vakarienės ir nenorėjau vėluoti, kai netrukus jau turėtų mane išrašyti.

– Labai mažą puoduką kavos?

Nusprendžiau išbandyti naują pagijusią savo asmenybę su šiuo vyru, kuris, man vis dar dvejojant, prisistatė: jis – Irvinas, matematikos profesorius, ir daug uždirba; tad pasakiau:

– Gerai, – ir, priderinusi žingsnį prie jo, nužingsniavau ilgais apledėjusiais laiptais.

Nusprendžiau gundyti Irviną tik tada, kai pamačiau jo kabinetą.

Jis gyveno tamsiame jaukiame bute rūsyje vienoje iš apgriuvusių gatvių už Kembridžo. Jis nusivedė mane ten, kaip sakė, išgerti alaus po trijų karčios kavos puodelių studentų kavinėje. Mes susėdome jo kabinete ant minkštų rudos odos kėdžių, kurias supo dulkėtų nesuprantamų knygų krūvos. Jų puslapiuose meniškai tarsi eilėraščiai buvo išraizgytos ilgų formulių eilutės.

Kol siurbčiojau pirmą alaus bokalą, – iš tiesų niekada nemėgstu gerti šalto alaus viduržiemį, bet paėmiau bokalą, kad galėčiau laikytis už ko nors tvirto, – suskambo durų skambutis.

Irvinas sutriko.

– Tai tikriausiai dama.

Irvinas turėjo keistą senamadišką įprotį moteris vadinti damomis.

– Gerai, gerai, – plačiai mostelėjau ranka. – Vesk ją vidun.

Irvinas papurtė galvą.

– Ji nuliūs, tave pamačiusi.

Nusišypsojau į gintarinį šalto alaus cilindrą.

Durų skambutis vėl įsakmiai suskambo. Irvinas atsiduso ir pakilęs nuėjo prie durų. Tą akimirką, kai jis pranyko, aš įsmukau į vonios kambarį ir, pasislėpusi už purvinų aliuminio spalvos pakeliamųjų žaliuzių, ėmiau stebėti Irvino beždžionišką veidą, pasirodžiusį durų plyšyje.

Stambi krūtininga slavė storu natūralios vilnos megztiniu, violetinėmis kelnėmis, persiškų ėriukų vilnos rankogaliais ir aukštakulniais juodais batais pūkštavo baltus begarsius žodžius į žiemišką orą. Irvino balsas per visą koridorių sklido iki manęs.

– Atsiprašau, Olga... Aš dirbu, Olga... Ne, aš taip nemanau, Olga, – raudonos damos lūpos nuolat judėjo, ir žodžiai, pavirtę baltais garais, jau plūduriavo virš plikos alyvos, augančios prie durų, šakų. Tada, galiausiai: – Gal, Olga... Viso, Olga.

Žavėjausi neaprėpiamu, stepę primenančiu išsipūtusiu damos pilvu, pridengtu vilna, kai ji vos už kelių colių nuo mano akių nusileido žemyn girgždančiais mediniais laiptais, karčiai sibirietiškai suspaudusi gyvas lūpas.

– Tikriausiai Kembridže turi daugybę meilės romanų, – linksmai pasakiau Irvinui, įsmeigusi į sraigę smeigtuką viename iš Kembridžo prancūziškų restoranų.

– Rodos, – kukliai nusišypsojo Irvinas, – gerai sugyvenu su damomis.

Pakėliau tuščią sraigės kiaukutą ir išgėriau žolės žalumo sultis. Nežinojau, ar dera taip elgtis, bet aš jau kiaurus mėnesius laikiausi nuobodžiai sveikos beprotnamio dietos ir buvau taip ištroškusi sviesto.

Paskambinau gydytojai Nolan iš mokamo telefono restorane ir paprašiau leidimo pernakvoti Kembridže pas Džoaną. Žinoma, nežinojau, ar Irvinas pasikvies mane atgal į savo butą po vakarienės ar ne, bet pagalvojau, jog jis, paleisdamas slavę, – kitą savo moterį, – šį tą pažadėjo.

Atlošiau galvą ir susiverčiau stiklą „Švento Jurgio naktys“.

– Tau turbūt patinka vynas, – tarstelėjo Irvinas.

– Tik „Švento Jurgio naktys“. Taip ir įsivaizduoju jį... su slibinu...

Irvinas patapšnojo man ranką.

Norėjau, jog pirmas vyras, su kuriuo permiegosiu, būtų protingas, kad jį gerbčiau. Irvinas buvo dvidešimt šešerių metų profesorius, blyškios beplaukės genijaus odos. Be to, man reikėjo patyrusio vaikino, kad užmaskuočiau savo nepatyrimą, o Irvino damos užtikrino mane tuo. Ir dar: kad būtų saugu, norėjau nepažįstamo, su kuriuo ir vėliau niekad nesusipažinsiu, tarsi kokio bejausmio dvasininko, kaip istorijose apie genčių papročius.

Baigiantis vakarui, dėl Irvino jau neabejojau.

Nuo tada, kai sužinojau apie Badžio Vilardo ištvirkimą, mano skaistybė tarsi malūno girnos kabojo man ant kaklo. Ji man taip ilgai buvo tokia svarbi, kad buvau įpratusi ginti ją bet kokia kaina. Gyniau ją penkerius metus. Man jau to gana.

Tik tada, kai grįžome į butą ir Irvinas apglėbęs mane nunešė į juodą kaip degutas miegamąjį apsvaigusią nuo vyno ir suglebusią, aš sumurmėjau:

– Žinai, Irvinai, tikriausiai turiu tau pasakyti – aš dar nekalta.

Irvinas nusijuokė ir numetė mane ant lovos.

Po kelių minučių nuostabos šūksnis išdavė, kad Irvinas manimi iš tiesų nepatikėjo. Kaip gerai, kad šiandien pradėjau saugotis nėštumo, nes, būdama apsvaigusi, šį vakarą tikrai nebūčiau rūpinusis atlikti tokią delikačią ir būtiną operaciją. Susižavėjusi ir nuoga gulėjau ant šiurkščios Irvino antklodės laukdama, kol pajusiu stebuklingus pokyčius.

Bet jaučiau tik aštrų, gąsdinamai stiprų skausmą.

– Skauda, – pasiskundžiau. – Ar turi skaudėti?

Irvinas tylėjo. Paskui burbtelėjo:

– Kartais skauda.

Po kurio laiko Irvinas atsikėlė ir nuėjo į vonios kambarį, išgirdau, kaip duše teka vanduo. Nebuvau tikra, ar Irvinas padarė tai, ką ketino padaryti, ar mano skaistybė jam kaip nors sukliudė. Norėjau jo paklausti, ar vis dar esu skaisti, bet jaučiausi išmušta iš vėžių. Šiltas skystis sruvo man tarp kojų. Nedrąsiai ištiesiau pirštus ir paliečiau jį.

Kai pakėliau ranką į šviesą, besiliejančią pro vonios kambario duris, mano pirštų galiukai atrodė juodi.

– Irvinai, – nervingai šūktelėjau, – atnešk man rankšluostį.

Irvinas sugrįžo, apsirišęs juosmenį vonios rankšluosčiu, o antrą, mažesnį, ištiesė man. Įsikišau rankšluostuką sau tarp

kojų ir beveik tučtuojau jį ištraukiau. Jis buvo pajuodęs nuo kraujo.

– Aš kraujuoju! – pranešiau, staiga atsisėdusi.

– O, tai dažnai nutinka, – patikino mane Irvinas. – Viskas bus gerai.

Tada prisiminiau pasakojimus apie krauju išteptas santuokines paklodes bei kapsules su raudonu rašalu, skirtas jau praradusioms nekaltybę nuotakoms. Svarsčiau, kiek laiko dar kraujuosiu, ir atsiguliau, glausdama prie savęs rankšluostį. Man toptelėjo, kad kraujas ir yra man atsakymas. Tikriausiai jau nebesu skaisti. Nusišypsojau į tamsą. Jaučiausi esanti ilgaamžės tradicijos dalis.

Slapčia prisidėjau švariąją balto rankšluosčio pusę prie žaizdos manydama, kad kai tik liausiuosi kraujuoti, tučtuojau grįšiu vėlyvu troleibusu į prieglaudą. Norėjau pasvajoti apie naują savo būseną visiškoje ramybėje, tačiau rankšluostis vėl pajuodo ir ėmė varvėti.

– Aš... turbūt eisiu namo, – silpnai suveblenau.

– Juk ne dabar.

– Ne, manau, kad taip bus geriau.

Paklaususi, ar galiu pasiskolinti Irvino rankšluostį, įsidėjau jį sau tarp šlaunų kaip tvarstį. Paskui apsitempiau prakaituotus drabužius. Irvinas pasisiūlė parvežti mane namo, bet neįsivaizdavau, kaip galėčiau leisti jam nuvežti mane į beprotnamį, taigi įnikau raustis piniginėje ieškodama Džoanos adreso. Irvinas žinojo tą gatvę ir išėjo į lauką užvesti mašinos. Buvau per daug susikrimtusi, kad pasakyčiau jam, jog vis dar kraujuoju. Vyliausi, kad kraujavimas liausis bet kurią minutę.

Bet kol Irvinas vežė mane tuščiomis snieguotomis gatvėmis, jaučiau, kaip šiltas skystis sunkiasi pro rankšluostį, teka ant sijono ir mašinos sėdynės.

Kai sulėtinome greitį, sukiodamiesi tarp apšviestų namų, susimąsčiau: „Kaip gera, kad nepraradau skaistybės gyvendama koledže arba namie, kur visai negalėčiau pasislėpti".

Džoana, džiugiai nustebusi, atidarė duris. Irvinas pabučiavo man ranką ir liepė jai manimi pasirūpinti.

Uždariau duris ir atsirėmiau į jas jausdama, kaip kraujas akimirksniu atslūgsta man iš veido.

– Ei, Estera, – šūktelėjo Džoana. – Kas gi, po galais, atsitiko?

Svarsčiau, kada Džoana pastebės, jog mano kojomis teka lipnus kraujas ir srūva į juodos odos batelius. Rodės, galėčiau net mirti suvarpyta kulkų, o Džoana vis dar spoksotų į mane juodomis akimis laukdama, kol paprašysiu puodelio kavos ir sumuštinio.

– Ar čia yra slaugė?

– Ne, ji naktiniame budėjime Kaplane...

– Gerai, – keistai rūgščiai nusišypsojau, kai dar vienas kraujo pliūpsnis prasisunkė pro permerktą rankšluostį ir pradėjo varginamą kelionę į mano batus. – Norėjau pasakyti... Blogai.

– Keistai atrodai, – pareiškė Džoana.

– Geriau pakviesk gydytoją.

– Kodėl?

– Greitai.

– Bet...

Ji vis viena nieko nepastebėjo.

Aiktelėjusi pasilenkiau ir nusiaviau vieną nuo šalčio sutrūkinėjusį juodą Blumingdeilio batelį. Iškėlusi batą priešais didžiules Džoanos akis akmenukus, apverčiau jį ir stebėjau, kaip kraujo srovė srūva ant rusvo kilimėlio.

– Dieve mano! Kas nutiko?

– Aš kraujuoju.

Džoana pusiau nuvedė, pusiau nutempė mane prie sofos ir privertė atsigulti. Padėjusi keletą pagalvių po mano dėmėtomis nuo kraujo kojomis, atsitraukė ir paklausė:

– Kas buvo tas vyras?

Vieną minutę karštligiškai pamaniau, kad Džoana atsisakys pakviesti daktarą, kol neišpasakosiu visos istorijos apie savo vakarą su Irvinu, ir kad po mano išpažinties ji vis viena atsisakys, taip mane bausdama. Bet paskui mačiau, kad ji nuoširdžiai išklausė mano pasiaiškinimą, bet nepatikėjo, jog permiegojau su Irvinu, manė, kad jis pasirodė tik tam, jog atimtų iš jos malonumą džiaugtis mano atėjimu.

– O, vienas toks vaikinas, – atsakiau, silpnai mostelėjusi ranka. Vėl pasipylė kraujo pliūpsnis, ir aš persigandusi sutraukiau pilvo raumenis. – Atnešk rankšluostį.

Džoana išėjo ir tučtuojau grįžo su krūva rankšluosčių ir paklodžių. Greitai kaip slaugė ji nuvilko krauju permirkusius drabužius, giliai įkvėpė, pamačiusi skaisčiai raudoną rankšluostį, ir uždėjo švarų tvarstį. Gulėjau mėgindama nuraminti baisiai besidaužančią širdį, nes kiekvienas dūžis išstumdavo dar vieną kraujo srautą.

Prisiminiau kraupų Viktorijos laikų romaną, kur viena po kitos po sunkių gimdymų mirdavo išblyškusios kilnios moterys, gulėdamos kraujo klanuose. Gal Irvinas mane baisiai sužalojo ir dabar, gulėdama ant Džoanos sofos, ir aš mirštu.

Džoana pasidėjo po keliais indėnišką pagalvėlę ir pradėjo skambinti pagal ilgą Kembridžo gydytojų sąrašą. Pirmuoju numeriu niekas neatsiliepė. Džoana pradėjo pasakoti mano nutikimą antrajam atsiliepusiam žmogui, bet paskui nutilo ir tarusi: „Suprantu“, padėjo ragelį.

– Kas yra?

– Jis vyksta tik pas nuolatinius klientus arba kai yra kritiška padėtis. Juk sekmadienis.

Mėginau pakelti ranką ir pažiūrėti į laikrodį, bet ji buvo tarsi akmuo prie šono ir net nepajudėjo. Sekmadienis – gydytojų rojus! Gydytojai kaimo klubuose, gydytojai pajūry, su meilužėmis, su žmonomis, bažnyčioje, jachtose, bet jie visur – tik žmonės, o ne gydytojai.

– Dėl Dievo meilės, – sudejavau, – pasakyk jam, kad padėtis kritiška.

Trečiuoju numeriu niekas nekėlė ragelio, o ketvirtas žmogus numetė ragelį, vos tik Džoana užsiminė apie menstruacijas. Ji ėmė žliumbti.

– Klausyk, Džoana, – skausmingai pasakiau, – skambink į vietos ligoninę. Pasakyk jiems, kad padėtis kritiška. Jie turės mane paimti.

Džoana nušvito ir paskambino penktuoju numeriu. Greitosios pagalbos tarnyba pažadėjo jai, kad etatinis gydytojas apžiūrės mane, jei atvyksiu į skyrių. Tada ji iškvietė taksi.

Džoana pareiškė, kad važiuos su manimi. Aš desperatiškai spaudžiau naują krūvą rankšluosčių, o taksistas, kurį paveikė Džoanos pasakytas adresas, sukiojosi aušros nutviekstomis gatvėmis ir, sucypinęs ratus, sustojo prie ligoninės priimamojo durų.

Palikau Džoaną sumokėti vairuotojui ir nuskubėjau į tuščią ryškiai apšviestą kambarį. Iš už baltos širmos išpuolė slaugė. Keliais žodžiais spėjau jai papasakoti tiesą apie savo keblią padėtį, kai tarpdury pasirodė Džoana, mirkčiodama išplėstomis akimis kaip trumparegė pelėda.

Išlindo ligoninės priimamojo gydytojas, ir aš, padedama slaugės, užlipau ant kėdės. Slaugė kažką sušnibždėjo gydytojui, jis linktelėjo ir ėmė vynioti kruvinus rankšluosčius. Jaučiau, kaip jo pirštai ima čiuopti, o Džoana, tvirta it kareivis, stovėjo šalia, laikydama mano ranką, – negalėjau suprasti, ar norėdama padėti man ar sau.

– Oi! – suspigau nuo ypač skausmingo stumtelėjimo.

Gydytojas švilptelėjo.

– Tu viena iš milijono.

– Ką turite galvoje?

– Noriu pasakyti, kad taip nutinka tik vienai iš milijono.

Gydytojas kažką tyliai ir atžariai burbtelėjo slaugei, ir ji, nuskubėjusi prie šoninio staliuko, atnešė keletą marlės ritinių ir sidabrinių instrumentų.

– Tiksliai matau, – gydytojas pasilenkė, – kur yra bėda.

– Ar galite viską sutvarkyti?

Gydytojas nusijuokė.

– O, galiu tai sutvarkyti kuo puikiausiai.

Mane pažadino beldimas į duris. Buvo jau po vidurnakčio, ir prieglaudoje tylu kaip kapinėse. Neįsivaizdavau, kas gi dar nemiega.

– Užeikite! – uždegiau naktinę lemputę.

Durys spragtelėjusios atsidarė, ir tarpduryje pasirodė žvitri, tamsi gydytojos Kvin galva. Nustebusi pažiūrėjau į ją: nors ir žinojau, kas ji, ir dažnai linktelėjusi praeidavau pro ją prieglaudos koridoriumi, niekada su ja nesikalbėjau.

Ji pasiteiravo:

– Panele Grynvud, ar galiu užeiti valandžiukę?

Linktelėjau.

Gydytoja Kvin įėjo į kambarį ir tyliai uždarė duris. Ji vilkėjo vieną iš savo ryškiai mėlynų tvarkingų kostiumėlių, o pro V formos kaklo iškirptę matėsi sniego baltumo marškiniai.

– Atsiprašau, kad jus varginu, panele Grynvud, ypač tokiu nakties metu, bet pamaniau, kad galėsite padėti mudviem su Džoana.

Akimirką pamaniau, ar gydytoja Kvin neapkaltins manęs

už tai, kad Džoana grįžo į beprotnamį. Net nenutuokiau, ką sužinojo Džoana po mūsų kelionės į ligoninės priimamąjį, tačiau po kelių dienų ji grįžo gyventi į Belsaizą. Žinoma, ji gali išeiti pasivaikščioti po miestą.

– Padarysiu, ką galėsiu, – patikinau gydytoją Kvin.

Ji atsisėdo ant mano lovos krašto. Atrodė labai rimta.

– Norėtume sužinoti, kur yra Džoana. Manėme, kad gal tu ką nors žinai.

Staiga panorau visiškai atsiriboti nuo Džoanos.

– Nežinau, – šaltai atšoviau. – Argi ji ne savo kambary?

Jau seniai nuskambėjo Belsaizo vakaro varpas.

– Ne, ji turėjo leidimą šį vakarą nueiti į kiną mieste, bet dar negrįžo.

– Su kuo ji buvo?

– Ji buvo viena, – gydytoja Kvin patylėjo. – Gal įsivaizduoji, kur ji gali leisti naktį?

– Ji tikrai grįš. Tikriausiai kur nors užtruko, – tačiau neįsivaizdavau, kur gali taip ilgai užtrukti Džoana naktį Bostone.

Gydytoja Kvin papurtė galvą.

– Paskutinis troleibusas atvažiavo prieš valandą.

– Gal ji grįš taksi.

Gydytoja atsiduso.

– Ar apklausėt tą merginą – Kenedi? – tęsiau. – Pas ją Džoana kitados gyveno.

Ji linktelėjo.

– O jos šeimą?

– Ji niekad ten neitų... Bet mes jau apklausėm ir juos.

Gydytoja Kvin valandėlę delsė, tarsi ramiame kambaryje galėtų užčiuopti kokią užuominą. Paskui pasakė:

– Ką gi, padarėme viską, ką galėjome, – ir išėjo.

Išjungiau šviesą ir pamėginau vėl užmigti, bet Džoanos vei-

das plaukiojo priešais mane, bekūnis ir besišypsantis, tarsi Češyro katino snukis. Net pamaniau, kad išgirdau jos balsą, suskambantį ir nuščiūvantį tamsoje, bet paskui supratau, kad čia tik nakties vėjas siaučia prieglaudos medžių šakose...

Dar vienas beldimas pažadino mane šerkšno pilkumo aušros prieblandoje.

Šįsyk pati atidariau duris.

Priešais mane buvo gydytoja Kvin. Ji stovėjo išsitempusi „Ramiai", tarsi seržantė per rikiuotę, tačiau jos siluetas tarsi skendėjo migloje.

– Pamaniau, kad turėtum žinoti, – pratarė ji. – Rado Džoaną.

Man kraujas sustingo gyslose, išgirdus šiuos žodžius.

– Kur?

– Miške, prie užšalusio tvenkinio...

Prasižiojau, bet žodžiai nenorėjo išeiti.

– Ją rado vienas sanitaras, – tęsė ji, – ką tik, eidamas į darbą...

– Ji ne...

– Ji negyva, – atsakė gydytoja. – Gaila, ji pasikorė.

Dvidešimtas skyrius

Ką tik iškritęs sniegas klojo prieglaudos žemę... Snyguriavo, tarsi būtų ne Kalėdos, o sausio pūgos, kurios užpusto viską – mokyklas, biurus ir bažnyčias ir dienai ar ilgesniam laikui palieka baltą švarų lapą vietoj bloknotų, kalendorių ir užrašų knygelių.

Po savaitės, jei atlaikysiu pokalbį su grupe gydytojų, juoda didelė Filomenos Gvinėjos mašina nuveš mane į Vakarus ir išmes prie geležinių mano koledžo vartų.

Viduržiemis!

Masačiūsetsą apgaubė marmurinė ramybė. Įsivaizdavau snaiges, senelės Mozės kaimus, pelkynus, kuriuose traška išdžiūvę švendrai, tvenkinius, kur ledo apvalkale snaudžia varlės, virpančius miškus.

Bet po apgaulingai švaria ir lygia skraiste reljefas liko toks pat, ir vietoj San Francisko, Europos ar Marso aš apžiūrinėsiu senąjį peizažą: upokšnį, kalvą ir medį. Tačiau tai man atrodė nereikšminga praėjus šešiems mėnesiams po to, kai taip staigiai iškeliavau.

Žinoma, visi žinos apie mane.

Gydytoja Nolan gana stačiokiškai man pasakė, kad daugelis žmonių elgsis su manimi atsargiai, net vengs manęs kaip raupsuotosios su varpeliu. Atminty iškilo motinos veidas, blyškus, priekaištingas mėnulis, per jos pirmąjį apsilankymą prieglaudoje per mano dvidešimtąjį gimtadienį ir paskutinįjį vizitą. Duktė beprotnamyje! Štai kaip su ja pasielgiau. Vis dėlto ji tikrai nusprendė man atleisti.

– Pradėsime nuo ten, kur baigėme, Estera, – pasakė ji ir švelniai šyptelėjo kaip kankinė. – Elgsimės taip, tarsi visa tai būtų tik blogas sapnas.

Blogas sapnas.

Žmogui stikliniame gaubte, sumišusiam ir sustingusiam tarsi negyvam kūdikiui, pats pasaulis jau yra blogas sapnas.

Prisimenu viską.

Prisimenu juos – lavonus, Doriną, pasakojimą apie figmedį, Marko deimantą, jūrininką valgykloje, piktaakę gydytojo Gordono seselę, sudužusius termometrus, negrą su dviejų rūšių pupelėmis, dvidešimt svarų, kuriuos priaugau, kai man leido insuliną, ir tą uolą, kuri kyšojo tarp dangaus ir jūros kaip pilka kaukolė.

Gal užmarštis kaip šis toksai gražus sniegas sustingdys ir uždengs prisiminimus.

Bet jie – mano dalis. Jie – mano peizažas.

– Pas tave atėjo vaikinas!

Besišypsanti slaugė balta kepuraite įkišo galvą pro duris, ir akimirką sumišusi maniau, kad iš tiesų grįžau į koledžą, o šie puošnūs balti baldai, baltas vaizdas virš pušų ir kalvų yra senojo mano kambario, – subraižytų kėdžių ir stalo bei peizažo virš pliko kvadratinio kiemo, – atsinaujinimas.

– Pas tave atėjo vaikinas! – pasakė prie bendrabučio telefono budinti mergina.

Kuo gi mes čia, Belsaize, taip skiriamės nuo tų mergaičių, lošiančių bridžą, liežuvaujančių ir besimokančių koledže, į kurį grįšiu? Tos merginos irgi sėdi po savotiškais stiklo gaubtais.

– Užeikite! – pakviečiau, ir į kambarį įėjo Badis Vilardas, rankoje laikydamas chaki spalvos kepuraitę.

– Na, Badi, – pasakiau.

– Na, Estera.

Mudu stovėjome ir žiūrėjome vienas į kitą. Laukiau emocijų pliūpsnio, bent kokio dilgtelėjimo. Nieko. Nieko, išskyrus milžinišką, saldų nuobodulį. Badžio figūra chaki spalvos švarku atrodė mažutė ir nesusijusi su manimi kaip ir tie rudi stulpai, prie kurių jis stovėjo tądien prieš metus slidžių trasos pabaigoje.

– Kaip tu čia atsiradai? – galiausiai paklausiau.

– Atvažiavau motinos mašina.

– Per visas pusnis?

– Iš tiesų įklimpau lauke, – nusišypsojo Badis. – Kalva man pasirodė per aukšta. Ar galiu kur nors pasiskolinti kastuvą?

– Galime jį gauti iš sporto aikštelės prižiūrėtojo.

– Gerai, – Badis apsisuko eiti.

– Palauk, eisiu tau padėti.

Tada Badis pažiūrėjo į mane, ir aš pamačiau jo akyse įsižiebiančias keistas ugneles – žvilgsnis buvo smalsus ir drauge atsargus, kaip mane aplankiusių krikščionės scientologės, seno mano anglų kalbos mokytojo bei unitorių dvasininko.

– Ak, Badi, – nusijuokiau. – Man viskas gerai.

– Taip, žinau, žinau, Estera, – skubiai suburbėjo Badis.

– Tu neturi atkasinėti tos mašinos, Badi. Ne, aš...

Ir Badis leido man atlikti didžiąją darbo dalį.

Mašina buvo užvažiavusi ant slidžios kalvos prie beprotnamio ir sustojusi stačioje pusnyje, o vienas ratas iššokęs iš vėžių.

Saulė, išnirusi tarp pilkų debesų, dabar skaisčiai švietė į šlaitus. Lioviausi dirbti ir, pažvelgusi į švarius plotus, pajutau tokį pat didelį virpulį, kokį jaučiu, išvydusi medžius ir iki juosmens žoles prie vandens, tarsi įprastas pasaulis būtų atsitraukęs ir prasidėtų nauja era.

Gerai, kad yra mašina ir pusnys. Badis neklausinėja manęs to, ko, žinojau, norėjo paklausti, ir ko galiausiai paklausė tyliu nervingu balsu, gerdamas popiečio arbatėlę Belsaize. DiDi stebėjo mudu per arbatos puodelio kraštą kaip pavydi katė. Po Džoanos mirties ji kuriam laikui buvo perkelta į Vimarką, bet dabar vėl grįžo pas mus.

– Svarsčiau... – Badis pastatė puoduką ant lėkštutės. Ši bjauriai tarkštelėjo.

– Ką tu svarstei?

– Svarsčiau... Na, maniau, kad galėsi man kai ką pasakyti, – Badis pažvelgė man į akis, ir aš pirmą kartą pamačiau, kaip jis pasikeitė. Vietoj senos, užtikrintos šypsenos, kuri lengvai ir dažnai nušvisdavo veide kaip fotografo lemputė, jo veidas buvo rimtas, net nedrąsus, veidas žmogaus, kuris negauna to, ko trokšta.

– Pasakysiu tau, jei galėsiu, Badi.

– Kaip manai, ar tikrai manyje yra tai, kas veda moteris iš proto?

Negalėjau susitvardyti, ėmiau juoktis – gal dėl rimto Badžio veido, o gal dėl to, kaip jis šito paklausė.

– Noriu pasakyti, – neatstojo Badis, – kad aš susitikinėjau su Džoana, paskui su tavimi ir iš pradžių tu... išsikraustei iš proto, paskui Džoana...

Vienu pirštu įspaudžiau pyragėlio trupinį į mažą rudos arbatos lašelį.

„Aišku, kad tu to nepadarei!“ – išgirdau sakant gydytoją

Nolan. Atėjau pas ją dėl Džoanos, ir atsimenu, kad ji vienintelį kartą kalbėjo piktai. „Niekas to nepadarė! Ji pati tai padarė!“ O paskui ji man pasakė, kad ir geriausių gydytojų pacientai nusižudo, ir kad būtent jie, o ne kas kitas, turėtų už tai atsakyti, tačiau, priešingai, jie už tai niekada neatsako...

– Tu neturi nieko bendra su mumis, Badi.

– Tu tikra?

– Visiškai.

– Gerai, – atsiduso Badis. – Džiaugiuosi tuo.

Ir jis išgėrė arbatą tarsi vaistus.

– Girdėjau, kad mus palieki.

Sustojau šalia Valerijos mažoje slaugės prižiūrimoje grupelėje.

– Tik jei taip nuspręs gydytojai. Rytoj man pokalbis.

Suslėgtas sniegas girgždėjo po kojomis, visur girdėjau melodingą varvenimą ir lašėjimą, nes vidurdienio saulė tirpdė varveklius ir sniego šerkšną, kurie prieš naktį vėl suledės.

Tokioje ryškioje šviesoje juodų pušų šešėliai atrodė mėlyni. Aš kurį laiką pasivaikščiojau su Valerija pažįstamu nukastų prieglaudos takų labirintu. Atrodė, kad gydytojai, slaugės ir pacientai, vaikštinėjantys gretimais takeliais, juda ant ratukų, nes juos iki juosmens dengė sukrautas sniegas.

– Pokalbiai! – sušnarpštė Valerija. – Nesąmonė. Jei jie ketina tave išleisti, tai ir išleis.

– Tikiuosi.

Priešais Kaplaną pasakiau „sudie“ ramiam, besmegeniam Valerijos veidui, kuriame atsispindi taip mažai tiek gero, tiek blogo, ir nuėjau viena, o man iš burnos net ir saulės sklidiname ore virto ir plaukė balti debesiukai. Valerija paskutinį kartą linksmai sušuko:

– Iki! Dar pasimatysim.

„Tikiuosi, ne“, – pamaniau.

Bet nebuvau tuo tikra. Niekuo nebuvau tikra. Kaip man žinoti, kad vieną dieną, – koledže, Europoje, bet kur, – stiklo gaubtas su tvankiu oru vėl nenusileis?

Ir argi Badis nepasakė, tarsi keršydamas man už tai, kad atkasiau jo mašiną, o jis stovėjo šalia: „Įdomu, už ko tu dabar ištekėsi, Estera“.

– Ką? – paklausiau, kasdama sniegą į krūvą ir mirksėdama nuo dilginančių snaigių lietaus.

– Įdomu, kas dabar tave ves, Estera. Kai jau buvai čia, – ir Badis apvedė ranka kalvą, pušis ir rūsčius sniegu užklotus pastatus, ardančius darnų peizažą.

Aš irgi nežinojau, kas gi mane ves po to, kai buvau ten, kur buvau. Visai to nežinojau.

– Aš gavau sąskaitą, Irvinai, – ramiai pasakiau į prieglaudos mokamo telefono ragelį pagrindiniame administracinio pastato koridoriuje. Iš pradžių įtariau, kad mūsų gali klausytis operatorė, bet ji tik junginėjo lemputes nė nemirksėdama.

– Taip, – atsiliepė Irvinas.

– Tai dvidešimties dolerių sąskaita už greitosios pagalbos suteikimą aną gruodžio dieną ir už kartotinį patikrinimą po savaitės.

– Taip, – pakartojo Irvinas.

– Ligoninė sakė, kad siunčia sąskaitą man, nes niekas neapmokėjo tau nusiųstosios.

– Gerai, gerai, tučtuojau išrašau čekį. Išrašau jiems neužpildytą čekį, – Irvino balsas kiek pasikeitė: – Kada tave pamatysiu?

– Tikrai nori žinoti?

– Labai.

– Niekada, – atšoviau ir ryžtingai padėjau ragelį.

Trumpai šmėstelėjo, ar Irvinas po to nusiųs čekį į ligoninę, o paskui pagalvojau: „Savaime suprantama, juk jis matematikos profesorius, nenorės palikti jokių neužbaigtų darbų".

Kažkodėl man ėmė drebėti kinkos ir mažumą palengvėjo.

Irvino balsas man nieko nereiškė.

Pirmą kartą po mūsų pirmo ir paskutinio susitikimo kalbėjausi su juo ir, esu tikra, kad kalbėjausi paskutinį kartą. Irvinas niekaip su manimi nesusisiektų, na, nebent nueitų į slaugės Kenedi butą, tačiau po Džoanos mirties ji kažkur išsikraustė ir net nepaliko pėdsakų.

Aš visiškai laisva.

Džoanos tėvai pakvietė mane į laidotuves.

Pasak ponios Džiling, buvau viena geriausių jos draugių.

– Žinok, neprivalai eiti, – pasakė man gydytoja Nolan. – Visada gali parašyti ir pranešti, jog geriau neisi.

– Eisiu, – atsakiau ir nuėjau, ir per visas įprastas laidotuvių apeigas svarsčiau, ką, mano galva, aš laidoju.

Prie altoriaus karstas šmėksojo tarp daugybės sniego blyškumo gėlių, tarsi juodas šešėlis to, ko čia nebebuvo. Veidai klauptuose aplink mane buvo vaškiniai nuo žvakės šviesos, o pušų šakos, paliktos dar nuo Kalėdų, skleidė niūrius kvapus į šaltą orą.

Šalia manęs sėdinčios Džodės skruostai žėrėjo kaip prinokę obuoliukai, ir šioje mažoje bažnytėlėje šen bei ten pastebėjau kitus mūsų koledžo ir miestelio merginų veidus – jos pažinojo Džoaną. DiDi ir slaugė Kenedi sėdėjo priekiniame klaupte, nulenkusios skepetuotas galvas.

Toliau, už karsto, gėlių, dvasininko ir gedėtojų veidų, pamačiau besidriekiančias mūsų miesto kapinių pieveles, dabar storai užklotas sniegu, o paminkliniai akmenys kyšojo iš jo tarsi kaminai be dūmų.

Kietoje žemėje bus iškasta juoda šešių pėdų gylio duobė. Šitas šešėlis susituoks su kitu šešėliu, ir ta ypač gelsva mūsų apylinkių dirva bus tarsi įspausta žaizda baltame fone, kol dar viena pūga ištrins naujo – Džoanos kapo – pėdsakus.

Giliai įkvėpiau ir klausiausi seno širdies gyrimosi.

Aš esu, aš esu, aš esu.

Gydytojai susirinko kaip ir kas savaitę – seni reikalai, nauji reikalai, priėmimai, išrašymai ir pokalbiai. Prieglaudos bibliotekoje susimąsčiusi varčiau apdriskusį *National Geographic* žurnalą ir laukiau savo eilės.

Pacientai, lydimi slaugių, vaikštinėjo aplink pilnas knygų lentynas, tylutėliai šnekučiavosi su prieglaudos bibliotekininke, kuri anksčiau pati čia buvo uždaryta. Pažiūrėjusi į ją, – trumparegę, senmergišką, nepastebimą, – svarsčiau, kaip ji sužinojo, kad jau visai pasveiko, ir, priešingai nei jos slaugytiniai, yra sveika ir jaučiasi gerai.

– Nebijok, – ramino mane gydytoja Nolan. – Aš būsiu ten, kitus gydytojus irgi pažįsti. Tiesa, bus keletas lankytojų, o ponas Vainingas, visų gydytojų viršininkas, užduos tau keletą klausimų, ir tada galėsi eiti.

Bet nors ji ir ramino mane, mirtinai bijojau.

Tikėjausi, kad išvykdama jausiuosi tvirtai, kad žinosiu, kas manęs laukia ateityje – juk buvau „ištirta“. Tačiau visur mačiau tik klaustukus.

Visą laiką nekantriai žvilgčiojau į uždarytas posėdžių kabineto duris. Kojinių siūlės buvo tiesios, juodi batai subraižyti, bet nublizginti, raudonas vilnonis kostiumėlis spalvingas kaip ir mano planai. Turėti šį tą sena, šį tą nauja...

Bet juk aš neišteku. Maniau, jog turėtų būti ritualas atgimstant dar kartą: mane sudėjo iš gabalų, atnaujino ir palaimino kelionei. Bandžiau sugalvoti ritualą, tinkantį šiai akimirkai, kai tarsi iš niekur išdygo gydytoja Nolan ir palietė man petį.

– Viskas gerai, Estera.

Pakilau ir nusekiau paskui ją atvirų durų link.

Sustojusi trumpai atsikvėpti ant slenksčio, mačiau žilaplaukį gydytoją, pasakojusį man apie upes ir piligrimus pirmąją dieną, ir randuotą, it lavono panelės Hjui veidą ir akis, kurias, man rodės, atpažinau po baltomis kaukėmis.

Akys ir veidai pasisuko į mane, ir, traukiama jų tarsi magiškos gijos, įžengiau kambarin.

Serija „Garsiausios XX a. pabaigos knygos“

- ✓ Peter Høeg „Panelės Smilos sniego jausmas“
- ✓ Jostein Gaarder „Sofijos pasaulis“
- ✓ Kerstin Ekman „Įvykiai prie vandenų“
- ✓ Umberto Eco „Fuko švytuoklė“
- ✓ Michael Ondaatje „Anglas ligonis“
- ✓ Einar Már Guðmundsson „Visatos angelai“
- ✓ Robert Schneider „Miego brolis“
- ✓ Andréï Makine „Prancūziškas testamentas“
- ✓ Peter Høeg „Moteris ir beždžionė“
- ✓ Milan Kundera „Nemirtingumas“
- ✓ Nino Ricci „Šventųjų gyvenimai“
- ✓ Thomas Brussig „Herojai kaip ir mes“
- ✓ Andrzej Zaniewski „Žiurkinas“
- ✓ Gabriel García Márquez „Apie meilę ir kitus demonus“
- ✓ Michael Larsen „Netikrumas“
- ✓ Alessandro Baricco „Šilkas“
- ✓ Viktor Pelevin „Čiapajevas ir Pustota“
- ✓ Irvine Welsh „Traukinių žymėjimas“ (Trainspotting)
- ✓ Ute Ehrhardt „Geroms mergaitėms dangus, blogoms – viskas“
- ✓ Susanna Tamaro „Eik kur liepia širdis“
- ✓ Umberto Eco „Vakarykštės dienos sala“
- ✓ E. Annie Proulx „Akordeono nusikaltimai“
- ✓ Elfriede Jelinek „Geidulys“
- ✓ Zyranna Zateli „Grįžtantys su vilkų šviesa“
- ✓ Svava Jakobsdóttir „Gunlodos saga“
- ✓ Agneta Pleijel „Žiema Stokholme“
- ✓ Lydie Salvayre „Šmėklų draugija“
- ✓ Ute Ehrhardt „Kaip tapti bloga mergaite“
- ✓ Carl-Johan Vallgren „Lošėjo Rubašovo dokumentai“
- ✓ Michael Larsen „Gyvatė Sidnėjuje“
- ✓ Alina Fernández „Alina“
- ✓ Margaret Atwood „Greis“
- ✓ Ingrid Noll „Šaltas vakaro dvelksmas“
- ✓ Eva Wlodarek „Neliksiu nepastebėta“
- ✓ Catherine Clément „Teo kelionė“
- ✓ Connie Palmen „Dėsniai“

- ✓ Robert Schneider „Oreigė“
- ✓ Nikolaus Piper „Feliksas finansininkas“
- ✓ Lennart Hagerfors „Svajonė apie Ngongą“
- ✓ Arto Paasilinna „Zuikio metai“
- ✓ Judith Krantz „Tesės Kent brangenybės“
- ✓ Elizabeth Wurtzel „Prozaco karta“
- ✓ Marie-Claire Blais „Geismai“
- ✓ Ian McEwan „Amsterdamas“
- ✓ Ragnhild N. Grødal „Grobuonis!“
- ✓ Zoë Jenny „Žiedadulkių kambarys“
- ✓ Denis Guedj „Papūgos teorema“
- ✓ John O'Donohue „Anam ċara. Keltų pasaulio dvasinė išmintis“
- ✓ Jean-Pierre Vernant „Pasaulis, dievai, žmonės. Mitų interpretacijos“
- ✓ Philippe Delerm „Pirmas gurkšnis alaus ir kiti maži malonumai“
- ✓ Chuck Palahniuk „Kovos klubas“
- ✓ Carl Sagan „Demonų apsėstas pasaulis“
- ✓ Alessandro Baricco „Jūra vandenynas“
- ✓ Milan Kundera „Atsisveikinimo valsas“
- ✓ Umberto Eco „Rožės vardas“
- ✓ John Banville „Parodymų knyga“
- ✓ Michal Viewegh „Mergaičių auklėjimas Čekijoje“
- ✓ Samuel Shem „Dievo namai“
- ✓ Pentii Lempiäinen „Skaičių simbolika“
- ✓ Milan Kundera „Juokingos meilės“
- ✓ Milan Kundera „Gyvenimas yra kitur“
- ✓ Dietrich Schwanitz „Vyrai“
- ✓ Finn Skårderud „Nerimas“
- ✓ John O'Donohue „Amžinybės atbalsiai“
- ✓ José Donoso „Tamsus nakties paukštis“
- ✓ Joseph Heller „22-oji išlyga“
- ✓ Karl Ove Knausgård „Anapus pasaulio“
- ✓ Frédéric Beigbeder „Meilė trunka trejus metus“
- ✓ Milan Kundera „Lėtumas“
- ✓ Arthur Hailey „Detektyvas“
- ✓ Umberto Eco „Baudolinas“
- ✓ Lucía Etxebarria „Meilė, smalsumas, prozakas ir abejonės“
- ✓ Gilbert Sinoué „Dienos ir naktys“

- ✓ Peter Carey „Oskaras ir Liusinda“
- ✓ Milan Kundera „Pokštas“
- ✓ Fernando Savater „Gyvenimo klausimai“
- ✓ James Patterson „Siuzanos dienoraštis Nikolui“
- ✓ Frédéric Beigbeder „14,99 €“
- ✓ Laura Esquivel „Kaip vanduo šokoladui“
- ✓ John Updike „Poros“
- ✓ Jean-Philippe Toussaint „Vonios kambarys“
- ✓ Christian Jacq „Ramzis. Šviesos sūnus“
- ✓ Sylvia Plath „Stiklo gaubtas“
- Colleen McCullough „Morgano kelias“
- Milan Kundera „Nežinomybė“
- Lucía Etxebarria „Beatričė ir kiti dangaus kūnai“
- Juan Manuel de Prada „Apgaulinga Venecijos šviesa“
- Anne Bernet „Pontijus Pilotas“
- François Rachline „Sisifas“
- Michel Houellbecq „Elementariosios dalelės“
- Michel Houellbecq „Platforma“

Plath, Sylvia

Pl-24 Stiklo gaubtas : romanas / Sylvia Plath ; iš anglų kalbos vertė Rasa Akstinienė. – Vilnius : Tyto alba, 2004. – 249[7] p. – (Garsiausios XX a. pabaigos knygos)

ISBN 9986-16-332-3

Šiame autobiografiniame romane Sylvia Plath (1932–1963) sąžiningai ir įtaigiai aprašo jaunos, ambicingos ir talentingos merginos istoriją: pasakoja apie jos neviltis, bejėgiškumą ir depresiją, apėmusią tada, kai jai iškyla aibė pasirinkimo galimybių. Autorės gebėjimas įsiskverbti į giliausius žmogaus psichikos klodus pelnė šiam romanui pasaulinę šlovę.

UDK 820(73)-3

SYLVIA PLATH

STIKLO GAUBTAS

Romanas

Iš anglų kalbos vertė *Rasa Akstinienė*

Viršelio dailininkė *Ilona Kukenytė*

SL 1686. 2004 01 22. 8,98 apsk.l.l. Užsakymas 84

Išleido „Tyto alba“, J.Jasinskio 10, LT-2600 Vilnius, tel./faks. 249 86 02, tytoalba@taide.lt

Spausdino Standartų spaustuvė, S.Dariaus ir S.Girėno g.39, LT-2038 Vilnius

+

1. a. – V
2. f. – Ž
3. c. – M
4. d. – V
5. a. – Ž
6. f. – K
7. b. – I
8. a. – M
9. b. – O
10. a. – V
11. c. – T
12. a. – T

V – 3
Ž – 2
M – 2
K – 1
I – 1
O – 1
T – 2